MÉMOIRES

POLITIQUES

MÉMOIRES

POLITIQUES

**Pierre Elliott
Trudeau**

le jour,
éditeur

Données de catalogage avant publication (Canada)

Trudeau, Pierre Elliott

  Mémoires politiques

  Publié aussi en anglais sous le titre: *Memoirs*.

Comprend un index.

  1. Trudeau, Pierre Elliott, 1919- . 2. Canada -
Politique et gouvernement - 1963-1984.
3. Premiers ministres - Canada - Biographies.
I. Titre.

FC626.T7A3 1993   971.064'4'092 C93-097293-7
F1034.3.T7 1993

Adjointe à l'éditeur: Rachel Fontaine
Coordonnatrice de l'édition: Linda Nantel
Révision: Nicole Raymond
Conception graphique de la couverture:
Gaétan Venne
Photo de la couverture:
Jean Demers/Les Productions La Fête

DISTRIBUTEURS EXCLUSIFS:

- Pour le Canada et les États-Unis:
  LES MESSAGERIES ADP*
  955, rue Amherst, Montréal H2L 3K4
  Tél.: (514) 523-1182
  Télécopieur: (514) 939-0406
  * Filiale de Sogides ltée

- Pour la Belgique et le Luxembourg:
  PRESSES DE BELGIQUE S.A.
  Boulevard de l'Europe 117
  B-1301 Wavre
  Tél.: (10) 41-59-66
       (10) 41-78-50
  Télécopieur: (10) 41-20-24

- Pour la Suisse:
  TRANSAT S.A.
  Route des Jeunes, 4 Ter
  C.P. 125
  1211 Genève 26
  Tél.: (41-22) 342-77-40
  Télécopieur: (41-22) 343-46-46

- Pour la France et les autres pays:
  INTER FORUM
  Immeuble ORSUD, 3-5, avenue Galliéni,
  94251 Gentilly Cédex
  Tél.: (1) 47.40.66.07
  Télécopieur: (1) 47.40.63.66
  Commandes: Tél.: (16) 38.32.71.00
                 Télécopieur: (16) 38.32.71.28
                 Télex: 780372

Dépôt légal: 4e trimestre 1993
Bibliothèque nationale du Québec

ISBN 2-8904-4500-3

À mon père
À ma mère

AVANT-PROPOS

Chaque livre a son histoire et celui qu'on va lire ne fait pas exception à la règle. Pour en retracer l'origine, il me faudrait remonter à mes tout débuts comme premier ministre. Même à cette date déjà lointaine, des amis qui connaissaient mes antécédents dans le métier d'écrire et l'art de l'édition me pressaient déjà de tenir un journal ou du moins de prendre des notes qui, le moment venu, me permettraient, j'emprunte leurs propres termes, «d'écrire un livre sur tout ça».

À cette suggestion, j'ai toujours opposé un refus sans appel. Je n'étais pas en politique pour amasser la matière d'un livre. J'étais trop absorbé par mon travail et trop occupé à vivre ma vie pour consacrer du temps à la rédaction de notes en vue de futurs Mémoires. Et même si j'envisageais, par courtoisie, la possibilité de passer quelques moments avec les historiens qui voudraient peut-être écrire des livres sérieux sur mon passage en politique, je refusais d'appointer un Boswell ou un Eckermann officiel à qui dicter une version des événements qui me donnerait le beau rôle.

De fait, j'ai toujours trouvé un peu suspect le genre littéraire autobiographique. D'abord, comment ne pas soupçonner une intention de promotion personnelle chez le leader politique qui s'entoure de recherchistes et de conseillers littéraires et produit ensuite plusieurs ouvrages truffés de notes en bas de page et de références aux documents du Cabinet et aux mémos internes? Ces livres rapportent tout en détail, comme si chaque journée au pouvoir était digne d'attention. Presque inévitablement, l'époque ainsi présentée finira par apparaître comme la plus importante de toute l'histoire de la civilisation, et les décisions prises par le leader-auteur, comme absolument héroïques. Certainement, «*were there world enough and time*» (l'espace et le temps y suffiraient-ils), je pourrais remplir ainsi quelques volumes. Peut-être intéresseraient-ils vivement un petit auditoire hautement universitaire qui se délecterait des notes en bas de page. Mais ces livres ne présente-raient pas, je le crains, un grand intérêt pour le public.

Pour cette raison, après avoir quitté la politique, en 1984, j'ai continué de résister aux avances des éditeurs et autres intéressés qui me pressaient de me laisser fléchir et de me mettre à l'œuvre pour raconter mes années au pouvoir. Parfois, ils me servaient des arguments très forts. Je pense, en particulier, à ceux que mettait de l'avant mon vieil ami Ramsay Cook. En bon historien, il me représentait que je me devais à moi-même (sa finesse l'empêchait d'évoquer la posté-rité) d'inscrire au dossier ma propre version des événements aux-quels j'avais été mêlé et dont je possédais nécessairement une connaissance unique. La Société Radio-Canada se montrait même plus persistante encore. Pierre Juneau et Cameron Graham revinrent sans cesse à la charge, pendant plusieurs années, pour me convaincre de raconter mon histoire devant leurs caméras, comme l'avait fait Mike Pearson. Le gros du film ainsi tourné aurait été déposé aux archives mais on en aurait tiré aussi quelques heures de télévision. Je finissais toujours par refuser à cause d'autres occupa-tions qui devaient avoir priorité.

Sans doute qu'avec le temps, comme la goutte d'eau sur le ro-cher, la répétition de ces arguments avait fini par produire son effet. Puis, en 1989, un groupe d'amis et de collègues qui se rencontraient régulièrement à déjeuner sentirent le besoin de livrer au public notre version de nos années au gouvernement. Il en résulta un livre: *Les années Trudeau, vers une société juste*, présenté par Tom Axworthy et moi et publié en 1990.

Le charme du silence une fois rompu, je devins mieux disposé à envisager l'étape suivante et plus «facile»: des Mémoires télévisés. Avec les mêmes amis, une discussion s'engagea sur la possibilité de produire, pour les télévisions francophone et anglophone, un docu-mentaire dont ma vie serait le sujet. Finalement, après y avoir réflé-chi pendant des mois, je décidai d'accueillir la proposition formulée par Rock Demers et Kevin Tierney de la société montréalaise de ci-néma Les Productions La Fête, avec qui la CBC et Radio-Canada accep-taient de collaborer, en suivant la procédure habituelle.

Pour préparer la série de films, une première ébauche fut es-quissée au cours d'une série de réunions auxquelles assistaient les producteurs, assistés d'un directeur de recherche compétent, Tho-mas Cadieux. Au cours de ces réunions, deux amis m'ont apporté une aide précieuse: Gérard Pelletier (dont on comprendra, en lisant ce livre, le rôle qu'il a joué dans ma vie) et Tom Axworthy, mon ex-secrétaire principal dans le bureau du premier ministre. À bien des reprises, ils ont été appelés à me rafraîchir la mémoire.

C'est Brian McKenna qui a ensuite transformé notre ébauche en scénario et dirigé le tournage. J'ai passé en studio des heures interminables à répondre à des questions, posées par deux spécialistes de l'interview, par ailleurs journalistes et écrivains distingués, Jean-François Lépine et Ron Graham. Pierre Castonguay a collaboré comme assistant à la production de la version française et Terence McKenna aux ultimes interviews exigées par le film.

Je devais répondre spontanément, face aux caméras et sans préparation aucune, à toutes les questions posées. Ainsi en avait décidé le cinéaste, persuadé qu'il obtiendrait ainsi de meilleures images télévisuelles. Pour moi, c'était moins de travail mais la mémoire humaine étant ce qu'elle est, on peut dire que cette spontanéité fut obtenue au prix d'imprécisions assez importantes, surtout quand je cite les paroles des autres.

Dès que j'eus constaté à quel point le matériel sonore exigé par une série d'émissions télévisées diffère de ce qu'on trouve normalement dans des Mémoires écrits, je décidai de m'engager dans la production du livre que voici, l'un devant servir de complément à l'autre. Nous nous sommes entendus avec Pierre Lespérance et James de Gaspé Bonar des Éditions du Jour, de même qu'avec Avie Bennett et Doug Gibson de McClelland & Stewart, et le projet a pris son élan.

Au cours des derniers mois, le livre a trouvé sa forme. Le récit de ma vie que j'avais développé pendant d'innombrables heures d'interviews a été soumis à un certain ordre chronologique, grâce à Gérard Pelletier qui s'est chargé d'ordonner la première moitié du livre, et à George Radwanski, ex-éditorialiste au *Toronto Star* et auteur, en 1976, d'une biographie intitulée *Trudeau*, qui a remis en ordre les événements que je décris dans la seconde moitié. Je suis extrêmement reconnaissant à ces deux amis. Ces versions m'ont ensuite été remises, accompagnées des commentaires rédactionnels de Doug Gibson, afin que j'y pratique des retouches, là où ma version parlée n'avait pas été assez claire, ou que j'ajoute des compléments, là où l'exposé se révélait trop incomplet. Ce qu'on va lire tient davantage de la simple réminiscence que du compte rendu professoral et méticuleux de chaque journée; les ouvrages de ce dernier type, ce sont d'autres auteurs qui les rédigent et je leur souhaite bien du plaisir.

Voici donc le récit personnel et sans façon de ma vie politique, telle qu'elle m'est revenue en mémoire sous l'effet des questions posées par les interviewers. S'il s'y est glissé des inexactitudes, ce n'est certainement pas la faute de Barbara Czarnecki qui a révisé ma copie avec un soin méticuleux, ni celle de mon assistante Michèle Sansoucy, dont l'invariable obligeance est remarquable, ni enfin celle de mes autres amis, dont Ramsay Cook, qui ont eu la gentillesse de lire le manuscrit dans sa version finale. Les insistances inopportunes et les erreurs d'interprétation qu'on pourra y découvrir sont toutes de mon fait. Je dois aussi m'excuser du style un peu relâché; le lecteur se souviendra que ces Mémoires sont issus d'un document verbal. Le langage parlé est rarement aussi juste que la langue écrite.

Comme il s'est agi, dès l'origine, d'un projet à caractère bilingue, je veux dire ici ma gratitude à George Radwanski, à Wayne Grady et à Gérard Pelletier pour leur collaboration à la traduction du texte, d'une langue officielle à l'autre. Rob Ferguson a lui aussi contribué grandement, par ses recherches, à la rédaction des légendes pour chacune des photos.

Je présente enfin mes excuses aux centaines de milliers de personnes que j'ai croisées au cours de ma carrière et qui s'attendront peut-être, sans doute avec raison, de trouver ici la mention de leurs services. Votre nom n'apparaît peut-être pas dans les pages qui suivent. Mais qui que vous soyez: un collègue, membre du Cabinet, un citoyen canadien dont nous recherchions l'appui ou un jeune Canadien à qui nous nous efforcions d'assurer un avenir meilleur, vous avez tous part à ce livre.

Pierre Trudeau
Montréal, août 1993

Pendant une conférence fédérale-provinciale, en février 1969.

Chapitre premier

1919 - 1968
UNE LONGUE ROUTE

Je suis né dans une famille, une maison et un quartier modestes. À l'époque, le nord de la rue Durocher faisait partie d'Outremont mais contribuait très peu à la réputation de snobisme de cette enclave montréalaise. Notre maison était située à deux pas des limites de Montréal et ne différait en rien des habitations populaires qui bordaient les rues de la métropole.

Mon père n'avait rien d'un richard; il n'avait pas encore fait fortune. Il travaillait nuit et jour ou presque. Il était né dans une ferme, à Saint-Michel de Napierville, au sud de Montréal, alors que ma mère était d'origine urbaine. Leurs familles respectives présentaient un contraste frappant. D'un côté, mes grands-parents Trudeau, cultivateurs typiques de la campagne québécoise, fixés depuis toujours sur le bien familial qu'ils avaient hérité de leurs parents; de l'autre, mon grand-père Elliott, homme d'affaires et de plusieurs métiers, tour à tour tenancier d'une taverne, agent immobilier, commerçant, bref un Écossais plein d'initiative. Il avait épousé une Canadienne française, Sarah Sauvé, et faisait carrière à Montréal. Mon père et ma mère avaient tous deux fait de solides études et tenaient à ce que leurs enfants suivent leurs traces en ce domaine. Je fis donc très tôt mon entrée dans la «classe des bébés» de l'école Bonsecours, maison dirigée par des religieuses. C'était la maternelle de l'époque. De ces débuts précoces, il ne me reste que d'heureux souvenirs.

J'ai l'impression d'avoir vraiment commencé à vivre quand j'ai pris contact avec «ma rue», comme on disait alors, et fait connaissance

Mes grands-parents

A LA DOUCE MEMOIRE DE

JOSEPH TRUDEAU

*décédé à Saint-Rémi de Napierville,
le 13 décembre 1919, à l'âge de 71 ans.*

——— :: ———

*Ne pleurez pas, je vais à Dieu, je vais
vous attendre au ciel, la famille s'y refor-
mera et les larmes seront séchées.*

——— :: ———

*O bon Jésus, donnez-lui le repos éternel !
Doux Coeur de Jésus, soyez mon amour.*
(300 jrs d'ind.)
Doux Coeur de Marie, soyez mon salut.
(100 Jrs d'ind.)

R. I. P.

1.

Souvenez-vous dans vos prières de

Malvina Cardinal

*Epouse de feu Joseph Trudeau
Décédée à Montréal le 13 février 1931
à l'âge de 81 ans 6 mois et 23 jours*

ADIEU, AU REVOIR, AU CIEL!

R. I. P.

2. à 5779 Durocher = Outre

3.

———

*1 et 2. Mes grands-parents
Trudeau.*
        (Album de famille)
3. Mes grands-parents Elliott.
        (Album de famille)

4.

4. *Ma mère, avec ses frères et mon grand-père dont la chaîne de montre a toujours fasciné l'enfant que j'étais.*

(Album de famille)

5. *J'accompagne ma sœur Suzette dans une visite au tombeau de la famille, à Saint-Rémi de Napierville.*

(Album de famille)

5.

avec les garçons du voisinage. Le milieu ne manquait pas de couleur ni de variété. On s'y retrouvait entre catholiques, protestants et juifs, Canadiens français, irlandais, écossais, francophones, anglophones. Le quartier faisait figure de microcosme; les principales communautés culturelles du Québec y étaient toutes représentées, à l'exception des seuls autochtones.

Bien entendu, le milieu scolaire où j'ai fait mes premières armes reflétait en partie cette diversité, mais en partie seulement puisque le régime de l'époque excluait des écoles catholiques les jeunes qui ne l'étaient pas. À l'école Querbes, dans la paroisse Saint-Viateur d'Outremont, les trois premières années offraient un choix entre l'enseignement en langue française ou anglaise, accueillant ainsi un noyau d'enfants anglophones, la plupart d'origine irlandaise. Je fus inscrit du côté anglophone, à la suite de je ne sais quelles considérations de la part de mes parents.

Les classes anglaises de Querbes sortaient de l'ordinaire. En vérité, on aurait pu les confondre avec celles d'une «école de rang» comme il en existait alors des milliers dans les paroisses rurales du Québec. L'enseignement des trois années se donnait dans une seule et même salle, par un seul maître, ce qui fut la cause d'un incident, dès le premier jour de ma scolarité.

Je n'avais pas sitôt pénétré dans la classe que je fis une constatation pénible. Mon ami Gerald O'Connor, l'un des tout premiers copains que j'avais connus dans ma rue, faisait son entrée à l'école le même jour que moi. O'Connor ne passait pas inaperçu; il nous dominait tous par sa taille autant que par sa faconde irlandaise. Je constatai donc sans délai que nos deux pupitres, le sien et le mien, n'étaient pas placés dans le même groupe de rangées. J'en fus consterné. O'Connor et moi avions envisagé notre entrée à l'école comme une aventure que nous allions vivre ensemble et nous nous retrouvions séparés: lui abordait la deuxième année alors qu'on m'avait placé en première, pour je ne sais quel motif car nous étions du même âge et nous avions effectué jusqu'alors le même cheminement.

Cette séparation me vexait et, dès mon retour à la maison, je me hâtai de m'en plaindre à mon père.

— Ce n'est pas juste, lui ai-je dit. Je devrais être en deuxième, moi aussi.

— Alors c'est simple: va voir le directeur de l'école et demande-lui de te mettre en deuxième.

— Tu pourrais pas le lui demander, toi, papa?

— Non! C'est ton affaire. Frappe à sa porte et demande-le-lui toi-même.

Mon père a toujours insisté pour que ses enfants soient autonomes. Même dans notre enfance, s'il nous croyait capables de nous débrouiller seuls, il refusait d'agir à notre place. J'ai donc pris mon courage à deux mains et j'ai frappé à la porte du Frère directeur. Je me souviens encore de l'avoir trouvé énorme et imposant. Il était assis derrière sa table de travail et sa soutane noire remplissait tout entière la chaise à bras qu'il occupait. J'ai dû formuler ma requête d'une voix bien tremblante. Et pourtant, ma démarche produisit presque immédiatement l'effet que j'en espérais. Je ne sais plus si le directeur me soumit à un examen quelconque ou consulta le maître qui nous faisait la classe, mais je fus sans délai promu en deuxième année, dans les mêmes rangées de pupitres où se trouvait celui de Gerald O'Connor.

Si je me souviens de cet incident, c'est sans doute à cause du résultat obtenu mais aussi parce que j'avais triomphé de ma timidité. Comme tous les enfants et peut-être un peu plus, j'étais timide. J'hésitais toujours à me mettre de l'avant. Il fallait qu'on m'y pousse; mais alors, on ne pouvait plus m'arrêter.

C'est ainsi qu'au début de l'adolescence, j'acquis à mon corps défendant une réputation de batailleur. Je ne la méritais pourtant qu'à moitié. Gringalet, je n'avais certainement pas l'air très redoutable. Mais mon père, qui adorait les sports, me donnait parfois, pour s'amuser, des leçons de boxe. Il m'apprenait aussi des trucs de lutte, par exemple la prise de l'ours pour faire culbuter un adversaire. À la campagne, l'été, il nous avait même, un jour, amené le boxeur Léo Kid Roy, le champion poids plume montréalais qui jouissait à l'époque d'une très grande popularité et qui exhibait à nos yeux émerveillés sa ceinture d'or de champion.

M'étais-je vanté de mes connaissances de pugiliste, auprès des camarades de ma rue? Ce n'est pas impossible. Et sans doute ne leur avais-je pas caché que mon père, un jour, m'avait offert en cadeau deux paires de gants de boxe. Toujours est-il qu'ils en profitèrent pour me mettre à contribution dans tous les affrontements. Si un garnement d'une autre rue venait nous défier dans la nôtre, ils n'hésitaient jamais à m'envoyer au front: «Vas-y, Pierre! T'es capable, toi! Vas-y!» Et je n'osais pas refuser, de peur de déchoir dans leur estime.

* * *

Mes parents, debout dans la neige devant le n° 5779 de la rue Durocher, la modeste maison de mes douze premières années.

(Album de famille)

J'ai parlé plus haut de la campagne; elle a beaucoup compté dans mon enfance et mon adolescence. Elle se présentait pour moi sous deux formes bien différentes.

Il y avait d'une part la maison des Trudeau, à Napierville, remplie d'oncles, de tantes, de cousines, de cousins et adossée à tout ce qui, à la campagne, a de quoi fasciner des enfants: la basse-cour, la soue à cochons, le grand potager et plus loin les champs à perte de vue. Je me souviens surtout de la visite de quelques jours que nous y faisions chaque année, pour les fêtes du Nouvel An. Je revois ma grand-mère, toujours de noir vêtue, et son éternel chignon. Les cousins étaient costauds et se débrouillaient mieux que nous sur une patinoire, un bâton de hockey à la main.

Pour les grandes vacances, mes parents possédaient, au lac Tremblant, une petite maison de bois dépourvue de tout luxe: on allait chercher l'eau au puits et on s'éclairait à la lanterne. La région n'accueillait que de rares villégiateurs à cette époque. Le milieu était encore sauvage.

Ma famille

1.

1. *Ma sœur Suzette, mon frère Charles (Tip) et moi. Le décor rappelle étrangement les murs d'un studio de photographe.*
      (Album de famille)

2. *Avec ma mère.*
      (Album de famille) 2.

3.

4.

5.

3. *Avec ma mère, au lac Tremblant. On voit qu'à cette époque, il y avait là fort peu de chalets.*

(Album de famille)

4. *Au-dessus du lac, faisant une marche (si l'on peut dire) avec Suzette et mon père.*

(Album de famille)

5. *Quelques années plus tard, mon père, lors de vacances à la plage d'Old Orchard, Maine.*

(Album de famille)

Au lac, c'est moi qui rame. *(Album de famille)*

Nous y passions l'été. Ma mère invitait des cousins — les Leblond du lac des Pins — qui faisaient équipe avec nous pour les jeux, les baignades et les randonnées en forêt. C'est sans doute là qu'est née ma passion pour la grande nature et le canot. En semaine, la maison était assez tranquille, malgré la présence de nombreux enfants. La sérénité de ma mère y maintenait un calme dont nous profitions pour lire, entre deux plongeons dans l'eau fraîche des Laurentides. Paradoxalement, c'est le vendredi soir qu'elle connaissait la turbulence, quand mon père venait nous retrouver avec ses amis.

Il venait en voiture. Monter dans le nord en automobile n'allait pas alors sans risque. Sur la route, aux abords de Val-Morin, il fallait gravir la côte du Sauvage, en se demandant chaque fois si le moteur n'allait pas caler. Mais pour mon père, propriétaire d'un garage, la voiture était à la fois une profession et un sport. Il adorait conduire et nous guettions le bruit lointain des pneus sur le pont qui enjambait la décharge du lac; c'était l'annonce de son arrivée.

Pendant toute la fin de semaine, le chalet résonnait de discussions, d'éclats de rire, d'exclamations et de cris. Mon père était de nature expansive. Il parlait fort, s'exprimait vigoureusement. Ses amis aussi. Le débat politique, entre eux, ne manquait pas d'animation. Charles-Émile

À notre petite maison spartiate du lac Tremblant. Je suis panaché de plumes et le photographe paraît courir un danger imminent. (Album de famille)

Trudeau était conservateur mais plusieurs de ses amis appartenaient au Parti libéral. Très tôt, dans mon enfance, j'ai entendu l'écho des rivalités politiques qui caractérisaient la société québécoise de ce temps-là. Bien entendu, je n'y comprenais rien mais certains mots m'intriguaient, tel par exemple le terme «machine politique» qui revenait sans cesse dans la conversation. De toute évidence, il importait pour un parti d'avoir une bonne machine politique. Je tentais en vain d'imaginer l'aspect de cette mécanique-là. Était-ce une machine à fabriquer des lois?

Nos visiteurs de fin de semaine ne faisaient pas que discuter. Ils aimaient se mêler à nos jeux, ils aimaient jouer aux cartes, boire et faire ripaille. À l'heure des repas, jusqu'à vingt personnes, parfois, prenaient place autour d'une table rustique en bois équarri et ma mère devait cuisiner pour tout ce monde. Puis, en fin de journée, le dimanche, mon père et ses amis repartaient comme ils étaient venus et la maison retrouvait son calme.

À la rentrée, l'école reprenait ses droits sur nous tous et la vie familiale retrouvait ses routines. Chaque jour ou presque, mon père rentrait à la maison pour prendre le repas du soir, jeter un coup d'œil sur nos cahiers d'écoliers, puis il retournait au «garage» où il avait son bureau. C'était le seul moment de la journée où nous jouissions de sa compagnie.

La présence constante et attentive de ma mère nous consolait de cette relative absence paternelle. Dans mes souvenirs d'enfance, je la revois penchée sur mon lit de malade (personne n'échappait alors aux maladies infantiles, pour lesquelles il n'existait encore qu'un petit nombre de vaccins); je la retrouve toujours prête à m'aider dans mon travail; je guette le moment où elle s'installera à son piano pour nous faire chanter en chœur ou nous initier à la musique; je la suis aux concerts et aux spectacles de ballet qu'elle nous offrait en récompenses. Je m'émerveille aussi de ses dons d'éducatrice. Elle savait mieux que personne doser discipline et liberté. À mesure que nous devenions capables de nous prendre en charge, elle faisait preuve d'un respect croissant pour nos initiatives et nos décisions. Son autorité était légère; je ne me souviens pas de l'avoir sentie peser sur mes épaules, sauf à la suite de quelques frasques impardonnables qu'elle savait punir avec énergie!

À la ville comme à la campagne, mais moins souvent, mon père invitait à la maison beaucoup d'amis. Je me souviens entre autres d'une grande partie d'huîtres qui s'était tenue dans le sous-sol de la maison, rue Durocher près de la rue Bernard. À cette occasion, le maire de Montréal, Camillien Houde, avait fait acte de présence. Je n'ai retenu de lui que son incroyable silhouette d'homme obèse, très impressionnante pour le petit gars que j'étais. On a sans doute parlé politique, ce soir-là. M. Houde était conservateur comme mon père et les noms de Taschereau, premier ministre libéral, et Duplessis, député conservateur, occupaient dans les conversations une place importante. Il faut croire que je m'intéressais très peu à cette politique dont on parlait tant, car je ne posais à mon père aucune question à ce sujet et lui ne cherchait pas non plus à m'y intéresser.

Au début des années 30, une transaction réussie vint modifier notre vie de façon sensible. Au moment même où s'installait en Amérique du Nord ce qui allait devenir la Grande Dépression, une large aisance devint l'apanage de la famille Trudeau. Grâce à la vente de son entreprise (garage et chaîne de stations-services), qu'il avait bâtie à force de travail acharné, mon père réalisa une somme importante qui lui permit d'investir ensuite en Bourse et dans plusieurs entreprises telles les mines Sullivan, le parc Belmont, l'équipe de baseball des Royaux. Il se retrouva ainsi à la tête d'une fortune qui n'était pas immense mais fort respectable pour l'époque.

C'est pourquoi sans doute la crise économique qui sévit alors, la plus grave du XXᵉ siècle, ne m'a laissé qu'un souvenir assez vague. Alors qu'elle ruinait de nombreuses familles et rendait quasi impossible

Tous immobilisés pour la photo de notre classe à l'académie Querbes. Je suis au premier rang, en chandail blanc. *(Album de famille)*

la vie des pauvres gens, elle coïncida chez nous avec l'acquisition d'une maison plus grande et plus cossue, dans une rue plus huppée sur les contreforts du mont Royal. Pour moi, à l'été de mes treize ans, elle coïncida plus notamment encore avec la première grande aventure de ma vie: un voyage en Europe qui dura deux mois.

À quelques reprises déjà, mon père avait traversé l'Atlantique pour visiter le vieux continent. Mais à l'été de 1933, il décida d'y amener toute sa famille pour un voyage de plaisir. Ainsi débutait la carrière de globe-trotter que je devais poursuivre ensuite pendant toute ma vie. Soixante années me séparent de cette expédition et pourtant, il m'en reste encore mille et une images qui se bousculent dans ma mémoire. Bien entendu, le sens politique des manifestations que j'aurais pu voir m'échappait complètement. J'avoue que les motos rutilantes des militaires hitlériens, sur les grandes routes, m'impressionnèrent davantage que le réarmement dont elles étaient le signe. En Italie, la couleur de la mer, la forme des pins parasols et les splendeurs du Vatican m'étaient plus importantes que l'assèchement des marais Pontins dont on faisait crédit au Duce. Je revois pourtant le balcon d'où ce dernier haranguait la foule romaine assemblée sur la place.

Ce dont je me souviens le mieux, c'est des semaines que nous avons passées en France. Non seulement mon père avait tenu à nous faire voir plusieurs des monuments historiques dont le pays regorge mais nous devions également, en Normandie, rendre visite à la parenté. En effet, un frère de ma mère, Gordon Elliott, y vivait déjà depuis longtemps, s'étant établi là-bas après la guerre de 14-18, au cours de laquelle il avait servi comme aviateur. Il habitait Varengeville, un petit bourg situé près de Dieppe où nous avons séjourné plusieurs jours. Nous logions à l'hôtel de la plage de Pourville, dont j'ai toujours retenu le nom, et rendions de nombreuses visites à la maison de l'oncle. Celui-ci nous a fait connaître ses voisins et amis au nombre desquels se trouvaient les grands peintres Miro et Braque, déjà célèbres à l'époque mais dont la réputation nous touchait moins, nous les enfants, que la bizarrerie de leurs noms.

La vie dans un village français fut pour nous une mémorable expérience. Le contraste était vif entre Varengeville et la campagne anglaise, que nous venions de traverser, plus vif encore entre la vie dans

Mon grand-père Elliott s'est joint à nous pour le voyage en Europe, en 1933. J'avais treize ans. (Album de famille)

Deux instantanés sur la plage. Le petit gars (à gauche) qui fait des grimaces à la caméra donne des signes encourageants d'une maturité qu'il acquerra seulement quelques années plus tard. (Page suivante) Tip et Suzette sont avec moi.

(Album de famille)

ce lieu et la vie à Montréal ou à Napierville. Pour la première fois, nous éprouvions la sensation marquante d'un dépaysement quasi total.

À travers tout ce voyage, j'ai aussi commencé d'apprendre l'art des transactions avec l'étranger. Fidèle à ses convictions pédagogiques, mon père nous confiait des tâches qui mettaient à l'épreuve notre audace et notre sens de l'initiative. À Paris, il confiait à mon frère Charles et à moi la tâche d'acheter toutes les *Œuvres libres* (recueils célèbres, à l'époque, de textes littéraires) que nous pouvions trouver chez les bouquinistes d'occasion. (Ce souvenir m'est revenu, dans les années 50, lorsqu'une équipe composée de Claude Hurtubise, Jean-Louis Gagnon, Gilles Marcotte, Gérard Pelletier et moi-même avons fondé nos propres *Œuvres libres* que nous avons nommées: *Écrits du Canada français.*) En Italie, il nous laissait nous débrouiller seuls avec les préposés italiens de l'établissement où nous logions. En Allemagne, quand notre voiture s'arrêtait devant l'hôtel où nous voulions descendre, il m'envoyait en éclaireur. Armé de mes cinq mots d'allemand, je devais me débrouiller pour découvrir s'il y restait les chambres libres qu'il nous fallait et pour en conclure la location. Ce n'était pas toujours facile.

Mais un défi autrement grave m'attendait à Montréal, à la fin de ce voyage: mon retour au collège.

Le choix de mes parents s'était porté sur une institution de langue française: Brébeuf. Je le note en passant car, s'il était naturel pour les bourgeois d'Outremont de placer leurs garçons dans ce collège, le plus rapproché de leur domicile, il ne manquait pas de familles canadiennes-françaises pour choisir un autre collège jésuite, beaucoup plus éloigné: Loyola, où l'enseignement se donnait en langue anglaise.

À ce propos, on m'a souvent demandé, au cours des ans, comment se réglait, dans une famille bilingue, le problème de la langue parlée à la maison. Ma réponse: le plus naturellement du monde. D'abord, je n'ai jamais senti qu'il s'agît là d'un problème. Mon père nous parlait toujours en français, ma mère dans l'une ou l'autre langue, selon les sujets et selon sa fantaisie. Ma grand-mère, mes oncles, mes tantes et mes cousins Trudeau parlaient toujours français; mon grand-père Elliott s'adressait en anglais à ma mère mais passait au français pour discuter avec mon père. Cela nous créait-il des difficultés, à nous les enfants? Très peu et très mineures. À l'école primaire, par exemple, en quatrième année, je fus muté du côté français alors que l'enseignement des trois premières années, je l'ai déjà noté, m'avait été donné en anglais. Transition difficile? À peine. Je me souviens seulement de certains mots dont le genre ou l'orthographe restaient douteux. Par exemple: les mots «escalier», «oreiller» étaient-ils masculins ou féminins? la lettre «r» faisait-elle partie du mot viande? Mais ces doutes ne duraient pas. J'éprouvais, avant la lettre, les bienfaits de l'immersion totale.

La transition entre l'école Querbes et le collège Jean-de-Brébeuf était pour nous beaucoup plus importante. Il ne s'agissait plus seulement de «monter de classe» à l'intérieur de l'école primaire mais d'aborder un monde nouveau, d'entrer dans un milieu que nous ne connaissions pas, qui de l'extérieur nous paraissait aussi redoutable que désirable. Redoutable parce qu'il était encore pour nous la *terra incognita* du système. Nous en savions peu de choses. Et celles que nous en connaissions, comme l'obligation d'étudier le latin et le grec, restaient entourées de mystère. Mais désirable aussi, le collège, parce qu'il nous rapprochait du monde adulte. Nous le voyions comme un rite de passage qui nous ouvrirait les portes de l'université d'abord, puis celles du vaste monde.

Mon père m'avait raconté son entrée au collège Sainte-Marie et comment mon grand-père Trudeau l'avait prévenu: «C'est sérieux, le collège, lui avait-il dit. Il faut travailler. Si tu ne réussis pas tes classes, tu reviendras à Saint-Michel et je te dirai d'aller tout de suite atteler la grise pour faire les labours.»

À l'automne de 1932, Pierre Vadeboncœur et moi avions entrepris ensemble le cours classique auquel l'école Querbes nous avait préparés. Je n'abordais donc pas seul ce monde inconnu et, dès la première année, j'allais lier à Brébeuf de nouvelles amitiés qui dureraient toute la vie.

Mais on ne rencontrait pas seulement des camarades accueillants, en arrivant au collège. Certains «anciens» se faisaient un devoir de persécuter les «nouveaux», histoire de s'amuser un peu et de faire valoir aux yeux de tous leurs titres à «l'ancienneté». Je n'échappai pas à leur attention. Un midi, pendant le repas, un de ces aînés s'avisa de me provoquer en jetant une banane dans ma soupe. Je repêchai immédiatement ce fruit incongru et le jetai à mon tour dans la soupe du provocateur. L'effet de ce geste ne se fit pas attendre car, sans m'en rendre compte, je venais de violer une loi non écrite: les nouveaux n'étaient pas censés répliquer quand un ancien les provoquait.

— Bon, me dit mon persécuteur, furieux, si tu le prends ainsi, on va régler ça ensemble, tout à l'heure, en sortant du réfectoire!

— Comme tu voudras, lui dis-je.

Je crânais; il n'était pas question pour moi de reculer. Mais au fond de moi-même, je n'avais pas la moindre envie de régler aux poings ma querelle avec ce type, car je n'étais pas du tout certain d'avoir le dessus. Lui aussi avait fait de la boxe. Je n'en menais donc pas large en attendant le dessert…

À la fin du repas, nous nous levons tous les deux; nous nous regardons un long moment dans les yeux puis: «Ça va, me dit-il. Pour cette fois-ci, je te donne une chance.» Et il s'éloigne, à mon grand soulagement; j'avais appris qu'à crâner, on peut remporter des victoires.

Le premier contact avec les professeurs ne fut pas moins intimidant. Le premier maître que j'ai connu à Brébeuf, le père Richard, était un Français. Il se présentait en classe armé d'une longue baguette et d'un bagout extraordinaire. Il faisait beaucoup de bruit. Mais c'était un bon professeur et je m'adaptai en peu de temps à sa démarche. Il en fut de même avec les camarades. Déjà, Pierre Vadeboncœur et moi formions le noyau d'un groupe avec, si j'ai bonne mémoire, deux ou trois autres anciens de l'école Querbes. J'avais aussi, très tôt, recruté de nouveaux amis, parmi lesquels Guy Viau qui, soit dit en passant, était plus fort que moi au hockey bien que je fusse capitaine de l'équipe. La transition entre Saint-Viateur et Brébeuf n'avait donc pas été très difficile et sans tarder, je m'étais mis au travail.

Mes nouveaux professeurs eurent tôt fait d'éveiller en moi le démon de la connaissance. Pour autant que je me souvienne, je n'avais jamais été, au primaire, un bourreau de travail. Au secondaire, ce fut tout différent; bien que fort turbulent, je devins petit à petit un étudiant laborieux, assidu. J'acceptai comme autant de défis toutes les matières nouvelles que je devais aborder, à commencer par le latin et bientôt le grec.

Mais ce n'est pas qu'aux maîtres et aux seuls livres qu'on est redevable de son éducation; les camarades de collège peuvent y faire beaucoup. Ainsi, pour autant qu'on puisse dire que j'ai développé ces talents, c'est à Roger Vigneau que je dois de connaître Stravinski et la poursuite de l'excellence dans les sports; à Guy Viau, de savoir regarder un tableau; à Denis Noiseux, le raffinement de la pensée et l'esprit critique. Enfin, c'est Pierre Vadeboncœur qui, vers la fin du cours classique, allait m'initier véritablement à l'art d'écrire le français.

Au retour du voyage en Europe, j'entrais en classe de Syntaxe. J'étais donc devenu un «ancien», déjà bien acclimaté à l'institution où j'allais passer les sept années suivantes. Ai-je besoin de le dire? Je garde du collège Jean-de-Brébeuf un excellent souvenir. Les Jésuites étaient de bons éducateurs, des enseignants exceptionnels. À une époque et dans un milieu où la liberté de parole n'était pas tenue en haute estime, ils encourageaient leurs étudiants à s'exprimer. Ils insistaient, bien sûr, pour que le discours s'en tienne aux thèmes et au contenu de leur enseignement mais on pouvait sans trop de risques sortir de ce cadre.

Pour moi qui tenais, depuis un bon moment, à toujours avoir le dernier mot, c'était une joie que de tester sans cesse jusqu'où je pouvais aller trop loin. Déjà, avec mon père, au début de mon adolescence, j'avais pratiqué ce genre d'exercice et j'ai continué de m'y adonner avec les professeurs de Brébeuf. J'eus tôt fait de développer à cette fin une technique sûre. Par exemple, je m'étais très tôt avisé du fait qu'il ne fallait jamais interrompre le maître par une remarque insolente, car une telle coupure provoquait immanquablement sa colère. Si au contraire on profitait d'une pause pour glisser une remarque à contre-courant de son discours magistral, la classe s'esclaffait avant qu'il n'eût le temps de s'indigner et j'en retirais une vive satisfaction, puérile sans doute mais qui m'incitait à recommencer dès que l'occasion s'en présentait. Prendre ainsi le contre-pied des affirmations courantes, avec les camarades aussi bien qu'avec les professeurs, et mettre en doute les opinions dominantes devint pour moi une habitude que je devais conserver toute ma vie.

De là à cultiver une certaine forme de provocation, il n'y avait qu'un pas; j'eus vite fait de le franchir. J'y fus d'ailleurs aidé, comme plusieurs de mes amis, par un jésuite non conformiste, Rodolphe Dubé, mieux connu sous le nom de François Hertel, le pseudonyme dont il signait ses livres. Ce curieux homme, qui devait plus tard jeter le froc aux orties et finir sa vie en France, aura marqué de son influence toute une génération d'étudiants, aussi bien à l'extérieur qu'à l'intérieur de Brébeuf où il enseignait tantôt les belles-lettres, tantôt la philosophie. Qu'est-ce donc qui nous attirait vers lui? Sans doute son originalité, sa façon désinvolte de mépriser les conventions sociales et de dire tout haut ce que les autres pensaient tout bas. Les jeunes ont toujours aimé ce qui sort de l'ordinaire; et ses élèves ne faisaient pas exception à cette règle.

Mais il y avait plus. Hertel a été pour nous un initiateur exceptionnel dans plusieurs domaines. En littérature, le programme des études focalisait surtout sur les classiques. Les auteurs moins fréquentés, français d'abord mais aussi anglais, américains, voire scandinaves, c'est Hertel qui me les a fait connaître. Je me souviens des heures que j'ai passées, grâce à lui, à lire Ibsen et Dostoïevski, Thomas Hardy et Léon Bloy. En musique, de même. Il m'a fait connaître des compositeurs qui n'étaient guère prisés, à l'époque, dans notre entourage. C'est lui encore qui nous a entraînés chez les artistes qui apprivoisaient alors Montréal à l'art contemporain. Pellan, Borduas et leurs disciples faisaient encore figure de marginaux mais Hertel

Quelques années plus tard, le Club des agonisants réuni à Paris en 1947. On me voit à gauche, âgé de 26 ans, à côté d'Andrée Desautels. À l'extrême droite, le «maire de Montmartre»; assis au centre, François Hertel (le père Rodolphe Dubé); enfin, perché près d'une chanteuse depuis longtemps oubliée, mon camarade de classe, Roger Rolland. (Canapress)

fréquentait leurs œuvres de préférence à celles des peintres déjà consacrés. Il allait spontanément vers tout ce qui était nouveau ou à contre-courant des goûts du jour.

Et puis, l'humour d'Hertel était pour nous un aimant supplémentaire. Nous pouvions sans peine l'entraîner dans les blagues et les provocations les plus fantaisistes qui nous venaient à l'esprit. Par exemple, j'avais imaginé un truc qui consiste à se laisser tomber tout raide en avant vers le sol, et à prévenir au tout dernier moment la collision avec le parquet, en portant les mains devant soi. Un peu cabotin, je me livrais à cet exercice pour épater la galerie. Hertel voulut l'apprendre, de même que Roger Rolland. Et quand le trio fut complété: «Il faut former un club, nous dit Hertel, pour surprendre les gens.» Ainsi naquit le Club des agonisants. Au beau milieu d'une réception ou même d'une rencontre plus sérieuse, nous nous laissions tomber l'un après l'autre, au grand désarroi de l'entourage. Un peu m'as-tu-vu? Sans doute. Mais tout de même amusant.

Nos initiatives n'étaient pas toutes aussi farfelues. Je l'écris en me rappelant une activité de vacances entreprise vers le même temps avec un camarade, Jean-Baptiste Boulanger, aujourd'hui psychiatre. Collégien, ce garçon précoce m'épatait. Il avait écrit, à l'âge de dix ans, une biographie de Napoléon qui lui avait permis d'obtenir une médaille de l'Académie française. Originaire d'Edmonton, il parlait couramment trois langues: le français, l'anglais et l'ukrainien. Nous décidâmes donc tous les deux de parcourir au cours d'un été les grands ouvrages politiques: Aristote, Platon, *Le Contrat social* de Rousseau, Montesquieu, d'autres encore, puis d'échanger par lettres nos impressions et nos commentaires sur chacune des œuvres lues. Boulanger en savait plus long que moi dans ce domaine et c'est pourquoi je le fréquentais. De même en sport, je recherchais la compagnie des garçons qui excellaient dans une discipline particulière afin d'y exceller à mon tour.

Je l'ai noté déjà, mes professeurs à Brébeuf avaient éveillé en moi le démon de la connaissance auquel j'allais désormais obéir. Par exemple, si un maître nous disait de sauter les dixième et douzième chapitres d'un ouvrage de physique ou de biologie, parce qu'ils ne faisaient pas partie du programme, je les parcourais avec la même application que s'ils avaient été sujet d'examen. Pourquoi me serais-je privé d'une science que j'avais là, tout près, à ma disposition? Je tenais également à savoir jusqu'où mon esprit pouvait se rendre et jusqu'où, physiquement, je pouvais atteindre. J'avais des copains qui se fichaient de la vie intellectuelle comme d'une guigne. Mais leurs exploits de plongeurs, de skieurs ou de sauteurs à la perche me retenaient auprès d'eux.

Je crois que le climat intellectuel de l'époque favorisait grandement cette quête personnelle. Ainsi, grâce à mon frère cadet plus porté vers les arts que je ne l'étais moi-même, je m'initiai à la musique avec un groupe de ses amis. Il les invitait à la maison, le dimanche soir, pour écouter des œuvres dont il s'était procuré les enregistrements. Bientôt, j'attirai mes propres amis à ces réunions. Nous étions une bonne vingtaine, garçons et filles, à écouter religieusement, pendant des heures. Et presque toujours, les auditions étaient suivies de commentaires, d'analyses et de débats. Parfois, un membre du groupe apportait un nouveau disque qu'il venait de découvrir et nous comparions deux interprétations différentes de la même œuvre. Existe-t-il encore aujourd'hui des groupes semblables, chez les jeunes? Je sais que désormais la radio et parfois la télévision présentent des émissions didactiques qui visent les mêmes fins. Mais à l'époque, l'éblouissement de la découverte partagée entre amis faisait partie de notre existence. Notre équipe n'était d'ailleurs pas la seule du genre.

Collégien à Brébeuf, j'ai pris goût au ski; cette passion ne m'a jamais quitté. Tip et moi exhibons ici des équipements: costumes, bâtons et skis, très traditionnels. (*Album de famille*)

À l'opposé, pendant toutes mes études collégiales et même universitaires, ni les nouvelles en général ni l'actualité politique en particulier n'exerçaient sur moi le moindre attrait. Lire les journaux ou écouter le journal parlé de la radio m'apparaissait comme une perte de temps, un injustifiable gaspillage d'énergie, alors qu'il y avait tant de livres à lire, tant de grands auteurs à connaître, tant de poètes et de philosophes à fréquenter, tant de sports à pratiquer, tant de pays à découvrir! Auprès de ces occupations exaltantes, l'actualité me paraissait négligeable.

Et puis, la jeunesse n'a que faire de la mesure. Un jour, c'était je crois en classe de Belles-Lettres avec le père Bernier, nous fûmes invités à rédiger un essai sur notre avenir personnel. Il doit bien traîner une copie de ma dissertation dans mes archives. Je me souviens que j'y exprimais des ambitions extravagantes. Au départ, je voulais être capitaine au long cours, puis découvreur, puis astronaute, personnage de Jules Verne. Bref, je voulais tout connaître, faire toutes les expériences, dans tous les domaines. Peut-être même l'essai envisageait-il que je devienne, à la fin de ma vie, un personnage sérieux, tel un gouverneur général ou un premier ministre. Mais auparavant, j'aurais exploré le monde.

Cette passion du voyage que je manifestais déjà ne m'a jamais quitté par la suite. Elle s'accompagnait d'un goût très vif pour la nature sauvage que j'avais appris à fréquenter, d'abord au lac Tremblant, puis chez les scouts, enfin dans le camp de jeunes Ahmek où j'ai passé deux étés. Je m'étais initié aux techniques du camping, du canot, de la voile, des randonnées en forêt. Si bien qu'autour de ma vingtième année, j'étais prêt pour de grandes expéditions pacifiques où j'entraînai quelques amis.

Ce fut d'abord la grande équipée vers la baie d'Hudson dont je rêvais depuis longtemps. À l'été de 1941, je proposai à Guy Viau de partir en canot vers cette destination. Si Radisson et Des Groseillers ont pu le faire au XVIIᵉ siècle, lui disais-je, ce doit être encore faisable aujourd'hui. Non? Nous avons donc recruté deux autres camarades, les cousins Desrosiers, nous avons assemblé l'équipement nécessaire et nous avons pris la route, en l'occurrence une route liquide, la rivière des Outaouais. Partis de Montréal sur le lac des Deux-Montagnes, nous l'avons remontée vers le nord; nous avons traversé le grand lac Témiscamingue, puis rejoint l'Harricana pour la descendre jusqu'à la baie James. Il nous a fallu ensuite traverser cette dernière baie, atteindre à l'ouest le poste de Moosonee d'où nous pouvions regagner Cochrane, station de chemin de fer du Canadien National dans le nord de l'Ontario.

Cette première expédition m'ayant réussi, je m'empressai de récidiver. Encore avec Guy Viau, plus Jean Gélinas cette fois, nous avons fait à pied le tour de la Gaspésie, refusant l'aide des automobilistes qui voulaient nous prendre à leur bord, dormant dans les granges, les salles d'écoles inoccupées ou à la belle étoile. Un autre été, Guy Viau et moi avons visité, à moto, trois provinces maritimes. Nous fûmes particulièrement intéressés, en Nouvelle-Écosse, par le mouvement coopératif d'Antigonish et de Sidney. Un autre été, avec Carl Dubuc et Gaby Filion, nous avons refait le trajet entrepris par François Paradis, le héros de *Maria Chapdelaine,* qui avait quitté La Tuque à travers la forêt, dans l'espoir de retrouver Maria, pour le temps des Fêtes, à Péribonka. Hélas, il devait mourir de froid «dans les grands brûlés en haut de la Croche».

Qu'est-ce qui m'incitait à tenter ces aventures? Sans doute le plaisir de vivre sur l'eau ou en forêt, et les joies de la camaraderie; aussi un certain sens de l'histoire qui m'inspirait le désir de renouer, par exemple, avec les exploits des grands ancêtres coureurs de bois. Et certainement le goût de me jeter à moi-même des défis et de prendre, en les relevant, la mesure de mes forces. À tort ou à raison, on m'avait considéré comme un enfant plutôt faiblard qui ne jouissait ni d'une santé ni d'une musculature formidables. Sans doute m'étais-je mis en tête de corriger ces faiblesses.

J'ajoute à cela le souci de multiplier les expériences, une préoccupation qui m'a fait consacrer un été entier à travailler dans les mines d'or Louvicourt et Sullivan, en Abitibi. Et je n'omets pas non plus l'appétit d'apprendre «avec les pieds» ou autrement la géographie de mon pays que je tenais à connaître d'est en ouest et du nord au sud.

Déjà, en famille c'est-à-dire en voiture, j'avais visité les provinces de l'Ouest jusqu'à la Colombie-Britannique inclusivement. De sorte que très tôt j'ai connu le Canada dans son entier. Il me restait à parcourir le Grand Nord, ce que je fis beaucoup plus tard, quelquefois par avion mais aussi en canot, à plusieurs reprises, en excursion sur des fleuves qui coulent vers la mer Arctique.

En 1944, je partis pour le Mexique, en train, avec un groupe de Montréalais qui comptait dans ses rangs, entre autres, ma sœur Suzette, l'abbé Robert Llewellyn, Mgr Olivier Maurault, recteur de l'Université de Montréal, Dostaler O'Leary, Gaston Pouliot, les frères Breecher et quelques autres étudiants comme nous. Vu l'état de guerre, il n'était pas facile de voyager à l'étranger mais le Mexique offrait encore cette possibilité. Selon le programme, nous devions consacrer la majeure partie de notre temps à l'*Escuela de Verano* pour y apprendre l'espagnol. Mais une fois sur place, nous eûmes vite fait, quelques loustics et moi, de nous tailler pour apprendre l'espagnol en parcourant le pays en auto-stop. De plus, grâce à l'abbé Llewellyn, nous avons fait connaissance avec des industriels français, ses amis, et participé à des entretiens qui nous ouvraient les yeux sur une autre partie du monde, l'Amérique latine.

Mais ces voyages m'ont conduit trop loin — dans mon récit, s'entend. Car avant la tournée au Mexique, deux coups de tonnerre avaient éclaté, le premier dans ma vie personnelle, l'autre dans l'Histoire.

* * *

Au milieu de ma quinzième année, une nuit de l'hiver 1935 fut interrompue par la terrible épreuve qui a marqué mon adolescence: la mort de mon père. Il était tombé gravement malade, pendant un séjour en Floride où il accompagnait son équipe de base-ball, les

En 1944, avec un groupe de Mont-réalais, visite à Mexico où nous devions en principe étudier l'espagnol. Derrière le groupe, il semble que j'affecte une pose qu'on pourrait qualifier de sculpturale. (ANC-CT)

Royaux de Montréal, et ma mère accompagnée de ma sœur Suzette s'était précipitée à son chevet. Nous vivions dans l'inquiétude. Une tante était venue demeurer avec nous pour combler tant bien que mal l'absence de nos parents et c'est elle qui reçut l'annonce nocturne du décès. Tiré du sommeil par la sonnerie du téléphone, je sortis de ma chambre, à l'étage, pour descendre aux nouvelles. Mais je m'arrêtai net sur le palier quand j'entendis les mots fatals: «Ton père est mort, Pierre.»

Comment décrire ce que j'ai alors éprouvé? En une seconde, j'ai senti que le monde se vidait. J'ai vraiment ressenti ce départ comme l'abolition d'un monde, je ne trouve pas d'autre mot. Mon père, je l'ai déjà noté, était pour moi une présence affectueuse, une force rassurante mais aussi un appel en avant, un défi continuel. Il définissait pour moi le sens de la vie et sa mort creusait un vide immense. D'un coup, je devenais chef de famille ou presque; lui disparu, j'avais l'impression de monter en première ligne.

Bien sûr, c'est ma mère qui, dans l'immédiat, assuma le gros des responsabilités. Mais elle eut souci, très tôt, de partager ses prises de

Ma mère, Grace Elliott Trudeau, après la mort de mon père.   (*Album de famille*)

décisions avec ses jeunes enfants. C'est ainsi que j'ai dû m'habituer graduellement à régler certaines questions, qui n'étaient certes pas des plus graves mais qui me donnaient tout de même le sentiment de succéder à mon père dans la gérance de ses biens.

On l'aura deviné, le second coup de tonnerre fut le déclenchement de la Seconde Guerre mondiale, en septembre 1939. Je dois avouer qu'il m'affecta beaucoup moins que le précédent, d'abord parce qu'il n'eut pas sur ma vie personnelle un impact comparable. La guerre, c'était une réalité importante certes mais très lointaine. De plus, elle faisait partie d'une actualité dont je n'avais pas souci. À ce moment-là de ma vie, j'intellectualisais tout et, pour ainsi dire, à tour de bras! Importante, la guerre en Europe? Certainement, me disais-je. Mais les guerres médiques méritent aussi d'être connues. Elles aussi ont eu leur importance et un effet très net sur notre civilisation.

Je ne pouvais évidemment pas faire semblant d'ignorer ce dont tout le monde parlait. J'allais commencer mes études de droit à l'Université de Montréal et la guerre, dans le milieu étudiant, nourrissait les conversations. Mais l'instinct qui m'a toujours poussé à contre-courant de l'opinion dominante me faisait affecter une certaine indifférence. Il y a la guerre? Tant pis. Cela ne m'empêchera pas de poursuivre mes études aussi longtemps que cela restera possible.

Toutefois, on ne peut pas indéfiniment rester à l'écart d'un phénomène de cette dimension. Sans doute ai-je vaguement perçu, au début du conflit, que celui-ci constituait peut-être la plus grande aventure qui s'offrirait jamais aux hommes de ma génération. Mais si l'on appartenait, dans les années 40, au milieu canadien-français de Montréal, on ne croyait pas spontanément qu'il s'agît d'une guerre juste. Nous ne savions rien encore de l'Holocauste et nous avions tendance à considérer cette guerre comme un règlement de comptes entre grandes puissances. On ne pouvait pas non plus rester indifférent au problème politique que posait la conscription.

Je me souviens qu'au début de la guerre, un monsieur Gourd, ami de ma famille, m'avait amené au Forum écouter Ernest Lapointe, bras droit et lieutenant québécois du premier ministre fédéral Mackenzie King. J'avais donc entendu cet homme politique promettre solennellement à un vaste auditoire que «jamais» le gouvernement dont il faisait partie n'imposerait aux Canadiens le service militaire obligatoire. La crise de la conscription de 1917, avec ses émeutes et ses morts, était encore présente à la mémoire des Canadiens français; cette promesse prenait donc un relief très particulier avec pour corollaire la certitude que si le Québec reportait au pouvoir le Parti libéral, jamais celui-ci ne voterait la conscription.

Or, c'est exactement ce qu'il fit après avoir été, en 1942, «relevé de son engagement» par la population canadienne-anglophone à

Ma photo de bachelier, au départ de Brébeuf.   (*Album de famille*)

l'occasion d'un référendum. Mais l'opinion francophone restait op-posée à cette mesure, en très grande majorité (72,9 p. 100). Quand les libéraux décidèrent ensuite de faire élire à Outremont, dans une élec-tion partielle, le général La Flèche, le tout jeune avocat Jean Drapeau se présenta contre lui comme «candidat des conscrits» et mena une vigoureuse campagne à laquelle je participai, en prenant la parole à l'une de ses assemblées. Ce fut là, je crois, ma seule intervention dans la politique de l'époque.

Mais on ne pouvait pas s'abstenir aussi facilement de toute activité militaire. Ou bien on était conscrit dans l'armée, ou bien, comme étudiant, il fallait s'inscrire au CEOC, le Corps école des officiers canadiens. Cette inscription nous obligeait à nous rendre, deux fois la semaine, faire l'exercice et apprendre le maniement des armes dans un manège militaire de la ville. De plus, chaque été, le CEOC nous convoquait au camp de Farnham pour quelques semaines supplémentaires d'entraînement. Presque tous les ex-étudiants de mon âge gardent un souvenir, agréable ou désagréable, du CEOC. Pour ma part, je me souviens d'une altercation avec un officier qui nous commandait en anglais. Je voulus savoir pourquoi, s'adressant à des recrues de langue française, il ne nous commandait pas dans notre langue. Mais comme on pense bien, ma requête n'eut aucun effet. Ni l'époque ni l'armée ne favorisaient le bilinguisme dans les institutions fédérales.

Hors ces obligations, que je remplissais comme tout le monde, le conflit mondial ne retenait guère mon attention. Par exemple tout le monde écoutait assidûment, chaque soir ou presque, les chroniques parlées du journaliste Louis Francœur qui commentait sur les ondes de Radio-Canada chaque péripétie des combats. Pour ma part, je ne me souviens pas de l'avoir jamais entendu. Mais la guerre nous rejoignait parfois de façon inopinée. Au cours de notre randonnée pédestre en Gaspésie, Guy Viau, Jean Gélinas et moi fûmes à plusieurs reprises harcelés par les militaires qui gardaient la côte. Il faut rappeler que nous vivions alors, au Canada, une véritable psychose de la guerre. Est-il exact que le golfe du Saint-Laurent grouillait alors de sous-marins ennemis? Je n'en sais rien mais beaucoup de gens y croyaient alors dur comme fer. On brodait même sur ce thème toutes espèces de légendes. Des marins allemands seraient sortis la nuit de leurs submersibles pour aller déguster une bière dans les villages et danser avec les Gaspésiennes!

Quant aux autorités, elles avaient une foi suffisante dans la présence ennemie pour exiger le couvre-feu sur les rives du fleuve et le *black-out* général, dans les villages, après le coucher du soleil. Et les militaires postés dans la péninsule craignaient assez la «cinquième colonne», comme on disait alors, pour faire la chasse aux espions, en l'occurrence trois zèbres comme nous, pourtant bien inoffensifs. Ce qui nous rendait suspects, c'était sans doute nos comportements de vagabonds. Nous marchions sacs au dos, nous refusions les *lifts* qu'on nous offrait, nous dormions n'importe où. Plusieurs fois, des voitures militaires se sont arrêtées près de nous pour demander: «Qu'est-ce que vous faites, à pied, sur la grand-route?» Ça leur paraissait hautement anormal.

Une nuit, au moment de nous endormir, allongés sur la galerie d'une maison abandonnée, nous apercevons dans les hautes herbes, au loin, entre la route et notre dortoir improvisé, des lumignons qui se déplacent vers nous. Notre conclusion est vite tirée: «Des gens du village nous ont dénoncés et voici des membres de la garde côtière qui nous prennent pour des Allemands.» Nous faisons silence pour les laisser s'approcher. Et quand ils bondissent enfin vers nous, l'arme au poing, nous jaillissons de nos sacs de couchage, nus comme des vers, en hurlant à notre tour: «Ne tirez pas, messieurs, ne tirez pas!» Ils se rendent compte alors de leur méprise et se retirent pour nous laisser dormir en paix.

Il arrivait aussi que nous inventions nous-mêmes des frasques à saveur militaire. Un jour, chez Roger Rolland où je séjournais, dans les Laurentides, me furent révélés par lui les secrets d'un grenier où ses parents avaient entassé au cours des ans, un véritable capharnaüm d'objets hétéroclites. Nous y trouvâmes, entre autres, des uniformes allemands de la guerre de 1870, y compris les casques à pointes métalliques, et d'anciennes pièces de monnaie autrichienne ou allemande. Nous décidâmes sur-le-champ de revêtir ces uniformes, de coiffer les casques et d'enfourcher nos motos pour aller rendre visite aux Compagnons de Saint-Laurent, nos amis, qui villégiaturaient cet été-là dans la montagne derrière Saint-Adolphe.

Nous espérions surprendre là Jean Gascon, Jean-Louis Roux et d'autres copains à qui nous voulions rendre une visite costumée, digne des comédiens qu'ils étaient tous. Hélas! ils avaient déjà déguerpi et nous n'avons surpris que le jeune gardien laissé sur les lieux.

Une fois en route, il nous est venu l'idée d'effrayer au passage quelques connaissances. À Sainte-Agathe, par exemple, nous nous sommes arrêtés dans une famille anglophone dont nous connaissions les filles. Malheureusement, les filles n'étaient pas chez elles. Ce qui ne nous a pas empêchés, une fois dans la cuisine, de demander à boire. Ni, une fois servis, d'«agoniser» dans le style décrit plus haut, ce qui a fait sursauter un domestique qui nous a crus morts. Plus loin, au carrefour de deux routes, un quidam a pensé que je poursuivais mon compagnon et m'a lancé un cri, accompagné d'un grand geste: «Il est parti par là!» Je ne saurais dire si nous cherchions à épater les badauds ou davantage à nous épater l'un l'autre. Quoi qu'il en soit, nous nous sommes bien amusés.

* * *

C'est seulement à Harvard, à l'automne de 1944, que j'ai pleinement mesuré l'importance historique du conflit qui se terminait. Dans ce milieu hyper-informé, il me fut impossible de ne pas saisir les vraies dimensions de l'événement, et cela malgré mon indifférence persistante à l'égard des médias. C'est que Harvard était une porte grande ouverte sur le monde, notamment sur l'Europe. Nous avions comme professeurs plusieurs Européens qui avaient fui la persécution nazie, entre autres Heinrich Brüning, prédécesseur immédiat d'Adolf Hitler à la chancellerie du Reich. J'eus alors conscience d'avoir pour ainsi dire raté l'un des événements majeurs du siècle où j'étais appelé à vivre. En ai-je éprouvé du regret? Non. J'ai toujours tenu les regrets pour des sentiments stériles. Et jamais je ne me suis attardé sur mes erreurs, sauf pour m'assurer que je ne les répéterais pas.

D'ailleurs, immergé dans le climat intellectuel survolté de Harvard, je n'avais guère le temps de cultiver des états d'âme.

Comment je me suis retrouvé dans la plus célèbre des universités américaines? Cela n'a rien de mystérieux. En effet, le choix de cette institution s'imposait de lui-même, une fois qu'on avait décidé de s'orienter vers «l'économie politique», comme on disait alors. Mais la sélection de cette discipline n'allait pas de soi. J'avais longtemps hésité entre le droit, la psychologie, la sociologie et les sciences politiques. Je prévoyais vaguement consacrer ma vie à l'enseignement, mais je ne savais pas encore dans quelle discipline. À ce sujet, j'avais procédé à diverses consultations. Je me souviens que Pierre Vadeboncœur et moi avions même sollicité et obtenu d'Henri Bourassa une entrevue. Les gens de son calibre ont-ils encore le temps, aujourd'hui, d'accueillir de jeunes étudiants en quête de conseils?

À la même époque, j'étais allé rencontrer André Laurendeau, un homme dont la culture et la finesse m'impressionnaient. J'avais trouvé remarquables certains de ses articles à l'*Action nationale*, une revue qu'il dirigeait depuis quelques années. À mes questions, il avait répondu que notre milieu manquait terriblement de compétences en matière économique. Seuls Édouard Montpetit et Esdras Minville représentaient alors, chez nous, cette discipline. Il était urgent, d'après Laurendeau, que des jeunes y entrent à leur tour.

Va donc pour l'économie politique. Or, en cette matière, le centre d'études par excellence, reconnu comme tel à travers le monde, était alors situé en Amérique du Nord, presque à notre porte: c'était Harvard. Je courus donc m'y inscrire et n'eus jamais à le regretter.

Quelle extraordinaire expérience j'allais vivre sur ce célèbre campus! Et quelles découvertes j'allais y faire! Dès mon arrivée, je dus me rendre compte qu'en matière intellectuelle, je sortais à peine de l'enfance. Aussi bien les camarades que les professeurs possédaient une culture et une érudition époustouflantes. Des garçons de mon âge ou plus jeunes que moi affichaient une connaissance du droit romain de loin supérieure à la mienne. Or, ce n'était pas leur spécialité alors que moi, jeune avocat, je venais de consacrer à cette matière toute une année d'étude. Et parmi les professeurs se trouvaient des sommités mondiales en plusieurs matières. Chassés d'Europe par les nazis ou par la guerre, ils avaient été recrutés par Harvard.

Je me rendais compte aussi que le Québec d'alors était marginal, qu'il vivait à l'écart des temps modernes. Le contraste était saisissant entre ma province d'origine et les États-Unis, ce pays frénétique, d'une ardeur extrême, débordant d'énergie et de vitalité. À Harvard, l'ouverture sur le monde était manifeste. On se retrouvait entouré d'intellectuels qui avaient été, leur vie durant, les témoins directs de l'évolution aux quatre coins de la planète. On avait l'impression d'y vivre en symbiose avec les cinq continents. Inutile de dire que cela me changeait complètement du climat quasi paroissial que j'avais connu à Montréal. Et le niveau des études, la démarche pédagogique, l'outillage aussi (bibliothèques, salles de cours, musées et le reste) dont nous disposions étaient à l'avenant.

Il est des événements, dans toute vie, qui revêtent une importance capitale et déterminent la suite des choses; je compte mon séjour à Harvard, complété par l'École des sciences politiques de Paris et la London School of Economics de Londres, comme un de ces moments privilégiés. J'ai mené à terme, dans ces trois institutions, une quête que j'avais amorcée à Brébeuf, dès la fin de mon adolescence. Sur quelles valeurs allais-je fonder ma vie? La question de la liberté me hantait depuis le collège et ma première année de philosophie. L'aspect religieux du sujet ne m'était pas non plus indifférent. Réconcilier la prédestination, la toute-puissance de Dieu avec la liberté humaine me préoccupait bien davantage que la notion de péché originel.

Certains jésuites me soupçonnaient même de protestantisme clandestin, non seulement parce que je tenais à réexaminer soigneusement les vérités les mieux établies mais surtout parce que je posais ma conscience comme dernier tribunal d'appel. C'est à elle que je voulais obéir, avant même de me soumettre aux commandements de l'Église ou aux consignes du collège.

Mes études à Harvard eurent tôt fait de me confirmer dans mes convictions relatives à la liberté individuelle. Que l'être humain devait rester libre de choisir sa destinée propre devint pour moi une certitude et l'un des piliers de la pensée politique dont je travaillais à me doter. J'y croyais dur comme fer. Mais grâce à deux penseurs français, Jacques Maritain et Emmanuel Mounier, je ne devais jamais adhérer à la doctrine du libéralisme absolu. Je connaissais déjà, avant de quitter le Canada, les livres du premier et la revue du second, *Esprit*. Mais je devais approfondir la pensée de l'un et de l'autre pendant mon séjour en France. C'est là que je suis devenu adepte du personnalisme, une philosophie qui réconcilie l'individu avec la société. La personne, selon ces deux maîtres, c'est l'individu enrichi d'une conscience sociale, intégré à la vie des communautés ambiantes et au contexte économique de son temps, lesquels doivent à leur tour donner aux personnes les moyens d'exercer leur liberté de choix. C'est ainsi que dans ma pensée la notion fondamentale de justice vint s'ajouter à celle de liberté.

Je n'ai jamais rencontré Jacques Maritain. Quant à Mounier, un heureux hasard a voulu qu'à la suite d'une conférence de Georges Bernanos, nous nous appuyions au même zinc, un jour, dans un bar du quartier latin. Mais mon adhésion au personnalisme n'a pas été l'effet d'une illumination subite sur le chemin de Damas. Au contraire, elle fut l'aboutissement d'une longue réflexion.

Je ne voudrais pas toutefois créer ici l'impression que ma vie d'étudiant à Paris ne fut qu'un long et austère exercice intellectuel et spirituel. Car malgré les séquelles immédiates de la guerre qui se faisaient encore sentir dans toute l'Europe, en 1946, on y connaissait une joie de vivre que des jeunes comme nous ne boudaient pas.

D'une part, oui, les rigueurs de l'après-guerre compliquaient l'existence: tout était rationné, depuis la nourriture jusqu'à l'essence, en passant par les vêtements et les médicaments. (J'en connus quelque chose, ayant dû subir une appendicectomie dans un hôpital qui manquait d'anesthésiques.) Le moindre déplacement, même à l'intérieur de la ville, posait de sérieux problèmes. Les voitures

Retour aux coins favoris de ma vie d'étudiant

1.

2.

1. *J'ai fait une marche, en 1992, sur le campus de Harvard qui n'a presque pas changé.*

2. *Avec Gérard Pelletier, le plaisir de nous rappeler nos rencontres à Paris, du temps que j'y étais étudiant et lui, un visiteur occasionnel.*

3. *Nous avons fait voir à mon fils Sacha la vue depuis la fenêtre de la chambre que j'occupais, dans un hôtel très peu chic, à l'ombre de Notre-Dame…*

(Les Productions La Fête/ Jean Demers) 3.

4.

4. ... et nous avons parlé du bon vieux temps, devant l'une de nos librairies préférées.

5. Dans ce cadre d'un confort inusité, je me suis entretenu, à la London School of Economics, avec Michael Ignatieff, fils du distingué diplomate canadien George Ignatieff.
(Les Productions La Fête/ Jean Demers)

5.

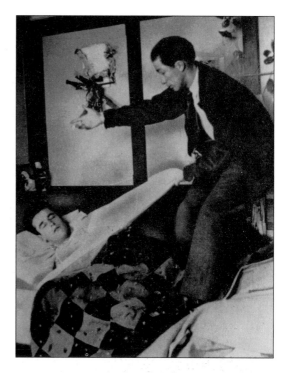

Scènes de La Bohème? *Sur cette photo qui remonte à nos années d'étudiants à Paris, Roger Rolland paraît émerger d'un réveil brutal.*
(Canapress)

étaient rares, les taxis presque inexistants. On voyait beaucoup de cyclo-taxis qui transportaient des passagers dans des boîtes de bois sur roues que leurs propriétaires tiraient... en pédalant très fort! Les rues étaient donc quasi désertes; seuls les véhicules militaires y circulaient en nombre. Mais quel rêve que ces grandes avenues vides, pour quiconque, comme moi, possédait une moto! J'ai sillonné Paris à des vitesses qui, en tout autre temps, m'auraient coûté la vie. Et comme ce moyen de transport consomme peu de carburant, les tickets d'essence rendaient possibles des randonnées en province et même des échappées vers les pays voisins.

Mon ami Roger Rolland, également motard, arriva à Paris au même moment que moi pour y poursuivre ses études. Tous deux, nous avons logé d'abord à la maison canadienne de la Cité universitaire. Puis, soucieux de nous rapprocher du quartier latin où nous suivions nos cours, Roger eut tôt fait de repérer un petit hôtel vieillot, à l'ombre de Notre-Dame, tout près de l'église Saint-Julien-le-Pauvre. Les chambres étaient modestes et le confort limité mais le carillon de la cathédrale nous tenait lieu de réveille-matin et rythmait nos journées. Cependant, on ne pouvait travailler très tard le

Sur cette photo-ci, quel contraste! C'est moi qui semble appeler le même réveil.
(Album de famille)

soir car à une heure donnée, le patron de l'hôtel nous plongeait dans l'obscurité en coupant le courant. Nous prolongions quand même très avant dans la nuit certaines discussions sur notre avenir, celui du Canada, celui du monde entier!

Tout nous invitait à ces graves considérations. Nous étions témoins chaque jour du déferlement communiste sur l'Europe. Surtout chez les jeunes, le modèle soviétique exerçait alors une véritable fascination. Parce que l'Armée rouge venait de balayer la «peste brune» (c'est ainsi qu'on désignait le nazisme), à l'est du continent, parce que le capitalisme sauvage d'avant-guerre s'était révélé, à bien des points de vue, une faillite déplorable, parce que la propagande de Moscou manipulait alors l'opinion avec une grande efficacité, le marxisme-léninisme faisait en Occident des percées aussi spectaculaires que sa dégringolade d'aujourd'hui. Or, la beauté du climat intellectuel de Paris, c'est que toutes les tendances de la pensée contemporaine y étaient représentées par des interprètes valables, aussi bien la gauche chrétienne, les prêtres ouvriers et le marxisme orthodoxe que l'intégrisme catholique, l'existentialisme de Jean-Paul Sartre et le libéralisme intégral.

Nous ne pouvions pas non plus rester indifférents aux événements qui se produisaient chez nous, sur l'autre rive de la Grande Mare. Nous vivions pour lors à l'étranger mais nous savions qu'il nous faudrait, dans quelques années, rentrer au Québec. Quelle situation y trouverions-nous, au retour? Un incident comme celui qu'avait provoqué le film français *Les enfants du paradis* ne présageait rien de bon. On se souvient de ce prétendu scandale où l'ignorance le disputait à l'étroitesse d'esprit. Nous venions de voir à Paris, avec un immense plaisir, ce chef-d'œuvre du cinéma français quand nous apprîmes que le premier ministre du Québec venait d'en interdire la projection dans les cinémas de sa province. Apprenant que le film avait été montré à l'Université de Montréal sans passer par la censure québécoise (c'est l'ambassade de France à Ottawa qui en avait prêté une copie aux étudiants), M. Duplessis avait piqué une colère dont les censeurs avaient tout de suite saisi le sens.

Outré de cet attentat à la liberté d'expression, notre groupe d'étudiants montréalais à Paris, qui comprenait entre autres Jean Gascon, Jean-Louis Roux et Roger Rolland, rédigea une lettre de protestation… que tous les journaux du Québec, à l'exception du quotidien *Le Canada,* refusèrent de publier. Nous amorcions ainsi, plus ou moins consciemment, notre longue lutte contre l'esprit d'un régime politique qui allait durer encore plus d'une décennie. Au même moment, avec Gérard Pelletier qui s'arrêtait souvent à Paris en parcourant l'Europe au service du FMSE (Fonds mondial de secours aux étudiants victimes de la guerre), nous parlions déjà vaguement de lancer une revue. Elle allait naître à Montréal, quatre ans plus tard, et s'appeler *Cité libre.*

Toutefois, avant de rentrer au pays, j'allais courir encore deux aventures, l'une intellectuelle et l'autre socio-géographique, qui devaient influer sur tout le reste de ma vie. Je vivrais la première à la London School of Economics et la seconde, sac au dos, en voyage à travers l'Europe de l'Est, le Moyen et l'Extrême-Orient.

Mon séjour à Londres fut marqué par une chance extraordinaire, celle de me trouver à la School of Economics au moment où celle-ci traversait, de l'avis général, l'une des plus hautes époques de son histoire. Le climat intellectuel y était extraordinaire. Je savais d'avance qu'il ne s'agissait pas d'une école comme les autres. Ma tante de Varengeville m'avait dit, au moment de mon départ pour l'Angleterre: «Tu vas donc t'inscrire dans cette fameuse école où l'on trouve des hommes noirs et des femmes rouges?» Curieuse description, avec son double élément ethnique et politique, mais dont l'expérience devait confirmer l'exactitude. La L.S.E., c'était ça, très exactement: un remarquable échantillonnage de nationalités et d'opinions politiques diverses, aussi bien dans le corps professoral que parmi les étudiants. Et le climat intellectuel y était très stimulant. Je comptais parmi mes camarades de cours des militantes et des militants de toutes les tendances: marxistes à tous crins, communistes de stricte observance, sociaux-démocrates, libéraux convaincus et même quelques conservateurs!

La ferveur exceptionnelle qui caractérisa, en Europe, cette époque de l'après-guerre immédiat régnait à la L.S.E. Le Parti travailliste était au pouvoir. Le milieu politique fourmillait de personnages hauts en couleur que mon professeur principal, Harold Laski, invitait volontiers à l'École. Je me souviens d'une conférence remarquable d'Aneurin (Nye) Bevan, grand orateur et ministre du gouvernement. Laski lui-même appartenait à la fois aux milieux universitaire et politique. Éminent professeur, il était en même temps président du Parti travailliste. C'était un esprit tout à fait exceptionnel. Je connaissais déjà, en arrivant à Londres, ses nombreux écrits, notamment sa *Grammar of Politics,* un ouvrage encyclopédique qu'on ne consulte plus guère, je ne sais pour quelle raison.

Me revient aussi le nom d'un autre professeur exceptionnel, Glanville Williams, lui-même spécialiste du droit public, qui me mit sur la piste de l'auteur suédois Knut Olivecrona et de son livre *Law as Fact.* C'est la merveille d'une école universitaire comme la L.S.E.; non seulement on y reçoit un enseignement d'une très haute qualité mais on y apprend aussi où trouver le savoir qu'on recherche. On y fait également des découvertes inattendues: c'est un professeur marxiste qui m'a révélé l'œuvre du cardinal Newman, un grand maître de la prose anglaise en même temps que de la théologie.

À l'époque, j'étais particulièrement intéressé aux auteurs qui développent une théorie générale de l'État. Je voulais connaître les fondements du pouvoir, je voulais savoir comment fonctionnent les gouvernements et pourquoi les peuples obéissent. L'autorité suprême réside-t-elle dans l'État ou dans la personne humaine? Qui fallait-il choisir: Antigone ou Créon? Je m'initiais à la philosophie de T.H. Green dont le libéralisme rejoignait avant l'heure le personnalisme de Maritain et de Mounier en tenant l'individu et non l'État pour référence suprême, mais l'individu vu comme personne intégrée dans la société, c'est-à-dire dotée de droits fondamentaux et de libertés essentielles mais aussi de responsabilités. Cette position est très voisine de celle de la *Fabian Society*, ancêtre du Parti travailliste anglais. Je me trouvais à Londres pendant que celui-ci était en train de mettre en place ce qui deviendrait plus tard l'État-providence

Sans doute parce que j'y ai vécu les derniers mois de ma vie entièrement consacrés aux études, c'est à la London School of Economics que j'ai réalisé la synthèse de tout ce que j'avais appris jusqu'alors en droit, en économie, en sciences et philosophie politiques. Mes réflexions de collégien, poursuivies à Harvard puis à Paris et à Londres, ont connu leur aboutissement pendant mon séjour à la L.S.E. Quand j'ai quitté cette institution, mes choix fondamentaux étaient faits. J'acquerrais encore des connaissances et je ferais face à d'innombrables options, tout au cours de mon existence. Mais ma culture de base était dès lors en place et c'est à la lumière de ces acquis déterminants que je prendrais désormais toutes mes décisions politiques; c'est cette culture qui nourrirait tous mes écrits.

Où en étais-je alors, du strict point de vue de mes études? J'avais complété à Harvard ma scolarité de doctorat; il me restait à rédiger ma thèse. Cette obligation me servirait de prétexte pour entreprendre un tour du monde. J'avais choisi mon sujet. Il s'agirait d'étudier les relations entre deux doctrines, christianisme et marxisme, qui se disputaient l'adhésion des Asiatiques. J'avais choisi l'Inde comme terrain d'étude. Il s'y trouvait beaucoup de missionnaires canadiens qui ne me refuseraient pas leur aide. Et les marxistes y pullulaient également.

Mais le véritable objectif du voyage d'un an que j'entrepris alors, c'était de vérifier que la terre était bien ronde, c'est-à-dire de compléter ma découverte du monde d'alors, commencée au Mexique, poursuivie à Harvard, à Paris et à Londres. Cette fois, le voyage ne serait plus d'abord et presque uniquement une aventure intellectuelle. J'avais l'intention de ratisser beaucoup plus large, de me frotter aux populations, d'expérimenter leur mode de vie, de connaître leurs habitudes, leurs misères, leurs réactions. Pour ce faire, j'emprunterais les moyens de transport de monsieur et madame Tout-le-monde: la marche à pied sac au dos, la troisième classe des chemins de fer, les cars chinois ou autres et, sur les fleuves ou la mer, les cargos sans luxe «dont l'humeur est vagabonde», comme dit Baudelaire. Enfin, ce voyage était un défi que je me lançais à moi-même, comme je l'avais fait dans les sports, les expéditions en canot et les aventures de l'esprit. Je voulais savoir, par exemple, si je pouvais survivre dans une province chinoise sans connaître un mot de chinois ou traverser des pays en guerre (les conflits régionaux ne manquaient pas) sans jamais céder à la panique.

Un beau jour du printemps 1948, je quittai donc l'Angleterre. En me dirigeant constamment vers l'est, j'étais certain d'aboutir en fin de course au Canada. Mais je ne m'étais pas tracé un plan de voyage très rigoureux. Je consacrai les deux premiers mois, soit une partie de l'été, à explorer l'Europe de l'Est, c'est-à-dire les pays récemment passés au communisme, à la suite des victoires de l'Armée rouge. Ce n'était pas un itinéraire de tout repos. Pour reprendre la métaphore de Churchill, le rideau de fer venait de s'abattre, isolant cette région dont l'accès, depuis l'Ouest, devenait chaque jour plus difficile. Ce fut pour moi un rude apprentissage du métier de globe-trotter. Pour traverser certaines frontières, je dus me fabriquer de faux papiers. Je fus carrément déporté d'un pays, après une journée de détention. Bref, j'apprenais l'art de parcourir le monde à une époque très agitée; j'apprenais aussi les trucs du métier. Quand je me retrouvai en Turquie, à la fin de l'été, j'avais déjà visité la Pologne, la Tchécoslovaquie, l'Autriche, la Hongrie, la Yougoslavie et la Bulgarie. Des visas garnissaient désormais toutes les pages de mon passeport. Et comme il n'existait pas encore d'ambassade canadienne à Ankara, je dus m'adresser à celle du Royaume-Uni où l'on attacha un passeport britannique à mon passeport canadien. Je note ce détail qui devait m'épargner de sérieux ennuis, comme on le verra plus loin.

Avec la Turquie anatolienne, c'est tout le Proche-Orient que j'abordais, me promettant de visiter plusieurs sites dont j'avais mentalement dressé la liste. Bien entendu, la Terre sainte y figurait en bonne place. On se souviendra que cette année-là, la Palestine était en guerre, en gésine de l'État d'Israël dont l'indépendance venait d'être proclamée, le 14 mai 1948, par le Conseil national juif. Là non plus, on n'entrait pas comme dans un moulin. Je m'étais donc arrêté à Amman, capitale de ce qu'on appelait alors la Transjordanie. Je me logeai dans une piaule d'étudiant d'où je me rendis aux nouvelles dans un établissement qui portait le nom très peu arabe de *Philadelphia Hotel*, où je rencontrai une grave bande de journalistes, venus là des quatre coins du monde pour couvrir le conflit israélo-arabe. Ils avaient tranformé l'hôtel en salle de rédaction d'où ils transmettaient à leurs journaux respectifs une multitude de dépêches, au hasard des informations qui traversaient le Jourdain.

— Pourquoi restez-vous ici? demandai-je à l'un d'eux. Vous couvrez cette guerre sans jamais mettre les pieds à Jérusalem?

— On voudrait bien s'y rendre mais c'est impossible.

— Comment, impossible?

— On ne possède pas les papiers nécessaires. Et puis, la route entre Jéricho et Jérusalem vient d'être coupée par les forces palestiniennes. C'est trop risqué.

Ayant décidé, pour ma part, de courir le risque, j'eus tôt fait de repérer, sur la grand-place d'Amman, des camions chargés de soldats irréguliers, membres de la Légion arabe, qui partaient précisément pour aller combattre à Jérusalem. Je sautai dans l'un de ces véhicules, déjà occupé par une vingtaine de militaires armés, et quelques minutes plus tard, nous étions en route. À peine soixante kilomètres séparent Amman de Jérusalem. Nous avons traversé le Jourdain sur le pont Allenby, suivi la route de Jéricho et nous sommes retrouvés sans anicroches en plein Jérusalem. J'avais tenu mordicus à voir cette ville; c'est avec le plus vif plaisir que je m'y suis baladé, un plaisir mêlé d'émotions fortes car, aux abords de la vieille ville, j'ai dû traverser une rue sous un feu croisé israélo-arabe. J'allais rendre visite à un Dominicain du Canada dont un père de Sainte-Croix, à Beyrouth, m'avait donné l'adresse. Et pour arriver à son couvent, il fallait passer par là. Mais les balles m'ont raté. C'est au retour seulement que mes peines ont commencé. Comme je me trouvais à violer un couvre-feu, deux militaires arabes m'ont mis la main au collet et m'ont jeté en prison, sans autre formalité, dans la tour Antonina où Ponce Pilate aurait jugé le Christ. On me prévint seulement qu'on allait m'accuser d'espionnage et que la peine de mort m'attendait, si j'étais condamné.

Ma tenue vestimentaire et ma longue barbe m'ont fait courir quelques dangers, en 1948, au Moyen-Orient. La guerre y faisait rage et je fus emprisonné comme juif et suspect d'espionnage. Ce n'est pas la seule fois que j'ai connu de l'intérieur les murs d'une prison étrangère, pendant mon tour du monde qui fut plutôt mouvementé.

(Canapress)

Ma captivité aurait pu se prolonger dangereusement, n'eût été l'intervention du Dominicain à qui je venais de rendre visite. À ma demande, il fit savoir à mes geôliers que j'étais un étudiant canadien et non pas un espion de la Haganah. Si bien qu'on me tira de ma cellule, après un jour et une nuit, mais pour me faire monter dans un autre camion chargé, comme le premier, de militaires arabes et qui prit, en sens inverse, la même route que j'avais parcourue l'avant-veille.

Malheureusement pour moi, les soldats qui m'entouraient n'avaient pas entendu le témoignage du Dominicain. Pour eux, j'étais bien un espion juif; ils m'avaient vu sortir de prison et la longue barbe que je portais alors me rendait d'autant plus suspect à leurs yeux qu'ils avaient reçu l'ordre de me ramener en Transjordanie pour y passer en jugement. Ils n'entretenaient donc pas à mon égard de très bons sentiments, c'est le moins qu'on puisse dire. Le parcours fut cette fois très inconfortable et ponctué de quelques menaces de mort. Par signes, ils me firent comprendre qu'ils pouvaient parfaitement me zigouiller sur l'heure et précipiter mon cadavre dans le ravin qui bordait la route. Mais comme je crânais encore une fois de mon mieux, ils n'en firent rien et se contentèrent de me remettre entre les mains des autorités d'Amman.

Évidemment, je ne connaissais personne dans cette ville. Mais comme j'étais porteur du passeport britannique reçu en Turquie, j'eus recours à l'ambassade de Sa Majesté dont j'invoquai la protection. Celle-ci se révéla très efficace. Mon identité fut établie à la satisfaction des Jordaniens et je recouvrai ma liberté.

Après ce premier contact avec des militaires en action, j'allais en connaître plusieurs autres. Je ne les recherchais certes pas mais le parcours que j'avais choisi était parsemé d'obstacles créés par des conflits armés. Au Pakistan, j'arrivais dans la foulée du démembrement de l'Inde et la frontière entre Lahore et Amritsar était envahie par une masse de réfugiés. En Afghanistan, les Pathans se battaient déjà entre eux. J'y voyageai à bord d'une jeep; un éclaireur nous accompagnait pour nous prévenir en cas d'embuscades et nous permettre, si on tirait sur nous, de répondre au feu. De même en Birmanie où la guerre civile faisait rage.

De même en Indochine. Les Français s'y trouvaient encore; il fallait se déplacer en convois. Pour me rendre à Angkor Vat, j'ai dû profiter de la présence d'un illustre archéologue français à qui les autorités voulaient offrir le spectacle d'un pays paisible. On avait même déblayé la jungle, tout autour du temple, en prévision de sa visite. C'est là que pour la première fois j'ai aperçu des Khmers rouges (qu'on appelait alors Isaraqs); des soldats les ont poursuivis, attrapés et battus sous nos yeux. Un autre jour, en route pour Saïgon, une patrouille du Viêt-cong nous a attaqués. Et bien sûr, quand j'arrivai en Chine, c'était encore la guerre: les armées de Mao et de Tchang Kaï-chek s'y affrontaient. Bref, bien que ma démarche fût toujours pacifique, j'ai été mêlé malgré moi à plusieurs conflits armés.

Je n'en finirais pas de relater ici tous les épisodes, certains terrifiants, certains comiques, d'autres tragiques ou édifiants, que j'ai vécus au cours de ce voyage. J'en raconterai un pourtant, peut-être le plus cocasse de tous et dont on peut tirer comme morale que la poésie est un art *utile*.

Il s'est produit en Iraq, entre Bagdad et Bassorah, plus précisément à Ur, patrie d'Abraham, où je désirais me rendre. J'avais lu quelque part que l'archéologue anglais Sir Leonard Woolley y avait fait d'importantes découvertes. Je pris donc à Bagdad le train de Bassorah. Il roula pendant plusieurs heures dans la nuit avant qu'on n'annonce enfin, au petit matin, la station où je devais descendre. Une cabane misérable y tenait lieu de gare, entourée de quelques humains, de plusieurs chameaux et d'un désert à perte de vue. Je demande au premier venu: «Ur, ça se trouve où?» Mon interlocuteur pointe son index vers l'horizon et j'aperçois au loin le ziggourat, une énorme structure de pierre. Je confie mon havresac au chef de gare et me mets en route dans le désert vers la pyramide.

Comme le soleil est encore bas, la fraîcheur de la nuit n'est pas dissipée, ce qui rend la marche agréable. Je me retrouve bientôt seul dans les ruines de la ville antique où je me promène pendant des heures. Je ramasse quelques fragments de briques qui portent des caractères sumériens. Ils remontent à l'époque d'Abraham. (Je les ai conservés.) Vers le milieu du jour, je décide de gravir le très étroit et très long escalier en pente raide qui conduit au sommet du ziggourat, afin d'y avoir une vue d'ensemble sur le site tout entier. Après un certain temps, je constate que je ne suis plus seul. Trois clochards du désert m'ont repéré et s'approchent de moi, menaçants. Ils me font comprendre qu'ils veulent de l'argent. L'un d'eux me signifie, d'un geste: «Laisse voir ta montre.» Comme je n'en portais pas, je réplique: «Laisse voir ton couteau» et le lui prends à sa ceinture. Ils insistent: «On veut ce que tu as.» Mais c'est moi désormais qui tiens le couteau. Je leur propose de descendre de la pyramide et d'aller discuter au niveau du sol. Nous nous dirigeons vers les marches. Poli, je les laisse s'engager les premiers dans l'escalier et je reste au sommet d'où je leur crie: «Venez me chercher, maintenant!»

Ils ne bougent pas. Alors, pour les effrayer tout de bon, je me mets à hurler vers le ciel tous les poèmes que j'ai en mémoire, en commençant par celui de Cocteau: «Bouclez, bouclez l'Antiquité». Je débite octosyllabes et alexandrins par douzaines. Je les accompagne de grands gestes. Si bien qu'ils me tiennent bientôt pour dangereusement dérangé. Ils croient probablement que j'ai perdu la raison pour être resté trop longtemps au soleil. Après un long moment de déclamations hallucinées, je m'engage à mon tour dans l'escalier, toujours hurlant; à mon grand soulagement, je les vois détaler. Jamais je n'ai été plus heureux de la manie déjà ancienne qui m'avait fait mémoriser plusieurs œuvres de mes poètes favoris!

Il y eut aussi, dans ce long voyage, des pauses que j'accueillais comme un répit. À Lucknow, dans le nord de l'Inde, ayant rencontré un camarade de la L.S.E. devenu professeur d'université, je m'arrêtai pour donner quelques cours de sciences politiques à ses étudiants. Pendant quelques jours, je cessai d'être le vagabond pauvre que l'hôte des auberges du YMCA faisait poireauter devant son comptoir, quand il s'y présentait, en s'occupant d'abord des clients frais rasés et vêtus de costumes propres. Mais après chaque halte, je reprenais la route avec un enthousiasme renouvelé, prêt à courir de nouvelles aventures.

La remontée du fleuve Brahmapoutre en fut une qui mérite d'être mentionnée ici. Ce cours d'eau, qui prend source sur le plateau tibétain, traverse ensuite les gorges du Yunan, l'Assam et le Bengale avant de se jeter dans le delta marécageux commun avec celui du Gange. Or, les Sundarbans, qui occupent la partie méridionale de ce delta, sont couverts d'une jungle dont je rêvais depuis mon enfance, l'ayant connue par un livre que j'avais alors reçu en cadeau. L'ouvrage en vantait la richesse; j'avais retenu surtout de cette lecture l'éloge des tigres qui habitent, dans cette région, les rives du Brahmapoutre.

Dans un port aux abords de Calcutta, j'avisai un chaland dont on me dit qu'il transportait le thé et qu'il partait justement vers les Sundarbans pour aller en Assam en chercher une cargaison. Voilà, ai-je tout de suite conclu, le moyen de faire connaissance avec cette jungle. Je m'approche, je me présente au capitaine et je lui demande de me prendre à son bord. Il hésite, marchande, finit par accepter mais en me prévenant: «On ne peut pas te nourrir, apporte tes provisions.» Qu'à cela ne tienne! Je vais me ravitailler au marché voisin, où j'assiste à un singulier affrontement. Deux bœufs de bonne taille décident de vider par la violence une querelle qui les oppose l'un à l'autre et, ce faisant, renversent sous nos yeux les étals des marchands, piétinent fruits et légumes sans que personne ne lève le petit doigt pour les en empêcher. Je m'étonne de cette passivité jusqu'à ce que me revienne en mémoire la notion de «vache sacrée». En Inde, on ne fait pas violence aux bovins; ces derniers sont protégés des coups par la foi des hindous. Après cet entracte imprévu, je m'embarque et c'est le début d'un merveilleux voyage.

La jungle est en effet une splendeur et le chaland se révèle un excellent véhicule pour l'explorer. On flotte des heures durant au milieu d'une luxuriance végétale extraordinaire que seuls balisent quelques rares villages de pêcheurs. On rencontre des crocodiles, on voit des oiseaux aux couleurs éclatantes. Le spectacle est éblouissant. Mais jamais je n'aurais cru que le voyage serait si long. Relevée sur une carte, la distance à parcourir paraissait modeste. Mais les cartes ne disaient rien des hauts-fonds dont le delta fourmille. À tout moment, le fond du chaland racle le sable. Il faut reculer et longuement manœuvrer pour retrouver le niveau d'eau indispensable à notre embarcation. Mais ce n'est pas facile car le chenal court tantôt à gauche, tantôt à droite dans le lit du fleuve. Les jours passent et mes provisions finissent par s'épuiser. Tant et si bien que pour mon dîner de Noël, cette année-là, j'ai dévoré une toute petite boîte de caviar iranien achetée en passant par Bagdad et retrouvée au fond de mon sac. Rien d'autre!

J'ai donc terminé le parcours le ventre vide. Le bateau est parvenu à Dacca où j'ai reçu un accueil chaleureux de la part de missionnaires canadiens, religieux de Sainte-Croix originaires de Montréal, qui y possédaient une maison. Ceux-ci m'ont ensuite dirigé vers un petit village rural du nom de Padrishippur. J'y ai célébré avec eux l'arrivée du Nouvel An. Mais il était dit que je connaîtrais, là encore, une aventure.

Un soir, les Pères me disent: «Nous nous rendons, demain, comme chaque année à cette date, acheter nos provisions de riz dans les marchés flottants. Vous venez avec nous?» Bien entendu, j'accepte l'invitation et nous partons au milieu de la nuit, sur deux caïques, pour atteindre le marché au point du jour. Mais le jour se lève dans un brouillard dense et nous nous égarons. Bien nous prit, cependant,

En Inde, sac au dos

2.

1. *Mon sac à dos bien connu et mes chaussures de marche éculées.*
   (Album de famille)
2. *J'avais adopté la coiffure du sous-continent.* *(Album de famille)*
3. *Voilà que le sac à dos s'est temporairement changé en chapeau, sous l'ardent soleil de l'Inde.* *(ANC-CT)*

1.

3.

4.

4. *À Padrishippur, près de Dacca, j'ai reçu chez des missionnaires ca-nadiens un accueil chaleureux, mais cette photo en ferait douter!*
(ANC-CT)

5. *Une photo plus posée, avant mon départ vers l'est à travers l'Indochine, après quoi le voyage se poursuivra en car et en train, dans une Chine déchirée par la guerre civile entre Mao Tsê-tung et Tchang Kaï-chek.*
(ANC-CT) 5.

d'avoir perdu notre route car l'autre caïque fut attaqué par des pirates qui en dépouillèrent complètement les passagers et s'enfuirent avec leurs montres, leur argent... même leurs vêtements. C'est ainsi qu'on échappe aux pirates: en ne se trouvant pas sur le bateau qu'ils détroussent...

Poussant toujours vers l'est, je devais fatalement aboutir en Chine. Comme on pense bien, cet immense pays réservait des découvertes et des surprises de taille au voyageur candide que j'étais.

Pour les fins de la thèse dont j'entretenais toujours le projet, la Chine constituait alors le plus intéressant terrain d'observation dont on pouvait rêver. D'une part, les missionnaires, issus de toutes les confessions chrétiennes, y étaient encore très nombreux. Au nom de l'Église, dont ils avaient porté le message en Extrême-Orient dès le XVIe siècle, les Jésuites y affirmaient la présence d'une pensée catholique éminemment vivante. Le nom de Teilhard de Chardin, pour ne retenir que celui-là, était alors intimement associé à la Chine où il avait dirigé des fouilles dès 1928. Des universités accueillaient en grand nombre des étudiants chinois qui poursuivaient leurs études sous la direction des Pères et de professeurs laïques recrutés par eux sur place mais aussi en Europe et en Amérique.

Quant au marxisme, il constituait le ferment qui allait, en quelques années, bouleverser la Chine entière. Les communistes y instaureraient bientôt un régime qui gouverne encore aujourd'hui plus d'un milliard d'êtres humains. Pour l'heure, c'était la guerre. La capitale, Nankin, venait de tomber aux mains de l'Armée rouge et les forces respectives de Tchang Kaï-chek et de Mao s'affrontaient de part et d'autre du fleuve Yang-tsé.

J'abordai la Chine à bord du train Hong-kong – Canton. À l'ambassade chinoise d'Ankara, j'avais eu la prudence de me procurer un laissez-passer de négociant (!) pour visiter la foire annuelle de Canton. De là, m'étais-je dit, rien de plus facile que d'errer sans papiers à travers ce pays dont les autorités sont en déroute. Facile, oui, mais guère sécurisant. Le train en direction de Heng-yang, à bord duquel j'avais pris place, est arrêté en plein trajet par des troupes affamées en quête de nourriture. À bord d'un car chinois, j'aboutis à Ch'ang-sha. Puis, toujours en car, j'atteins Nan-ch'ang et de là Hang-chou, la ville aux mille merveilles, enfin Shanghai qui me donnera le spectacle d'un peuple en déroute.

Logé dans une auberge du YMCA, j'aurai tout loisir d'observer cet extraordinaire et tragique phénomène. La ville est remplie de soldats blessés qui se traînent d'une place à l'autre à la recherche d'on ne sait quoi. Au petit matin, on trouve sur le pavé des hommes et des femmes morts de faim pendant la nuit. À travers toute la ville, on assiste à une insolite foire d'empoigne où tous, du plus petit au plus riche, tentent de bazarder leurs biens contre l'argent nécessaire à une fuite vers le sud ou vers l'étranger. Au milieu de la tourmente je découvre avec joie, à Zikawei, la paroisse et l'université jésuites, oasis de sérénité. J'y retrouve mon camarade de collège Paul Des-lierres, missionnaire et enseignant, avec qui j'ai fait tout le cours clas-sique, avant qu'il entre dans les ordres.

Shanghai marque la fin de mon périple chinois. Je m'embarque là sur le vaisseau du retour qui me conduira à Honolulu et à San Francisco, après une escale de quarante-huit heures à Yokohama, le plus grand port du Japon. Mais dans ce dernier pays, je ne pourrai pas sortir du périmètre portuaire, le commissaire canadien ayant re-fusé de m'en donner l'autorisation. J'aurai tout de même le temps de constater la dévastation, le désordre et la misère qui régnaient alors dans l'empire du soleil levant. Me prenant, à cause de ma longue barbe, pour un marin en bordée, des trafiquants japonais m'offraient dans la rue, contre une poignée de cigarettes, aussi bien une fille qu'un précieux objet d'art...

À mon départ du Japon, le voyage se poursuit vers Hawaï en mémorable compagnie, celle des familles de nationalités diverses qui fuyaient pour la seconde fois devant la marée rouge. Déjà, au mo-ment de la révolution d'Octobre, certains des passagers avaient quitté la Russie en catastrophe et s'étaient arrêtés en Chine où ils s'étaient refait une vie. Après Yalta, le scénario s'était répété pour beaucoup de Hongrois, de Polonais, de Roumains. Trente ans après la «grande lueur à l'Est», le même bouleversement, inspiré de la même idéologie, chassait de Chine à la fois les victimes d'Octobre qui y avaient fait fortune et les réfugiés de plus fraîche date. L'armée populaire de Mao refermait sa pince sur les forces de Tchang Kaï-chek qui allait bientôt se replier sur Formose-Taïwan. Avant la fin de l'année 1949, la République populaire de Chine serait proclamée à Pékin. Pour mes compagnons de voyage, il fallait fuir de nouveau et cette fois, ils étaient fermement résolus à se rendre jusqu'en Amé-rique. Plus question de s'arrêter en chemin. Ces hommes et ces femmes, éclairés par l'expérience, avaient fait leur choix; ils voyaient notre continent comme le seul refuge où ils se sentiraient à l'abri du communisme. Pour eux, je le percevais dans nos conversations, l'Amérique était la Terre promise, c'est-à-dire un rêve. Que d'émotions et quels sanglots de reconnaissance en arrivant sous le *Golden Gate Bridge* de San Francisco!

Pour moi, au contraire, c'était le retour à la réalité, la mienne, celle où je devrais m'insérer pour de bon en rentrant au Canada. Après des années d'études à l'étranger couronnées par les douze mois que je venais de passer à bourlinguer de par le monde, le choc menaçait d'être assez brutal. Il le fut. Le retour au pays, c'est d'abord la joie de retrouver parents et amis, de festoyer avec les gens qui vous accueillent, de revoir les lieux familiers après l'hiatus du dépaysement qu'on vient de vivre. Mais c'est aussi la déception de constater que rien n'a changé. Au loin, on ne peut s'empêcher d'idéaliser un peu ce qu'on a quitté en partant, de gommer dans sa mémoire les aspects négatifs du paysage familier. Dans son esprit et sans trop s'en rendre compte, on transforme selon ses espoirs et les expériences vécues la situation qu'on va retrouver. Mais cette situation, elle, ne bouge pas.

Je retrouvais donc le Québec des années 40 avec toutes ses faiblesses et ses nombreux problèmes. Maurice Duplessis gouvernait la province quand je l'avais quittée, en 1944; il la gouvernait toujours quand j'y suis revenu. Or son gouvernement était profondément conservateur et résistait de toutes ses forces au changement. Et puis, le Québec était resté très provincial, dans tous les sens du terme, c'est-à-dire marginal, isolé, en retard sur l'évolution du monde. C'était l'époque où notre chansonnier Jacques Normand prédisait en blague: «Quand les Soviets nous auront envahis et occupés, ils rebaptiseront Montréal: ils l'appelleront Rétrograd.» Le contraste était frappant avec les pays où je venais de vivre, bouleversés par la guerre mais dont les dirigeants s'appliquaient à reconstruire «pour l'homme nouveau». Rien de tel encore, au Québec, mais tout de même un bouillonnement d'idées qui annonçait déjà très timidement les transformations à venir.

Peu de jours après mon arrivée, j'ai repris contact avec Gérard Pelletier. Il couvrait alors, pour le quotidien *Le Devoir*, la grève de l'amiante et ne quittait guère Asbestos. Mais j'eus la chance de l'attraper lors d'un de ses passages à Montréal. Le conflit de travail durait depuis bientôt quatre mois. «Je retourne là-bas cet après-midi; tu viens?» Deux heures plus tard, nous étions en route pour la petite ville de l'Estrie et pendant quelques jours, je m'associai à la lutte des mineurs, prenant la parole dans les assemblées des grévistes. Je dé-

La grève de l'amiante fut, comme je l'ai écrit, «un point tournant dans l'histoire re-
ligieuse, politique, économique et sociale de la province de Québec». Elle a sûrement
reçu un appui très général; les gens de Montréal levaient des fonds pour aider les
mineurs en grève. (Archives du Québec)

couvrais là un Québec que je connaissais mal, celui des travailleurs
exploités par les patrons, dénoncés par le gouvernement, matraqués
par la police et pourtant animés d'un ardent militantisme.

En rentrant à Montréal, j'achevai mon tour d'horizon qui se révéla peu encourageant. Je retrouvais au pouvoir les mêmes élites dé-
passées, dans presque tous les domaines; elles y maintenaient un climat intellectuel étouffant. Ma recherche d'un emploi se heurta à la
mesquinerie et aux préjugés du milieu politique. Je voulais enseigner, «partager ma science fraîchement acquise» comme avait dit, en
son temps, Édouard Montpetit rentrant de ses études à l'étranger. Je
posai donc ma candidature à l'Université de Montréal qui avait
grand besoin de professeurs compétents en sciences politiques. Mais
à trois reprises au cours de la décennie qui allait suivre, on m'opposa
une fin de non-recevoir et j'appris que M. Duplessis avait lui-même

inspiré ce refus, la première fois au recteur, la deuxième au doyen Minville et enfin, lors d'une troisième tentative, au secrétaire de l'institution. Le Chef ne voulait pas de professeurs «qui avaient étudié en milieu communiste, à Londres et à Paris».

Que faire devant une situation pareille? Ou bien on tente de la changer, ou bien on fiche le camp ailleurs et on n'en parle plus. J'avais reçu une offre du professeur J.A. Corry, illustre *political scientist* canadien de l'époque, qui enseignait à l'Université Queen's. Mais je n'avais pas du tout l'intention de fiche le camp. Je voulais enseigner au Québec, je voulais rester dans ma ville, Montréal. Et comme la vie n'est pas toujours conforme à nos désirs, c'est à Ottawa que je me retrouvai bientôt, fonctionnaire au Conseil privé. Par quel détour j'étais arrivé là? En rendant visite à des amis, dont plusieurs camarades de Brébeuf, et à des connaissances comme Jules Léger, Pierre Dumas, d'Iberville Fortier, qui avaient tous choisi la fonction publique. Et pourquoi le Conseil privé? Parce que, en tant que secrétariat du Conseil des ministres, c'est le centre de décision par excellence et que je voulais observer dans la pratique ce dont je venais d'étudier la théorie. Norman Robertson, l'un des grands mandarins de l'époque, était disposé à m'y accueillir. Je n'ai jamais eu à regretter ce choix. J'ai fait là, en un peu plus de deux ans, un apprentissage qui devait par la suite se révéler très utile.

Mais je n'avais pas le tempérament d'un fonctionnaire et je décidai de changer d'orientation. À Montréal, la plupart de mes amis étaient déjà engagés dans l'action. En 1950, Jean Marchand, Pierre Vadeboncœur et Gérard Pelletier travaillaient avec les syndicats ouvriers, Roger Rolland créait des émissions à Radio-Canada, Charles Lussier pratiquait le droit du travail avec Guy Desaulniers et plus tard avec Jacques Perrault. Et puis, le vague projet conçu à Paris prenait forme; l'équipe de *Cité libre* était rassemblée. La première livraison de la revue devait paraître en juillet de cette année-là. J'étais associé au projet depuis le début. Il m'intéressait beaucoup. J'y voyais un moyen d'agir sur la pensée sociale et politique mais mon statut de fonctionnaire m'empêchait de signer certains articles que j'aurais voulu écrire. Et puis, je ne tardai pas à trouver ennuyeuse la route Ottawa-Montréal que je devais parcourir dans les deux sens pour chacune des nombreuses réunions de notre équipe de rédaction. D'autre part, Jean Marchand et Jean-Paul Geoffroy me persuadèrent qu'à Montréal, je pourrais être utile au mouvement ouvrier qui continuait de battre la marche du changement social au Québec.

Mon départ d'Ottawa reste marqué, dans mon souvenir, par une conversation avec Norman Robertson. Il m'avait attiré vers la fonction publique et le Conseil privé; il ne comprenait pas que je veuille quitter l'un et l'autre.

— Pourquoi? me demandait-il. Tu es utile ici et nous avons besoin d'hommes comme toi. Ton avenir est tout tracé si tu restes avec nous. Pourquoi partir?

— Parce que je veux rentrer au Québec. À Ottawa, tout marche assez rondement. Les Canadiens français commencent à y percer assez bien. C'est au Québec, aujourd'hui, que se mènent les combats importants; c'est là que je puis être le plus utile, même si mon influence y reste marginale. Le mouvement ouvrier m'offre du travail et...

— Attention! C'est dans les années 30 qu'il fallait soutenir les syndicats. Désormais, ils sont forts, puissants et n'ont plus besoin d'aide.

De toute évidence, ce dernier propos avait trait aux provinces anglophones, surtout à l'Ontario. Il illustre à quel point le Québec était déphasé par rapport à la province voisine car chez nous, le mouvement ouvrier avait un urgent besoin de leaders solidement formés comme Gérard Picard et Jean Marchand, mais aussi d'économistes et

Des photos de famille prises dans les années 50 et 60

(Album de famille)

(Album de famille)

de sociologues. Robertson n'a pas insisté outre mesure pour me retenir à Ottawa mais je sentais dans son attitude un apitoiement sur le sort du pauvre garçon qui retournait au pays de Duplessis en croyant qu'il pouvait y exercer une influence quelconque.

Une nouvelle période de ma vie commençait, très différente de celle que je venais de connaître. Finie la sédentarité! Au lieu du même bureau tous les jours, partagé avec le même collègue, une multitude de déplacements à travers tout le territoire québécois. Plusieurs fois par mois, je sautais sur ma moto pour me rendre à Sherbrooke, Chicoutimi, Arvida, Shawinigan, Québec, Joliette ou Rimouski, où je donnais des cours dans les écoles d'action ouvrière. Tour à tour dans chacune de ces villes, la CTCC (Confédération des travailleurs catholiques du Canada, future CSN) réunissait, pour des sessions de fin de semaine, quelques douzaines de militants, dirigeants élus de leurs syndicats locaux. J'y enseignais les principes de base des sciences économiques, assez de comptabilité pour s'y retrouver dans les bilans des compagnies et un peu de sciences politiques. Dans certaines régions, on me demandait aussi de démystifier les thèses du Crédit social. En même temps, j'apprenais à connaître les dirigeants syndicaux de tous les coins de la province.

Les arbitrages aussi constituaient un spectacle ambulant. Ces tribunaux éphémères, formés pour statuer sur un contrat de travail dans une entreprise particulière, étaient formés de trois personnes. Les syndicats et les employeurs y désignaient chacun leur arbitre. S'ils tombaient d'accord sur le choix du président, ils le nommaient eux-mêmes; s'ils n'arrivaient pas à s'entendre, le ministère du Travail imposait sa propre sélection, généralement un magistrat de la cour provinciale. Je fis ainsi la connaissance de nombreux juges désignés par le ministère. Mais, sauf d'heureuses exceptions, ni les choix de M. Duplessis, qui avait fait de ces hommes des magistrats, ni ceux de M. Barrette qui nous les imposait comme présidents ne m'ont jamais paru très éclairés. La qualité de ce personnel, sous l'Union nationale, n'était pas impressionnante.

Des syndicats me demandaient aussi de les assister dans la négociation de leurs conventions collectives. Je me souviens en particulier d'une telle négociation qui nous retint tout un été à Arvida. Mon vis-à-vis était Antoine Geoffrion, fils du grand civiliste Aimé Geoffrion et lui-même considéré comme l'une des lumières du Barreau de Montréal. Je n'étais pas peu fier, moi qui avais assez peu pratiqué le droit, de me retrouver en face d'un juriste de son calibre. Les échanges furent passionnants.

De nouveau en Chine, en 1960, avec un éditeur célèbre, mon vieil ami Jacques Hébert. En collaboration, nous avons écrit un livre au titre bien choisi: Deux innocents en Chine rouge. *(Canapress)*

Cela dit, j'appris beaucoup de droit ouvrier en participant à ces arbitrages. J'appris aussi à argumenter. J'appris à connaître le milieu ouvrier sous tous ses aspects. Et les coins de notre province que les écoles d'action ouvrière ne m'avaient pas révélés, les arbitrages me les firent visiter à répétition. Car les tribunaux d'arbitrage siégeaient sur place, dans les villes ouvrières où étaient situées les usines en cause, aussi bien au Lac-Saint-Jean qu'en Abitibi, dans les Cantons de l'Est ou à Trois-Rivières. Un peu plus tard, plusieurs syndicats dits internationaux, dont ceux affiliés à la FUIQ (Fédération des unions internationales du Québec), recoururent à mes services comme rédacteur de mémoires et je collaborai à plusieurs de leurs actions.

Cette activité, pour exigeante qu'elle fût, me laissait cependant le loisir de quelques échappées vers l'Afrique, l'Europe, l'URSS ou la Chine pour participer à diverses conférences consacrées aux sciences politiques. Elle me laissait encore le temps de servir, comme juriste, certaines causes qui me tenaient à cœur parce qu'elles concernaient les libertés publiques. C'est ainsi qu'en cour d'appel j'ai fait libérer Jacques Hébert qui avait été accusé d'outrage au tribunal dans l'affaire Coffin.

On m'a souvent demandé si je n'entretenais pas, dans les années 50, des ambitions politiques. J'ai toujours répondu par la négative, ce qui était la vérité. Il n'était pas question pour moi de quitter le Québec; c'est ici que je voulais agir. Mais comment aurais-je pu rêver d'adhérer à un parti comme l'Union nationale? Son conservatisme réactionnaire me répugnait profondément et ses dirigeants avaient en horreur les idées que je représentais. La rencontre était donc impossible. Quant au Parti libéral de l'époque, il avait entrepris de démocratiser ses structures provinciales, sous l'influence de Georges-Émile Lapalme et de Jean-Louis Gagnon, mais le processus se révélait très lent. Disons que le Parti libéral du Québec a mis beaucoup de temps à perdre les mauvaises habitudes qu'il avait contractées au cours d'un long exercice du pouvoir.

Il y avait bien aussi le parti CCF qui allait devenir en 1961 le Nouveau Parti démocratique. J'y comptais beaucoup d'amis et d'amies, depuis Frank Scott et Michael Oliver, professeurs à l'université McGill, jusqu'à Eugene Forsey et Thérèse Casgrain, la grande dame du féminisme canadien-français. Le programme que ce parti mettait de l'avant, voisin du travaillisme britannique, me plaisait assez. Mais au départ, le centralisme exagéré de la CCF et sa méconnaissance du Canada français me gênaient profondément. Et plus tard, naviguant de Charybde en Scylla, l'adhésion du NPD québécois à la doctrine des deux nations m'en éloigna pour de bon.

Je dus donc, avec plusieurs de mes contemporains, me rabattre sur l'action non partisane dans des organismes comme le Rassemblement créé en septembre 1956. Cet organisme fragile et dont la vie serait brève, se proposait de défendre et de promouvoir la démocratie québécoise menacée par la corruption et l'autoritarisme. Il y eut aussi une initiative postérieure, l'Union des forces démocratiques, dont j'assumai la paternité. Elle visait à créer une coalition efficace en vue des élections provinciales de 1960. Il s'agissait de regrouper tous les partis d'opposition autour de leur principal objectif commun: faire du Québec une authentique démocratie, débarrassée des agissements gouvernementaux qui mettaient en danger la liberté des gens. Depuis la loi dite du cadenas, l'affaire Roncarelli et plusieurs lois punitives à portée rétroactive, nul ne pouvait douter que les libertés démocratiques fussent menacées «au pays de Québec». Il s'agissait donc que tous les tenants de ces libertés oublient les différends qui les séparaient et s'unissent pour mettre fin au régime.

Ces actions eurent-elles l'effet que nous en attendions? Difficile à dire car le décès du Chef, en septembre 1959, devait en quelques mois mettre fin aux abus de l'Union nationale, en lui retirant le pouvoir. Sans transition ou presque, nous entrions dans l'époque de la Révolution tranquille. La situation politique prenait au Québec une tournure entièrement nouvelle et très positive, du moins dans les deux premières années. J'en fus l'un des tout premiers bénéficiaires car, l'hypothèque Duplessis étant levée, l'Université de Montréal m'offrait bientôt la direction d'un institut de droit public, poste que je refusai tout en acceptant une chaire de professeur de droit public à la faculté de droit à laquelle était attaché ce même institut. Mon vieux rêve d'enseignement se réalisait donc, avec un retard de douze ans! Mais les joies de la Révolution tranquille n'étaient pas toutes aussi égoïstes. Pour tous ceux d'entre nous qui avions lutté depuis dix ans pour la modernisation du Québec, ce n'était pas une mince satisfaction que d'être enfin gouvernés par une équipe jeune, dynamique, compétente et décidée à mettre de toute urgence l'horloge provinciale à l'heure de l'Occident.

Or, vers la même époque, la vie m'offrait un coup d'œil privilégié sur la politique québécoise, grâce à une série de réunions bimensuelles. René Lévesque, ministre depuis un an dans le gouvernement Lesage, avait demandé à mon ami Pelletier de réunir chez lui, à compter de l'automne de 1961, quelques amis montréalais: André Laurendeau, Jean Marchand (qui résidait à Québec mais travaillait le plus souvent à Montréal) et moi. Au cours des deux hivers qui suivirent, nous devions nous retrouver ainsi assez régulièrement et discuter ferme, de longues heures

René Lévesque (à gauche) et Jean Marchand, deux hommes dont les vies devaient avoir sur la mienne une grande influence. Ils visitent le site du grand barrage hydro-électrique de Manicouagan.   *(ANC-CT)*

durant, de toutes les questions qui occupaient alors le monde en général et nos gouvernements en particulier. L'époque était au changement, au pluralisme, à la tolérance, à la modernisation. Enfin, la politique s'orientait dans le sens dont nous avions rêvé depuis notre âge adulte.

Mais pourquoi fallait-il que ce bonheur fût d'aussi courte durée? À peine le mouvement était-il engagé qu'on s'empressa de ressusciter les vieux slogans. À compter de 1962, au lieu de poursuivre l'ouverture vers les valeurs universelles, on ne parla plus que de «maîtres chez nous». Au lieu de s'enraciner dans une politique réaliste et de sens commun, amorcée depuis 1960, on se précipita dans une «politique de grandeur» dont la principale préoccupation fut trop souvent de déployer les tapis rouges. Allions-nous aussi tôt revenir sur nos pas, nous replier sur nous-mêmes et sur le concept de nation? Abandonner la tutelle abusive de notre Sainte Mère l'Église, nous libérer d'une vision atavique pour nous replonger dans l'ombre de notre Sainte Mère la Nation? Nous venions d'éliminer les rongeurs de balustres dévots; devions-nous aussitôt les remplacer par les rongeurs de balustres nationaux? Nous nous étions battus depuis dix ans pour tous les Québécois: noirs, jaunes, blancs, catholiques, protestants et agnostiques; allions-nous négliger désormais tous les autres pour déployer nos efforts en faveur des seuls Québécois de souche?

Par contraste, me voici à l'intérieur, craie en main, en train de donner un cours.
(Album de famille)

Une province n'est pas une nation mais un ensemble pluraliste de gens divers, différenciés par la religion, la culture, la langue maternelle. Fallait-il raboter toutes ces différences et imposer à toutes les minorités une idéologie dominante et intolérante? Je trouvais ce virage aberrant. Je savais qu'il conduisait directement à l'indépendantisme, au séparatisme doctrinal.

Je n'ai jamais contesté l'existence de la nation canadienne-française; je ne nie pas non plus aux Amérindiens d'Ovide Mercredi le titre de nation au sens sociologique. Ce que je refusais, bien avant l'avènement du néo-nationalisme des années 60 et encore aujourd'hui, c'est la doctrine qui exige pour chaque nation sociologique la souveraineté politique et l'indépendance. S'il fallait promouvoir à travers le monde l'indépendance politique pour chaque nation sociologique, la planète deviendrait bientôt le théâtre d'innombrables conflits entre groupes ethniques et linguistiques, tous réclamant la souveraineté à l'encontre du pays au sein duquel ils se disent minoritaires.

Me désolait aussi l'attitude de certains étudiants à qui j'enseignais alors le droit public, des jeunes qui n'avaient même pas l'air de savoir que nous sortions à peine d'une Grande Noirceur prolongée. Or, au lieu de profiter de l'université pour s'ouvrir aux valeurs universelles, ils n'avaient rien de plus pressé que de se recroqueviller intellectuellement sur la nation «québécoise». Leur démarche, en droit constitutionnel, se résumait à refuser tout ce qui venait d'Ottawa, à magnifier les seules prérogatives du Québec. Je trouvais triste ce retour en arrière. Je me disais: «Ça y est! On recommence!»

Malheureusement, le contexte politique du moment favorisait un tel repliement sur soi, du moins chez ceux qui ne savaient pas voir plus large, car la situation, au niveau fédéral, n'avait rien de réjouissant. À compter de 1962, Ottawa donnait successivement le spectacle d'un gouvernement Diefenbaker en pleine décomposition puis d'un gouvernement Pearson minoritaire, affligé d'une rare propension aux accidents de parcours. Chez les conservateurs, les guerres intestines se déroulaient au vu et au su de tout le monde, avec démissions fracassantes de ministres québécois et ontariens. Chez les libéraux, une succession de sérieuses gaucheries, telles le premier budget de Walter Gordon, quelques pseudo-scandales exploités par l'Opposition et des débats interminables (six mois pour la seule adoption d'un drapeau canadien distinctif), tout cela créait une impression d'impuissance fédérale, alors que le gouvernement

Ceux qu'on a baptisés «les trois colombes»: Gérard Pelletier, Jean Marchand et moi. Dans ses Mémoires, Lester Pearson raconte: «Ils appartenaient au type d'hommes que je cherchais: des hommes de qualité, influents au Québec, des hommes qui inspiraient à la fois l'admiration et la crainte.» (ANC-CT)

québécois poursuivait sa Révolution tranquille avec une énergie sans doute décroissante mais tout de même présente jusqu'à la défaite de 1966. Un tel contraste entre les deux capitales n'était en rien susceptible d'illustrer les bienfaits du fédéralisme, c'est le moins qu'on puisse dire.

À cette conjoncture remontent mes premières discussions avec Jean Marchand et Gérard Pelletier sur ce qui allait devenir l'aventure des trois colombes. C'est en 1962 que Marchand, courtisé par les deux partis libéraux, celui du Québec et celui du Canada, envisagea pour la première fois d'entrer en politique active. À l'automne de 1962, lors de la mémorable élection centrée sur la nationalisation de l'électricité, il fut à deux doigts de briguer une candidature provinciale. Mais au dernier moment, pour des raisons qu'il serait trop long de rapporter ici, le parti de Jean Lesage lui retira ses avances. Cependant, cet échec n'affecta en rien l'extraordinaire prestige dont jouissait Jean Marchand, tribun de classe et fortement enraciné, par l'action syndicale, dans le terroir québécois. Les émissaires du parti fédéral redoublèrent d'instances auprès de lui pour qu'il s'engage en politique fédérale. Et lui, à son tour, commença de me solliciter pour que je m'engage avec lui. Il ne voulait pas se lancer seul dans une aventure dont il percevait clairement la difficulté. Aussi en avons-nous souvent et longuement discuté, au domicile de Gérard Pelletier, au cours des trois années suivantes. Peut-être aurions-nous tous les deux fait le plongeon à l'élection d'avril 1963, n'eût été du revirement subit de Mike Pearson qui décida d'autoriser les Américains à déployer au Canada des armes nucléaires, les missiles Bomarc, lui qui se faisait un apôtre de la paix. À cause de cette prise de position inattendue qui heurtait en nous des convictions profondes dont nous avions fait état publiquement à plusieurs reprises, nous avons refusé alors de nous associer au Parti libéral.

C'est seulement deux ans plus tard, à l'été de 1965, quand les missiles Bomarc eurent commencé à rouiller dans leurs nids souterrains, que nous avons de nouveau considéré la question. La situation avait rapidement évolué, depuis 1963. Au Québec, le nationalisme souverainiste avait fait des progrès notables dans l'opinion et surtout, danger autrement plus grave, le fédéralisme défaillant d'Ottawa était de plus en plus contesté même par la grande majorité des Québécois qui croyaient toujours au Canada. Il était temps que quelque chose se produise afin de rétablir l'équilibre entre les deux capitales.

Pour toutes ces raisons, sans doute, les libéraux insistaient plus fortement que jamais auprès de Marchand afin qu'il joigne leurs rangs. Le recrutement de Guy Favreau comme leader québécois n'avait pas produit les résultats escomptés et Jean leur apparaissait comme le sauveur attendu. De son côté, ce dernier refusait de s'engager seul et insistait pour que le parti accueille avec lui Gérard Pelletier (qui venait de quitter *La Presse)* et moi. Évidemment, ces deux dernières candidatures n'intéressaient guère le groupe parlementaire et ses chefs: Maurice Lamontagne, Guy Favreau et Maurice Sauvé. Pelletier et moi avions à maintes reprises publié des critiques virulentes à l'égard des libéraux. Mais Marchand resta ferme et mena si bien la négociation qu'au début de septembre 1965, notre trio annonçait aux médias qu'il briguerait les suffrages, à l'élection fédérale de novembre, sous la bannière libérale.

Le soir du 8 novembre, nous fûmes tous trois élus, Pelletier et moi dans ce qu'on appelait des «comtés sûrs», Marchand dans une circonscription de la ville de Québec qu'il arracha de haute lutte au Crédit social.

Comme j'étais un tout nouveau député, j'avais cru qu'on me laisserait le temps d'apprendre le métier. Mais le premier ministre Lester Pearson voyait cela d'un autre œil et fit de moi, très tôt, son secrétaire parlementaire. Dans ses Mémoires, il me décrit comme «un bon Canadien et un bon libéral radical qui s'était tenu debout devant Duplessis». Il exprimait ensuite le regret que le rôle de secrétaire parlementaire fût si limité: «Trudeau n'eut pas grand-chose à faire, dans mon bureau, ni l'occasion d'apprendre beaucoup. Néanmoins, j'eus assez de contacts avec lui pour apprécier sa froide intelligence, ses connaissances et la solidité de ses nerfs.»

(ANC-CT/Duncan Cameron)

Après quatorze ans d'absence, j'étais donc de retour à Ottawa, cette fois comme membre du Parlement. Je n'allais pas tarder à me rendre compte que ce nouveau rôle différait entièrement de celui que j'avais déjà joué comme fonctionnaire. Et j'allais devoir mettre de côté les illusions que j'entretenais sur la vie de député. Depuis la décision prise de me lancer en politique active, j'envisageais mes premières années à la Chambre comme un apprentissage au cours duquel j'apprendrais tranquillement le métier de représentant du peuple. Mais une fois sur place, je vécus dès le départ une expérience qui n'avait rien à voir avec celle dont j'avais rêvé.

À Paris, en avril 1966, j'étais un membre sans grande importance de la délégation parlementaire canadienne. (ANC-CT)

D'abord, je dus presque immédiatement assumer des responsabilités que je n'avais pas prévues. Jean Marchand, qui d'entrée de jeu était devenu ministre, m'avisa dès les premiers mois que le premier ministre Pearson désirait faire de moi son secrétaire parlementaire. Au premier abord, cette perspective ne me plut pas du tout. Je me souviens d'avoir dit à Marchand: «Laissez-moi le temps d'arriver, de faire mes classes. Tu sais que je n'aime pas l'improvisation.» Mais il avait réponse à tout. «Nous ne sommes pas venus ici pour refuser le travail, Pierre. C'est la besogne à abattre qui nous a attirés, il faut sauter sur toutes les occasions de l'accomplir.»

Je dus reconnaître qu'il avait raison et j'acceptai le poste, ignorant de ce que Mike Pearson allait exiger de moi. Cela aussi me fut une surprise. Je m'attendais vaguement à de modestes besognes parlementaires et à du travail de gratte-papier; il m'envoya courir de par le monde.

Ce fut d'abord un séjour à Paris pour discuter de certaines questions avec les parlementaires français, puis un congrès international de juristes francophones, ensuite un voyage en Afrique pour établir des contacts en vue d'une francophonie internationale dont l'idée commençait alors à circuler, enfin quelques mois à New York comme membre de la délégation canadienne à l'Assemblée générale de

À la tribune des Nations unies, comme membre de la délégation canadienne à l'assemblée générale de l'automne 1966. (ANC-CT)

l'ONU. Pendant mes quinze premiers mois comme député, je n'ai pas été très assidu au Parlement. Mais je ne regrette pas ces différentes tournées. Sans doute M. Pearson considérait-il que j'avais beaucoup à apprendre en politique internationale. Il avait raison. Je connaissais assez bien le monde tout court mais assez peu le monde de la diplomatie. Mon stage à l'ONU et mes visites à quelques chefs d'État africains comme Senghor au Sénégal, Bourguiba en Tunisie, Ahidjo au Cameroun, m'ont été un début d'initiation très bénéfique. De plus, ce modeste début de participation au travail de l'exécutif préparait, sans que j'en aie conscience, mon entrée au Conseil des ministres.

J'y fus appelé par le chef du gouvernement, en avril 1967, et dès le mois de septembre suivant, je me présentais devant les Communes avec un projet de loi qui fit un certain bruit sous le nom de Bill Omnibus. Il s'agissait d'un ensemble d'amendements au code pénal. Comment j'en suis venu à diriger la rédaction de ce texte législatif puis à le présenter au Parlement? Le plus naturellement du monde.

Je note d'abord que je n'ai pas hésité une seconde à accepter le portefeuille de la Justice. C'est un poste formidable, un ministère influent dont les décisions ont des effets considérables sur la vie des

À la Justice, j'ai été heureux de pouvoir moderniser les lois canadiennes sur le divorce. Selon Don Jamieson, mon collègue de Terre-Neuve: «L'enthousiasme et l'habileté que mit Trudeau à mener à bien son premier projet ministériel étonnèrent Pearson et beaucoup d'autres observateurs.»

(Canapress)

Bien que nos styles fussent très différents, j'ai beaucoup appris durant mon séjour au bureau de Lester Pearson. Après le rude affrontement qui m'opposa à Daniel Johnson, lors de la conférence fédérale-provinciale de 1968, ma collègue du Cabinet Judy LaMarsh conclut: «À la différence de son prédécesseur qui avait une réputation de conciliateur, c'est le talent de Trudeau pour la controverse qui l'a conduit à la victoire.» (Toronto Star)

citoyens. De plus, ce poste était dans mes cordes, comme on dit familièrement. J'y suis donc arrivé tout fringant et j'ai dit aux hauts fonctionnaires: «Bon. Je suis là. Qu'est-ce qu'il y a à faire et par quoi commençons-nous? Quelles sont vos priorités?» On m'a alors énuméré un certain nombre de questions parmi lesquelles figuraient des sujets majeurs comme le problème constitutionnel mais aussi des affaires de routine. Puis, les fonctionnaires ont ajouté: «Bien sûr, il y a le code pénal qui aurait bien besoin d'être remis à jour sur de nombreux points sensibles et contestés comme l'homosexualité, le port d'armes, l'avortement; il y a aussi la loi sur le divorce qui est antédiluvienne… Inutile de vous dire que plusieurs de ces questions sont assez délicates et politiquement dangereuses. Vous le savez comme nous. Vous êtes un ministre débutant, peut-être vaudrait-il mieux aborder d'abord un sujet moins épineux.» «Non, ai-je répondu. Je préfère commencer par le plus difficile. Allons-y pour le code pénal et la loi sur le divorce.»

À cause des gouvernements minoritaires et autres difficultés politiques des dernières années, plusieurs de ces questions avaient été négligées. Des projets de changements traînaient depuis dix ans dans les cartons du ministère. Il me fallut d'abord persuader mes collègues du Cabinet qu'il était opportun d'inscrire ces sujets controversés à l'ordre du jour de la Chambre. Plusieurs s'y opposèrent avec énergie. Mais je tins mon bout et, de guerre lasse, même les opposants finirent par dire: «S'il veut risquer de se casser la gueule, c'est son affaire...» Et j'eus carte blanche.

Au milieu de l'été 1967, malgré tout le brouhaha créé par les célébrations du Centenaire, l'Exposition universelle de Montréal et la visite du général de Gaulle, nous avions en main le texte complet des deux projets de loi. À l'automne, il fallut d'abord préparer les esprits en établissant une distinction très nette entre le péché et le crime. En effet, ce qui est considéré comme peccamineux dans l'une des grandes religions qui se partagent l'adhésion des citoyens ne l'est pas nécessairement dans les autres. On ne peut donc pas fonder la loi pénale sur la notion de péché; ce sont les crimes qu'elle est chargée de définir. Mais il fallait faire voir aussi qu'en décriminalisant telle ou telle action, la loi ne change en rien la morale de tel ou tel groupe religieux.

Mes projets de loi donnèrent quand même lieu à d'assez rudes débats parlementaires car les députés, de part et d'autre de la Chambre, avaient des convictions personnelles très profondes touchant des sujets comme le divorce et l'avortement. De même sur les pratiques homosexuelles — même entre adultes consentants, les seules visées par le projet de loi. Quant aux autres sujets traités, plusieurs, comme par exemple le port d'armes, préoccupaient de puissants lobbies qui ne manquèrent pas de se manifester à cette occasion. Mais l'opinion publique, consciente du fait que le temps était venu d'adapter le code aux circonstances de l'époque, nous donna son appui et le projet devint loi au milieu de l'automne.

* * *

Vers le même temps, le premier ministre Pearson rendait publique son intention de quitter la direction du gouvernement, ce qui déclencha automatiquement une campagne au sein du parti pour la désignation de son successeur. Je précise tout de suite que je ne me sentis pas du tout concerné par cet événement. Pour moi, le candidat

Quatre chefs du Parti libéral: moi, John Turner, Mike Pearson et Jean Chrétien.
(Toronto Star)

naturel à cette succession, s'il devait venir du Québec, c'était Jean Marchand. C'est lui qui avait pris jusqu'alors toutes les initiatives touchant le parti, c'est lui qui jouissait de puissants appuis au sein des populations canadienne et québécoise, c'est sa candidature que des libéraux éminents s'appliquaient à promouvoir, aussi bien à Toronto qu'à Montréal. Jamais l'idée de me présenter moi-même ne m'avait traversé l'esprit, fût-ce pour une fraction de seconde.

Est-ce à dire, comme certains commentateurs l'ont écrit, que je fus un premier ministre malgré lui, à l'instar du médecin de Molière? Pas tout à fait mais presque...

C'est seulement lorsque Jean Marchand a refusé de faire campagne lui-même et m'a poussé à entrer dans la course que j'ai commencé d'y songer. Et même alors, j'ai opposé pendant plusieurs semaines une résistance têtue à Marchand, à Pelletier et à tous les autres qui me sollicitaient. Histoire de me faire désirer? Pas du tout. Des raisons autrement puissantes motivaient mon refus. D'abord le souci de ma sacrosainte liberté personnelle. Déjà, à la Justice, j'avais mesuré la force

Au congrès pour l'élection du chef, Ottawa, 6 avril 1968

1.

2.

3.

1. *Dans ma loge, j'affectais la nonchalance, aidé ce jour-là par un œillet et non une rose.* (ANC-CT)

2. *Mitchell Sharp (à gauche) m'avait accordé son appui avant même l'ouverture du congrès.*
(ANC-CT)

3. *Je m'adresse aux délégués.* (ANC-CT)

Mon discours de candidature. Pearson raconte, sur cet épisode: «La campagne de Trudeau dérouta complètement les vieux professionnels comme Paul Martin qui ne pouvaient pas comprendre le secret de son succès. Paul m'interrogeait: "Comment un homme qui ne connaît rien à la politique ni au parti peut-il s'attirer aussi soudainement de tels appuis, même de la part de gens comme Joey Smallwood?" La réponse était simple. Les Canadiens, quand ils pensaient à Paul Martin ou même à Paul Hellyer, les voyaient dans l'ombre de Mackenzie King. Pour eux, Pierre Trudeau était l'homme de leur temps, ni contaminé ni inhibé.» (ANC-CT)

d'accaparement d'un poste ministériel. Je savais que dans une telle fonction, on ne s'appartient plus. Et je ne pouvais pas ignorer que le poste de premier ministre exigeait davantage encore de celui qui l'assumait. Et puis, je trouvais présomptueux de briguer les responsabilités suprêmes après deux ans à peine d'activité parlementaire et neuf mois de présence au Conseil des ministres. Enfin, avant d'entrer en lice dans une telle course, il est inévitable qu'on en mesure les risques.

D'abord, l'opération me paraissait prétentieuse, à moi qui n'avais pas de racines profondes dans le Parti libéral, qui en connaissais à peine les principaux militants et dont les états de service étaient plus que modestes. Il y avait de quoi réfléchir! Même dans l'hypothèse où ma candidature l'emportait, la perspective de vivre sous la surveillance continuelle des journalistes, comme chef du gouvernement ou de l'Opposition, n'avait pour moi rien de très attrayant.

Mais une fois décidé, je résolus de foncer avec toute l'énergie dont je disposais et sans plus regarder en arrière. Le vendredi 16 février, j'annonçais ma candidature au Club de la presse.

Dans mes réponses aux journalistes qui m'interrogeaient sur les objectifs politiques que je tenterais de réaliser, si je devenais premier ministre, je m'appliquai à formuler des idées simples, accessibles à tout le monde, conscient du fait que, si j'étais choisi comme leader, ces idées deviendraient le programme du parti dans l'élection générale qui suivrait. J'axai donc ma campagne sur le thème central de la société juste. Pour atteindre cet objectif, il fallait promouvoir l'égalité des chances et venir en aide d'abord aux plus démunis. Sécurité sociale et péréquation, de même qu'un ministère de l'Expansion économique régionale, concrétiseraient ces principes abstraits. D'autre part, j'annonçais l'action que nous allions entreprendre pour corriger l'injustice traditionnelle de l'État fédéral canadien à l'égard du français, langue maternelle de 27 p. 100 de la population canadienne. Et quand on m'a demandé s'il était exact que je voulais «mettre le Québec à sa place», j'ai répondu: «Oui. Parfaitement. Et sa place, c'est au sein du Canada, avec tous les avantages et toute l'influence auxquels notre province a droit. Il n'est pas question que le Québec reste à l'écart ou traîne de l'arrière.»

Une fois cette annonce faite, je me trouvai entraîné dans un tourbillon d'activité que je renonce à décrire: assemblées, discours, interviews, apparitions à la télé, conférences de presse, déplacements d'est en ouest et du nord au sud occupaient toutes mes journées ainsi qu'une partie de mes nuits. Il s'agissait de prendre contact avec le plus grand nombre possible des quelque trois mille délégués qui auraient le droit de vote au congrès du 6 avril. Ce furent des semaines intenses, annonciatrices des cinq campagnes électorales que j'allais vivre entre 1968 et 1984. J'avais mis le doigt dans l'engrenage; j'y étais pris pour longtemps.

Le congrès du parti se tint à Ottawa. Après beaucoup de discours, d'acclamations, d'applaudissements — et trois tours de scrutin, la majorité des délégués m'investissait de sa confiance. Je devenais donc chef des libéraux et par le fait même premier ministre du Canada puisque le parti était au pouvoir et M. Pearson, en instance de démission.

Chapitre II

1968 - 1974
POUVOIR ET RESPONSABILITÉS

Le mois d'avril 1968 tire à sa fin. Les Chambres vont bientôt reprendre leur travail. Après le congrès libéral, Jean Marchand et moi sommes partis ensemble vers des cieux plus cléments pour quinze jours de détente. Aujourd'hui, c'est le retour à Ottawa et mes débuts comme premier ministre.

C'est aussi mon entrée dans la première maison dont j'aurai jamais été l'occupant principal, au 24 de la promenade Sussex. Jusqu'à présent, j'ai toujours eu mon pied-à-terre chez ma mère, quand je me trouvais à Montréal. J'avais aussi un bureau, rue Saint-Denis, qui me servait de garçonnière. Puis, peu de temps après avoir commencé l'enseignement du droit, j'ai loué, rue Sherbrooke, un appartement minuscule qui m'a permis d'apprivoiser le centre-ville de Montréal. À l'étranger j'ai toujours logé dans des turnes d'étudiants, des auberges de jeunesse et autres YMCA. En rentrant de mon tour du monde, j'ai pratiqué les hôtels de province du Québec tout entier, aux fins de mon activité syndicale puis, comme député et ministre, le Château Laurier d'Ottawa.

Mais je serai désormais, pour un laps de temps indéterminé, locataire du numéro 24, promenade Sussex, dans la capitale du Canada. Si le logis de fonction du premier ministre canadien n'est pas aussi connu que l'hôtel Matignon de Paris ou le 10 Downing Street de Londres, sans parler de l'Élysée ni de la Maison-Blanche, c'est qu'il a conquis plus récemment son titre de résidence officielle. C'est seulement en 1955 que le 24 Sussex fut attribué au chef du gouvernement.

J'étais évidemment heureux d'emménager dans le bureau du premier ministre, le 22 avril 1968. Mais j'étais conscient de ce que, dans ses Mémoires, Lester Pearson appelle «une amère réaction dans l'entourage de certains autres candidats». Après les célébrations, il fallait payer les pots cassés. (Canapress)

Il s'agit d'une spacieuse et confortable maison bourgeoise, admirablement située au haut d'une falaise qui domine la rivière des Outaouais. Du jardin qui l'entoure, le regard embrasse la rive québécoise du cours d'eau et devine, dans le lointain, le parc sylvestre de la Gatineau. On y a pour voisins à l'est l'ambassadeur de France et à l'ouest, de l'autre côté de la promenade, la résidence et l'immense parc du gouverneur général. J'y arrive donc au tout début du printemps, une valise à la main, ne sachant pas si je vais y demeurer pour quelques semaines ou quelques mois, c'est-à-dire jusqu'aux prochaines élections ou, dans une hypothèse plus optimiste, quelques années. De fait, mon bail au 24 Sussex va durer plus de seize ans, avec une brève interruption de neuf mois, en 1979-1980.

Pour le moment, au printemps de 1968, je n'ai pas le temps de contempler le paysage ni celui de spéculer sur mon avenir, car je fais face à deux défis de taille. Le premier m'est posé par le parti que désormais je dois diriger. L'élection d'un nouveau leader et la campagne électorale qui précède ce choix ont fatalement pour effet de diviser une formation politique. Les candidats qui se sont mis en lice misent gros pour gagner la course, surtout quand le parti en ques-

Le jardin, derrière le 24 de la promenade Sussex, est un cadre parfait pour les réceptions et les fêtes intimes. Des libéraux s'y retrouvèrent, en septembre 1968. (ANC-CT)

tion détient le pouvoir et que la victoire promet comme récompense le poste de premier ministre. Dans une telle lutte, on n'engage pas seulement son influence personnelle mais aussi bien les amitiés qui vous sont acquises et l'on dépense sans calculer ses efforts et son énergie. Certains se livrent entre eux des luttes assez dures. Il arrive qu'un candidat tienne sur ses concurrents des propos carrément hostiles ou devienne lui-même l'objet de commentaires difficilement acceptables. Autour de chaque aspirant, un clan se forme et ces clans s'opposent les uns aux autres. Il en résulte des frictions, voire des scissions plus ou moins profondes qui constituent pour le parti autant de menaces à son efficacité. Dans les jours qui suivent ma victoire, je ne cesse de me rappeler à moi-même: «Si tu as gagné, ça veut dire que d'autres ont perdu. Dans quel état d'esprit survivent-ils à leur défaite: amertume, dépit, esprit de vengeance, découragement? De toute manière, c'est à toi qu'il revient de recoller les morceaux. Si tu n'y arrives pas, c'est ton gouvernement qui est en danger.» Cela représente pour moi une tâche particulièrement difficile, car je n'ai pas encore eu le temps de plonger des racines profondes au sein du parti. Certains barons libéraux considèrent même que nous leur avons volé «leur» parti, nous qui l'avions critiqué sans pitié jusqu'au moment d'y entrer. Tout cela m'incite à refaire au plus tôt l'unité de la formation.

Aussi m'appliqué-je à reprendre contact avec chacun, à soigner les blessures d'amour-propre et, dans toute la mesure du possible, à faire oublier les échecs. Heureusement, un premier ministre dispose à cette fin de moyens efficaces. Par exemple, en formant mon premier Cabinet, j'invite à en faire partie tous les parlementaires qui se sont portés candidats à la chefferie. Tous acceptent, à une ou deux exceptions près, ce qui me rassure un peu. S'ils se joignent à mon équipe, c'est qu'ils ont l'intention de travailler avec moi et non pas contre moi.

Si de tels problèmes se posent au sujet des hommes, la situation soulève des questions similaires au sujet des régions. L'Ouest me considère sûrement comme un homme de l'Est et les provinces atlantiques me voient comme un représentant du Canada central. De ce côté, le danger qui menace, c'est d'être coupé de ces provinces qui avaient elles-mêmes mis de l'avant des candidats. C'est pourquoi je m'occuperai très tôt d'installer dans mon bureau des «pupitres régionaux» dont la mission sera d'assurer que nous ne perdions le contact avec aucune partie du pays.

Les journaux de l'époque ont pris plaisir à souligner l'extension considérable que je donnai dès le départ au bureau du premier ministre et je ne saurais nier que j'en augmentai sensiblement les dimensions, par rapport à celles qu'il avait sous l'autorité de mes prédécesseurs. Je ne m'en défends pas, car cette extension répondait à des besoins nouveaux. Par exemple, au temps de M. Pearson, quinze personnes suffisaient au soin de sa correspondance. Or, après mon arrivée, le volume du courrier prit des proportions nouvelles, c'est-à-dire qu'il fut multiplié par quatre. Était-ce le prix à payer pour avoir prêché la démocratie de participation? C'est possible. Quoi qu'il en soit, il fallut bien répondre aux exigences incontrôlables que cela créait et multiplier dans les mêmes proportions le nombre des responsables, qui atteignit bientôt la soixantaine. Il n'est pas inutile de noter ici qu'on pouvait, à l'époque, observer le même phénomène de croissance dans tous les bureaux de premiers ministres, en système parlementaire de type britannique, y compris celui de la très conservatrice et traditionaliste Mme Thatcher.

Enfin, pendant toute la durée de mon mandat, je serai d'une assiduité scrupuleuse aux réunions hebdomadaires de notre caucus. Ces rendez-vous où se retrouvent, chaque mercredi matin, tous les députés et tous les sénateurs de notre groupe parlementaire, revêtent à mes yeux une importance particulière. C'est là que tous les élus de notre formation discutent le plus librement. J'y vois, en 1968, un moyen privilégié d'approfondir mon rapport à un parti que je ne connais pas encore très bien. On me dit que mes prédécesseurs s'en absentaient volontiers mais je sens le besoin de m'y rendre religieusement chaque semaine. Quoi qu'on en raconte dans les gazettes, les réunions du caucus n'ont rien de sinistre. Nous y sommes entre nous, sans fonctionnaires ni autres conseillers. Les membres du caucus peuvent s'y exprimer en toute liberté. Les propos que sénateurs et députés ne peuvent tenir en public, c'est là qu'ils les tiennent. On y entend les plus dures critiques à l'égard du parti et du gouvernement, de tel ou tel ministre, de telle ou telle décision du Cabinet. C'est là aussi que le premier ministre fait rapport des décisions du Conseil et fait connaître les projets du gouvernement; c'est là enfin qu'il recueille les suggestions des députés. Il écoute d'abord en silence les députés et les sénateurs qui prennent la parole; c'est seulement à la fin de l'assemblée qu'il réagira, dans un laïus improvisé, et tirera à voix haute ses conclusions. Je respecterai toujours cette tradition. Je n'y apporterai qu'un changement. Du temps de mes prédécesseurs, le premier ministre désignait lui-même le député qui allait présider les réunions du groupe. Quant à moi, j'invite le caucus à élire ce président par un vote libre et je travaillerai avec l'élu que sénateurs et députés auront choisi pour les représenter.

Le second défi évoqué plus haut, c'est de faire élire les libéraux par la population tout entière. Dans mon discours au congrès d'avril, j'ai promis que nous allions tenter de conquérir des majorités dans toutes les régions et de mettre fin à la série de gouvernements minoritaires qui se succèdent depuis 1962. À cette fin, il faudra déclencher une élection générale. Mais quand? Le mandat obtenu par notre parti en 1965 se terminera normalement dans dix-huit mois. Faut-il d'abord faire mes preuves comme premier ministre et gouverner pendant l'année qui vient — ou au contraire battre le fer quand il est chaud et tenter notre chance tout de suite, tandis que les retombées de notre congrès et de toute la publicité qui l'a entouré se font encore sentir dans l'opinion?

Dans le premier cas, avant de tenir une consultation populaire, je donnerais la chance à l'électorat de me connaître un peu mieux et

Mon adversaire principal, aux élections générales de 1968, fut Robert Stanfield (à gauche), un homme tranquille, honnête, qui a peut-être abordé la politique fédérale à un moment où ses vertus personnelles n'avaient pas la cote d'amour. (Canapress)

de juger de mon aptitude à gouverner le pays. Mais le chef d'un gouvernement minoritaire n'a jamais la partie facile; nous avons tous été témoins des difficultés de Mike Pearson qui ne manquait pourtant ni d'expérience ni de talent. Dois-je m'exposer à l'érosion d'une année parlementaire dont l'Opposition profitera pour mettre en évidence mes faiblesses et celles du parti? Ne dois-je pas plutôt relever les deux défis à la fois, c'est-à-dire refaire l'unité du parti en envoyant aux barricades les candidats rivaux d'hier et tester l'opinion le plus tôt possible pour savoir si elle me fait la même confiance que mon parti? Cette option-là aussi présente des inconvénients dont le principal est sans doute de remettre à la tâche des militants fatigués par la course au leadership. Dans quelles dispositions aborderaient-ils la corvée d'une campagne électorale?

Tout bien considéré, après une longue consultation du caucus, quelques sondages auprès de certains amis et de plusieurs membres du parti, je choisis la deuxième solution. Dès la rentrée des Chambres, soit le 23 avril, je rends visite au gouverneur général et lui demande de dissoudre le Parlement. La décision est prise: les Canadiens iront aux urnes le 25 juin prochain. Quand je l'annonce aux Communes, au début de l'après-midi, c'est la surprise, car ma visite au gouverneur général est passée inaperçue. Pourtant, les journalistes faisaient le guet à ma porte et surveillaient l'entrée de Rideau Hall depuis vingt-quatre heures. Mais prudent, j'avais quitté mon bureau par un escalier dérobé, puis franchi une barrière toujours close, à la résidence du chef de l'État. Je ne voulais pas que ces messieurs de la presse annoncent avant moi cette importante nouvelle.

* * *

Me voici donc, pour la deuxième fois de ma vie, engagé dans une élection générale mais non plus comme candidat néophyte; je porterai cette fois-ci la responsabilité du résultat, qu'il s'agisse d'une défaite ou d'une victoire. Dans le premier cas, j'aurai été le premier ministre le plus éphémère de toute l'histoire canadienne; dans le second, j'aurai quatre ans pour faire mes preuves à la tête du gouvernement.

Si j'ai redouté la fatigue du parti, c'est à tort. Dès l'annonce des élections, la «machine électorale», qui m'intriguait tant quand j'étais enfant, se met en marche. Députés libéraux, sénateurs et militants montent au créneau et la campagne démarre sans ratés.

On m'a souvent demandé ce qu'il en était d'un phénomène apparu pendant l'élection à la direction du parti et que la presse avait baptisé «Trudeaumanie». On voulait savoir si j'en avais été conscient et, si oui, ce que j'en avais pensé. Or, il est particulièrement difficile d'évaluer un mouvement d'opinion dont on est soi-même le centre. Dans presque tous les endroits visités, un enthousiasme exceptionnel se manifestait autour de moi. Les gens venaient en foule aux assemblées où je prenais la parole. Lors des défilés partisans qui précédaient les réunions, les rues parcourues étaient bordées de haies humaines très denses composées de gens de tous âges et de toutes espèces. Je me souviens en particulier de deux manifestations étonnantes, la première à Victoria, la seconde à Montréal. Dans la capitale colombienne, ville de retraités éminemment paisible, on m'a fait descendre en hélicoptère vers un parc au sommet d'une colline où s'étaient massés des milliers de gens. Je me disais en moi-même: «Non, ce n'est pas possible! Suis-je vraiment à Victoria?» Tandis qu'à

Trudeaumanie

Le plongeon. En campagne électorale, le 14 juin 1968.

(Canapress)

(ANC-CT/Duncan Cameron)

Les appuis sont toujours les bienvenus et j'étais heureux d'en recevoir de toutes parts, et de toutes espèces. Ici, je reçois ceux d'une jeune femme enthousiaste, de mon vieil ami Gérard Pelletier et de quelques milliers de Torontois.

(Globe and Mail)

Montréal, où l'intelligentsia nationaliste tentait déjà de me faire passer pour «traître au Québec», la vaste place Ville-Marie grouillait de monde. D'après les journaux de l'époque, des dizaines de milliers de personnes entouraient la tribune où j'ai pris la parole. Il y avait de quoi m'étonner mais je ne savais rien des auditoires réunis par mes collègues. Étaient-ils comparables? L'enthousiasme était-il général autour de tous nos candidats?

D'ailleurs, une question se posait: tout ce monde venait-il pour m'entendre ou simplement pour voir le bonhomme, le néo-politicien qui venait de faire irruption à la tête du parti au pouvoir? J'inclinais à me faire la seconde réponse, car je prononçais des discours enthousiastes mais qui n'étaient pas des chefs-d'œuvre d'art oratoire. Il faut croire aussi que le phénomène relevait de l'esprit qui régnait à cette époque. Nous sortions des célébrations du Centenaire; l'année précédente avait été marquée par le remarquable succès d'Expo 67. L'humeur populaire était encore à la fête et j'en profitais largement. Bien entendu, je n'ai jamais songé à m'en plaindre! Je m'inquiétais un peu de ce qu'on s'intéressât moins à mes idées qu'au «phénomène Trudeau» souligné par les médias. Mais j'étais au centre d'une campagne électorale et ne pouvais que me réjouir d'un tel intérêt manifesté par les électrices et les électeurs.

Du reste, je n'ai jamais été grand amateur de mes propres discours. Je préfère de loin la discussion à deux ou en petit groupe. Avec une foule, on ne peut pas discuter. C'est pourquoi j'appréciais particulièrement les interruptions des loustics qui venaient dans mes assemblées soulever des objections. Je pouvais leur répondre et le dialogue augmentait sensiblement l'intérêt de la réunion. Quant aux exposés purement rationnels, je devais plus tard, en 1972, quand la Trudeaumanie se fut calmée, tenter pour mon malheur d'en imposer le style. Mais j'anticipe; j'y reviendrai plus tard dans mon récit.

Pour le moment, en ce printemps de 1968, ma campagne se déroulait bien mais non sans incidents. À quelques reprises, je fus en butte aux injures et même à la violence. Je pense aux funérailles d'André Laurendeau, par exemple. Nous sortions tous les trois, Marchand, Pelletier et moi, de l'église Saint-Viateur où le service funèbre venait de se terminer. Laurendeau avait été pour nous trois un personnage important de notre jeunesse: Pelletier l'avait eu comme rédacteur en chef au *Devoir*, à ses débuts dans le journalisme quotidien, Marchand avait servi sous sa présidence, comme membre de la commission royale sur le bilinguisme, mise sur pied par le premier ministre Pearson. Quant à moi, j'ai dit plus haut le conseil qu'il m'avait donné vers le début de mes études de droit. Par la suite, il m'avait toujours témoigné de l'amitié, malgré nos divergences d'opinion, et j'avais pour lui le plus grand respect. Nous étions donc profondément chagrinés de le voir disparaître et encore émus des funérailles auxquelles nous avions assisté. Mais à peine avions-nous franchi le parvis que des cris jaillirent d'un groupe, aux premiers rangs de la foule massée devant l'église: «Traîtres, maudits traîtres, retournez à Ottawa!» Faut-il le dire? J'ai trouvé cette réaction incongrue, surtout dans le contexte de ce mois-là: outre frontière, Robert Kennedy venait d'être assassiné en Californie…

Mais je n'étais pas au bout de mes peines. Le soir même ou le lendemain, je prenais la parole dans une petite ville du nord-ouest québécois et je fus la cible d'une poignée de manifestants qui se mirent à me huer, à me hurler des injures, à perturber une assemblée qui réunissait quelques milliers de personnes paisibles et attentives. Les perturbateurs étaient groupés dans un coin de l'aréna. Après quelques minutes de cacophonie, j'observai que plusieurs participants jusqu'alors tranquilles commençaient à s'agiter, à se déplacer vers les manifestants dans le but évident de les réduire au silence. Allions-nous assister à une bagarre en règle? Pour la prévenir, je m'adressai aux perturbateurs: «Attention, leur fis-je. Ce sont des gens comme vous qui provoquent la violence. Nous sommes ici pour dialoguer en paix. De grâce, respectez la majorité qui est venue ici dans une démarche démocratique. Et puis attention; si vous continuez, vous pourriez bien devenir vous-mêmes les victimes de la violence que vous provoquez!» Je crois qu'eux-mêmes, à ce stade de l'incident, avaient observé les mouvements de la foule; le silence fut rapidement rétabli et je pus continuer mon exposé.

De quoi j'ai parlé, au cours de cette campagne? Essentiellement de la société juste, de la péréquation, du ministère de l'Expansion économique régionale que je me proposais de créer, de l'équité linguistique à travers le Canada, de l'égalité des chances, de la nécessité pour un gouvernement de protéger les plus faibles et de combattre les spéculations abusives. Ce message était-il reçu? Je n'oserais pas affirmer qu'il l'était intégralement mais il en passait sûrement des parties dans l'entendement des auditeurs. Quand par exemple je débitais une partie de mon discours en français, à Edmonton ou à Victoria, cela donnait à entendre que les droits de cette langue ne seraient pas confinés au seul territoire québécois. Et quand je parlais du ministère de l'Expansion économique régionale, les citoyennes et les citoyens des provinces maritimes comprenaient certainement que nous serions attentifs à leurs besoins, s'ils nous confiaient la direction des affaires. De même, au Québec, quand j'invitais mes auditoires à jouer pleinement leur rôle au sein du Canada, à faire sentir à Ottawa l'influence de leur province, la deuxième en importance au pays, les Québécois ne pouvaient pas ignorer que j'avais l'intention d'affirmer résolument le fait québécois et le fait français au sein du gouvernement central. D'ailleurs, quand l'auditoire était assez restreint pour permettre un dialogue, j'exposais clairement quelles seraient les applications pratiques du programme mis de l'avant.

Hélas, il n'était pas toujours possible d'exposer ni d'échanger des idées. La veille du scrutin, 24 juin 1968, on célébrait la Saint-Jean à travers tout le Québec. À cette époque, le défilé traditionnel faisait partie des fêtes, à Montréal, et je fus invité à prendre place dans l'estrade réservée aux notables, rue Sherbrooke, devant la Bibliothèque municipale de Montréal. Qui m'avait adressé l'invitation? Peut-être les organisateurs de la fête ou peut-être le maire de Montréal, Jean Drapeau qui, se ravisant le matin même, s'était employé à persuader Gérard Pelletier que je ne devrais pas apparaître au défilé. Les deux hommes s'étaient rencontrés à l'Oratoire Saint-Joseph où officiait ce jour-là un patriarche de l'Église orientale, et le maire insistait pour que je m'abstienne parce que ma présence «risquait de provoquer des manifestations séparatistes». Pelletier me fit savoir qu'il avait répondu: «Si vous ne vouliez pas le voir, il ne fallait pas l'inviter, car il n'est pas du tout du type d'homme qui se défile devant les menaces.» Avant la fin du jour (le défilé avait lieu après le coucher du soleil), une démarche similaire fut encore tentée, sans intermédiaire, cette fois, et c'est moi qui ai répondu: «Vous n'êtes pas sérieux. Si on ne voulait pas que je vienne, on n'aurait pas dû m'inviter. Maintenant que j'ai accepté, je ne vais certainement pas reconnaître, en me dégonflant, que le premier ministre du Canada ne peut pas participer aux fêtes de la Saint-Jean dans sa ville natale! J'assiste à ce défilé depuis l'âge de six ans…»

Je me présentai donc à l'heure dite et fus placé au tout premier rang de l'estrade, flanqué de l'archevêque de Montréal à ma gauche et de Daniel Johnson, premier ministre du Québec, à ma droite. Un film tourné ce soir-là rend compte des faits mieux que je ne saurais le faire. Je me souviens seulement qu'après avoir manifesté bruyamment de l'autre côté de la rue, des provocateurs (membres, pour la plupart, du Rassemblement pour l'indépendance nationale, la formation séparatiste de l'époque) se faufilèrent à travers le défilé pour courir vers nous en nous lançant à la tête des pierres, des bouteilles et autres objets difficilement identifiables, mais qui ne ressemblaient certainement pas à des fleurs. Il y eut dans l'estrade des «mouvements divers», comme disent les comptes rendus d'assemblées, peut-être même un début de panique quand presque tous les notables se levèrent pour sortir. Un agent préposé à ma sécurité personnelle tenta aussi de me faire battre en retraite, mais sans succès. Je n'avais pas du tout envie d'obéir à une violence aussi saugrenue. Je déteste la violence. Démocrate, je n'admets pas qu'une infime minorité d'agitateurs tente de chasser à coups de pierres les invités de la majorité. Peut-être en effet l'attaque visait-elle aussi d'autres personnages assis dans cette estrade, même si j'étais la cible préférée.

Avant d'en finir avec cet incident du 24 juin, une précision s'impose. À partir de quelques cailloux et autres projectiles, une certaine intelligentsia nationaliste, aidée par quelques journalistes, a bâti une légende selon laquelle les Québécois me détestaient et moi, je méprisais les citoyens et citoyennes de ma province natale. C'est évidemment faux. S'ils m'avaient détesté, comme on l'a dit, auraient-ils voté pour moi et les candidats de mon parti, au point de nous accorder, dans les dernières années, 74 des 75 sièges du Québec aux Communes? Et si moi je les méprisais, pourquoi aurais-je consacré le plus clair de ma vie adulte à les inciter à jouer un rôle plus important dans la gouverne de leur province et du Canada? Dans mes contacts avec les personnes et mes rapports avec les auditoires québécois, francophones comme anglophones, j'ai toujours senti que le courant passait. Il est vrai que j'ai du mépris pour les théories des ultra-nationalistes et ceux-ci me rendent la pareille. Mais pour les Québécois? Pas du tout. Certains nationalistes, se prenant pour les porte-parole des Canadiens français, se gargarisent d'affirmations gratuites: «le Québec» veut plus d'autonomie et «les Québécois» se sentent humiliés par le gouvernement fédéral. Mon œil! Ces nationalistes ne parlent que pour eux-mêmes; ils ne sont pas «le Québec». Et les mêmes Québécois à qui l'on attribuait tant d'hostilité à l'égard du gouvernement fédéral ou à mon égard votaient massivement pour mon parti; avec nous, ils ont même répudié la souveraineté-association de René Lévesque, au référendum de 1980. De telles attitudes, lors de consultations populaires en bonne et due forme, pèsent autrement

lourd que les articles de quelques journalistes, les déclarations inté-
ressées de quelques théoriciens ou même les jets de pierres de
quelques centaines de manifestants.

* * *

Le lendemain de la Saint-Jean 1968, mon gouvernement était re-
porté au pouvoir, cette fois avec une nette majorité; le Parti libéral
remportait 155 des 264 sièges que comptait alors la Chambre des
communes. Cette élection mettait fin à la série de gouvernements minoritaires qui durait depuis 1962 et nous installait fermement au
pouvoir pour un minimum de quatre ans.

Qu'allions-nous en faire?

D'abord, revoir les modes d'action du gouvernement. Dès mon
accession au Conseil des ministres, en 1967, j'ai été frappé de l'ama-
teurisme qui régnait dans les hautes sphères de l'appareil fédéral.
Jusqu'alors, j'avais toujours pris pour acquis que le Conseil des ministres d'un gouvernement aussi important que celui du Canada
était bien organisé et constituait un rouage efficace. Je croyais qu'aux
machines électorales bien huilées correspondait une machine gouvernementale réglée avec précision. Mais devenu ministre, j'ai découvert des choses étonnantes. Les ordres du jour étaient établis
dans l'à-peu-près, on les suivait mal ou pas du tout, le Conseil perdait un temps considérable à discuter des sujets insignifiants et devait ensuite expédier à toute vitesse des questions d'importance majeure sur lesquelles nous n'arrivions pas à conclure. Et nous apprenions ensuite que M. Pearson et une poignée de nos collègues
avaient décidé à notre place. Bref, la prise de décisions manquait
souvent de sérieux à cause d'une lacune dans l'organisation. On entrait
dans la salle du Conseil comme dans un moulin, on en sortait de
même, il y régnait un désordre qui me gênait beaucoup. À la décharge du premier ministre, il faut noter que cela se passait en 1967,
l'année du Centenaire et de l'Expo, et que Mike Pearson devait souvent
quitter le Conseil en pleine séance pour courir à l'aéroport accueillir
un chef d'État étranger, ce qui n'arrangeait pas les choses.

Quoi qu'il en soit, j'étais bien décidé à mettre de l'ordre et de la
rationalité dans la procédure et j'entrepris cette réforme au tout début de mon mandat. Ayant travaillé, vingt ans plus tôt, au Conseil
privé, c'est-à-dire dans le secrétariat de la branche exécutive du gouvernement, je savais que des comités de fonctionnaires préparaient le

Je m'efforçai toujours de rendre le Parlement plus efficace, mais non pas aux dépens des vieilles traditions. Nous voici en train, Robert Stanfield comme leader de l'Opposition et moi comme premier ministre, de persuader le président de la Chambre, Lucien Lamoureux (qui résiste) d'assumer ses fonctions, à l'ouverture du Parlement, le 12 septembre 1968. (ANC-CT)

travail des ministres, je savais comment s'établissaient les ordres du jour et les procès-verbaux. Mais je n'avais jamais soupçonné que le travail des ministres fût aussi mal organisé. Je passai donc l'été qui suivit l'élection à mettre au point une procédure plus rationnelle (ma hantise!) et mieux ordonnée, d'abord en récupérant les éléments valables du système existant, puis en adoptant des méthodes nouvelles mieux adaptées au travail du Cabinet. La besogne était facilitée du fait que l'année du Centenaire était révolue et que je jouissais, aux Communes, d'une majorité confortable.

La réforme s'appliqua en priorité aux procédures qui devaient conduire aux prises de décisions par le Conseil des ministres. J'indi-

Cette photo remonte à l'époque où l'on gouvernait avec un Conseil des ministres qui pouvait tout entier trouver place autour de l'ancienne table du Cabinet.

(ANC-CT)

quai d'abord à ces derniers que le Cabinet ne se pencherait plus sur aucun problème à moins d'avoir devant lui un mémoire rédigé sous l'autorité du ministre en cause et signé par lui. Ce document devait présenter un exposé clair de la question soulevée de même qu'une évocation de toutes les solutions possibles, y compris celle que le signataire favorisait après une analyse des avantages et inconvénients de chacune. Je me souvenais qu'au sein des divers ministères, les fonctionnaires suggéraient à leur ministre la solution qu'eux-mêmes préféraient. Et le ministre était tenté de l'adopter sans autre examen, étant donné qu'elle lui était présentée toute cuite sur un plateau. Or, j'avais souci d'engager davantage les hommes politiques dans le choix des mesures proposées parce que ceux-ci, en tant qu'élus, connaissent mieux les besoins et les aspirations des contribuables et s'y montrent en général beaucoup plus sensibles. Enfin, le mémoire en question devait faire état de consultations du ministre avec le caucus et proposer la meilleure façon de faire connaître au public les tenants et aboutissants de la décision prise.

Cette exigence présentait un double avantage. À moi, elle permettait de mieux connaître chacun de mes ministres, sa maîtrise des dossiers dont il avait la charge, sa façon de poser les problèmes et de les résoudre, la pensée politique qui l'inspirait. À tous les membres du Cabinet, elle facilitait l'adhésion à la pratique de la solidarité ministérielle. On sait que cette discipline est fondamentale pour la cohésion de tout gouvernement. *Tous* les ministres doivent être solidaires de *toutes* les décisions du gouvernement dont ils font partie. Par exemple, au chapitre budgétaire, si un ministre pouvait se déclarer solidaire des réductions d'impôt tout en se désolidarisant des augmentations, ce serait la pagaille. De même, chaque membre du Cabinet doit partager la responsabilité collective de toutes les décisions et non pas des seules mesures appliquées dans le domaine restreint du ministère qu'il dirige lui-même. Et cette solidarité implique qu'il connaisse bien les raisons profondes de toutes les décisions, afin de pouvoir les défendre efficacement, en campagne électorale et à toutes les tribunes où il prend la parole.

Je sais que certains ministres déploraient cette démarche et n'y voyaient qu'une perte de temps ou un exercice intellectuel intéressant mais politiquement inutile. De fait, la lecture des mémoires imposait à tous plusieurs heures de travail supplémentaire. Mais elle permettait aussi d'aborder de façon rationnelle les grandes questions de l'heure et d'améliorer sensiblement la qualité des décisions gouvernementales.

Le second volet de la réforme toucha les comités ministériels. Il en existait déjà quelques-uns mais nous devions en former plusieurs nouveaux et conférer à tous une autorité que les anciens n'avaient jamais eue. Il s'agissait donc de huit groupes formés de huit ministres, chacun étant chargé des questions soulevées dans un domaine spécifique. Qu'il s'agît d'affaires indiennes, de culture et de communications, de priorités et de plans, d'affaires extérieures, d'agriculture, d'affaires sociales et ainsi de suite, chaque sujet était référé à un comité spécifique et prédéterminé. La fréquence des réunions était définie par le nombre des questions pertinentes soumises au Conseil dans tel ou tel domaine. Chaque comité ministériel avait à son service un fonctionnaire du Conseil privé. De plus, les ministres qui présentaient des mémoires se faisaient accompagner par des fonctionnaires y ayant travaillé. Le groupe étudiait chaque mémoire et décidait des mesures à prendre. Ces décisions étaient communiquées aux autres membres du Cabinet et si personne ne les mettait en doute, elles étaient confirmées sans discussion à la réunion suivante du

Conseil. Le Cabinet ne remettait la question sur la table que dans les cas où un ministre se déclarait en désaccord avec les mesures proposées par le comité.

Autant les exigences mentionnées plus haut ajoutaient au travail personnel de chaque ministre, autant le nouveau rôle des comités réduisait le travail du Conseil. Les ministres du temps racontent dans leurs mémoires que sous le règne de M. Diefenbaker, le Cabinet devait se réunir plusieurs fois chaque semaine, très souvent le soir, parfois même le dimanche. Pendant toute la durée de mes divers mandats, le Conseil ne s'est toujours réuni qu'une fois la semaine, le jeudi, et pour quatre heures au maximum, sauf exceptions rarissimes.

Ce nouveau système n'était certes pas parfait mais il améliora nettement l'efficacité du Conseil et la qualité de ses décisions. Je n'en dirais pas autant de toutes les pratiques introduites par cette même réforme. Par exemple, nous avons peut-être abusé de certaines méthodes nouvelles, en vogue à l'époque, surtout chez les ingénieurs, telles les approches systémiques, l'utilisation des modèles mathématiques, les nouveaux usages introduits dans la gérance des grandes entreprises et dont l'efficacité se révéla souvent de très courte durée. Mais je n'inclus pas dans cette liste le recours systématique aux prévisions dans le domaine des dépenses publiques.

Un exemple me revient en mémoire. Dans les derniers mois de son mandat, M. Pearson avait fait adopter par la Chambre la loi de l'assurance-soins médicaux mais s'était abstenu de la proclamer parce qu'on n'en connaissait pas bien les conséquences financières. Or, au cours de la campagne électorale, j'avais pris deux engagements précis: d'une part la proclamation de cette loi et d'autre part, dans un autre domaine, l'application d'un impôt sur les gains de capital. Mais avant de proclamer la loi de l'assurance-santé, il fallait prévoir les frais qu'elle ajouterait au budget de l'État, et non seulement pour l'année courante mais aussi pour les années à venir. Je ne voulais pas que trois ans ou quatre ans plus tard, le ministre des Finances nous annonce que nous ne pouvions plus payer. En pareille matière, un gouvernement ne peut pas faire marche arrière aux dépens de la population. Mais chose curieuse, à cette époque, les calculs prévisionnels à long terme n'étaient pas de pratique courante à Ottawa. J'ai donc imposé cet usage pour tous les programmes similaires tels les pensions de vieillesse, les montants consacrés à l'enseignement post-secondaire et le reste. Je n'ai jamais eu la prétention d'être un administrateur-né ni de posséder des connaissances étendues dans ce domaine. Mais un problème comme celui-là ne pouvait pas m'échapper.

J'ajoute que les méthodes de travail des Communes avaient, elles aussi, grand besoin d'être revues et remises à jour. Six ans de gouvernements minoritaires et par conséquent instables avaient rendu évidentes les faiblesses de notre procédure parlementaire. Je n'en veux pour exemple que le débat sur l'adoption d'un drapeau canadien qui avait paralysé le Parlement pendant six mois. Et ce n'était pas là le seul cas du genre. Des projets de loi qui auraient dû occuper la Chambre pendant trois ou quatre jours l'accaparaient pendant des semaines sans profit pour qui que ce soit. Or, au même moment, les assemblées législatives des grandes provinces comme le Québec et l'Ontario faisaient preuve d'une efficacité accrue et d'un rendement supérieur à celui des institutions fédérales. C'est notre Parlement qui traînait de l'arrière; il fallait sans délai le remettre dans la course. Nous avons donc modifié la procédure. Par exemple, au lieu d'immobiliser la Chambre pendant des jours et des semaines pour l'examen de chaque projet de loi, article par article et jusqu'à la dernière virgule, les textes furent désormais référés, dès après la deuxième lecture, à un comité parlementaire. Ce dernier accomplit ce travail à loisir et en profondeur, hors de l'assemblée plénière, ce qui permet à celle-ci d'aborder d'autres besognes.

L'Opposition conservatrice s'est toujours efforcée de me représenter à l'opinion publique comme un premier ministre qui méprisait le Parlement et n'avait aucun respect pour les élus du peuple. On a utilisé à cette fin une remarque qui m'avait échappé au cours d'un débat. Aux députés conservateurs qui refusaient l'ajournement de la session, à la veille de je ne sais plus quelle fête, je m'étais permis de dire: «On comprend que ces messieurs veuillent siéger indéfiniment; quand ils sortent d'ici, à cinquante mètres de la colline parlementaire, ils cessent d'être des "honorables députés", ils perdent toute leur importance!» Et puis, à vrai dire, je n'étais pas du tout impressionné par le climat de la Chambre. Je m'étais fait élire pour discuter sérieusement des affaires de l'État et je me retrouvais dans une assemblée où l'on se hurlait des injures à qui mieux mieux, où l'on gaspillait des heures précieuses à insister sur des détails tout en négligeant les questions les plus graves. Je ne portais certes pas non plus le plus grand respect aux députés qui tentaient d'avoir raison en criant plus fort que les autres.

Trois grands ténors du Parlement. À gauche, Stanley Knowles, député NPD de Winnipeg Nord-Centre (qui a toujours déploré que son parti n'ait pas réussi à m'attirer dans ses rangs), au centre, l'ex-premier ministre conservateur John Diefenbaker et à droite (une fois n'est pas coutume), David Lewis, leader du NPD. Ni Diefenbaker, que mes gros mots inquiétaient, ni Lewis, qui m'attribuait pour me le reprocher un manque de respect envers les défavorisés, ni l'un ni l'autre ne m'a jamais appuyé avec enthousiasme. (ANC-CT)

Mais si l'on veut bien considérer l'ensemble des changements que j'ai apportés aux mœurs parlementaires, au lieu de disserter à partir d'une seule boutade, on se rendra compte que le Parlement canadien doit à mon gouvernement des réformes extrêmement bénéfiques. Les élus que je suis censé mépriser ont connu, au cours de mon mandat, une amélioration énorme de leurs conditions de travail. Au lieu de loger à deux dans le même bureau et de partager encore cet espace avec leurs secrétaires, ils eurent droit à des bureaux distincts où ils pouvaient discuter en paix avec leurs visiteurs. Ils eurent droit à des budgets substantiels pour ouvrir un bureau dans leurs circonscriptions, pour y placer du personnel et pour voyager à travers le pays. Mieux encore, l'Opposition disposa très tôt d'un généreux budget de recherche. Ce n'est pas pour l'apaiser que je pris cette mesure mais au contraire pour la rendre plus redoutable, dans l'intérêt de la population. J'ai dit déjà que je tenais pour essentielle l'existence de contrepoids afin d'assurer, face au pouvoir, un meilleur équilibre politique. J'insistai donc pour que l'Opposition parlementaire disposât des moyens indispensables à l'élaboration d'une critique éclairée. En démocratie parlementaire, le gouvernement dispose d'un avantage énorme: les services de la fonction publique qui lui fournit des conseillers compétents. Il est donc nécessaire de fournir à l'Opposition des moyens similaires. C'est ce que nous avons fait, afin que nos projets de loi soient scrutés à la loupe et relevés toutes les erreurs qui avaient pu s'y glisser, tous les défauts qui pouvaient les affaiblir. À un certain moment, c'est chaque député qui a pu engager à son service un adjoint de recherche. En démocratie, il importe que les élus puissent jouer pleinement le rôle qui leur revient.

De même, nous n'allions pas tarder à revoir de fond en comble la loi électorale. Avant d'entrer au Parlement, ni moi ni mes amis n'avions ménagé nos critiques à ce sujet. Nous avions souvent dénoncé le secret qui entourait les caisses électorales des partis et le rôle caché qu'y jouaient les puissances d'argent. Une fois au pouvoir, il importait d'agir dans ce domaine, non seulement pour être logiques avec nous-mêmes mais surtout pour assainir la façon dont le suffrage universel était pratiqué en politique fédérale. C'est pourquoi j'ai proposé une loi qui permettait aux petites gens de contribuer aux caisses électorales en déduisant leurs dons de leur revenu imposable et qui forçait les partis à rendre publiques les contributions importantes de leurs grands souscripteurs. La première de ces deux mesures visait à promouvoir la démocratie de participation. De même que par la pratique des reçus d'impôt, l'État encourageait les citoyens à faire la charité, nous voulions stimuler, par le même moyen, leur participation au bon fonctionnement de la démocratie. Quant à la seconde mesure, elle avait pour objectif d'empêcher que les partis puissent dissimuler les contributions d'importance, susceptibles d'infléchir en faveur des donateurs la politique des partis au pouvoir.

À la même occasion, nous avons corrigé certains autres défauts de la loi, par exemple l'interdiction d'identifier les candidats par leur affiliation partisane sur les bulletins de vote. Cette prohibition résultait d'une théorie ancienne qui ignorait jusqu'à l'existence des partis politiques. Concrètement, elle permettait certains abus comme l'entrée en lice de candidats bidon, homonymes de candidats légitimes, pour semer la confusion et diviser les voix.

Comme on le voit, mon supposé mépris pour les élus et la vie parlementaire se manifestait d'une bien curieuse façon! Bref, je crois qu'on peut porter à mon actif d'avoir fait du Parlement et du Cabinet canadiens des outils modernes de gouvernement.

* * *

Un autre sujet retint mon attention au tout début de mon mandat: la condition faite à la langue française par les institutions fédérales. J'étais conscient de ce problème depuis longtemps déjà. D'abord, avec tous mes contemporains québécois, j'avais été invité, pendant mes années de collège, à militer successivement pour les timbres bilingues, la monnaie bilingue, les chèques bilingues et autres «miettes», selon l'expression utilisée par André Laurendeau dans un éditorial du *Devoir*. Cela signifie qu'à l'époque, les autorités fédérales affichaient le plus complet mépris pour la langue parlée par un tiers de la population canadienne. Et quinze ans plus tard, en 1949, quand j'entrai au service du Conseil privé, la situation restait la même à quelques détails près: à chaque élection fédérale, on avait jeté quelques «miettes» aux francophones. Mais pour faire comprendre à quel point Ottawa demeurait unilingue, je ne saurais mieux faire que de relater une anecdote relative au bureau du premier ministre de l'époque, M. Louis Saint-Laurent. Après tant d'années, on avait décidé d'apposer sur la porte de son bureau une plaque avec l'inscription française: Bureau du premier ministre. Jusqu'alors, la porte n'était identifiée qu'en anglais. Et des fonctionnaires nous faisaient remarquer: «Vous avez vu? C'est aussi en français, maintenant.» Quelle révolution! Mais l'anglais était encore la seule langue de travail. Un fonctionnaire francophone qui voulait adresser un mémo à un collègue francophone comme lui devait le rédiger en anglais. Le français n'avait pas droit de cité.

D'ailleurs, l'unilinguisme outaouais ne se bornait pas au Parlement; toute la ville, capitale d'un pays bilingue, était *English Only*. Quand on voulait parler français, il fallait traverser à Hull. Nous, jeunes fonctionnaires, traversions volontiers car les meilleurs restaurants s'étaient tous établis sur la rive québécoise de la rivière... Mais cela n'arrangeait pas les choses. Encore quinze années s'écoulèrent avant que je ne revienne à Ottawa, cette fois comme député. La situation avait-elle changé? À peine. D'autres miettes avaient été «concédées» aux francophones et M. Diefenbaker avait fait installer à

Occupés à mettre au point nos structures intérieures, nous poursuivions quand même notre action gouvernementale, chez nous comme à l'étranger. Au printemps de 1969, pour une réception en mon honneur, la Maison-Blanche avait invité le chanteur d'origine canadienne Robert Goulet. Dans l'auditoire: le président Richard Nixon, moi, le secrétaire à la Défense Melvin Laird, le vice-président et Mme Spiro Agnew.

(ANC-CT)

la Chambre un service de traduction simultanée qui permettait de suivre les débats dans l'une ou l'autre langue. À leur arrivée, les créditistes québécois avaient obtenu qu'on traduise en français le menu du restaurant parlementaire. Mais la situation générale demeurait inchangée. Même les portiers du parlement étaient incapables de répondre aux questions que nos visiteurs leur posaient en français. La langue des Canadiens français ne recevait pas un traitement équitable, ce qui ne pouvait être plus longtemps toléré dans la société juste dont je rêvais.

Et puis, une telle situation créait des problèmes politiques sérieux car entre-temps, au Québec, l'opposition au régime Duplessis et la Révolution tranquille avaient sonné le réveil. Les Québécois avaient progressé dans le respect d'eux-mêmes et de leur héritage culturel. À Montréal, on ne tolérait plus de se faire répondre sèchement par un garçon de café, une vendeuse d'un grand magasin ou le

*Avec le président,
Mme Nixon et
Don Jamieson, lors du
dixième anniversaire de
l'ouverture de la voie
maritime du
Saint-Laurent.*
(Graetz Bros. Ltd)

dernier préposé d'un bureau quelconque: «*Sorry, I don't speak French!*» Nous avions pendant longtemps, et bien à tort, toléré ces manières-là, mais l'humeur avait changé. Et puis, dans le secteur gouvernemental, le rapport était renversé. Jusqu'en 1960, les jeunes qui voulaient faire une carrière sérieuse dans la fonction publique n'avaient pas d'autre choix que d'offrir leurs services au gouvernement fédéral car le fonctionnarisme québécois, au temps de l'Union nationale, restait sous la triple férule du patronage, de l'incompétence et des bas salaires. Mais en 1965, cette époque était déjà révolue. C'est à Québec que les meilleurs aspirants présentaient leur candidature car c'est là, depuis cinq ans, que se passaient les choses intéressantes. Pis encore: certains des jeunes Québécois les plus brillants de la fonction publique fédérale étaient recrutés par le gouvernement provincial. L'exode était en train de décimer, dans le fonctionnarisme fédéral, une présence francophone déjà trop faible. Pouvait-on blâmer les Robert Bourassa, Jacques Parizeau, Michel Bélanger et tant d'autres de vouloir travailler en français?

J'eus le plaisir d'accueillir à Ottawa, en décembre 1969, John Lennon (l'un des Beatles) et sa femme Yoko Ono. Il a eu la gentillesse de déclarer par la suite: «Si tous les politiciens ressemblaient à M. Trudeau, nous aurions la paix dans le monde.» Je dois dire que «Donnez une chance à la paix» m'a toujours paru un sage conseil.

(ANC-CT/Duncan Cameron)

Il existait donc une situation d'urgence, dans le domaine linguistique, et l'idée d'y remédier avait joué, comme on l'a vu, un rôle important dans notre décision d'entrer en politique. Il fallait donc s'atteler sans délai à la tâche de revaloriser le français dans les institutions du gouvernement central. Comment procéder? J'avais là-dessus mon idée toute faite; il ne restait plus qu'à la mettre en œuvre.

Dans les toutes premières semaines qui ont suivi l'élection, j'avais déjà formé le groupe de travail qui allait rédiger, selon les grandes lignes que je lui avais indiquées, un texte qui deviendrait la Loi sur les langues officielles et qui créerait une véritable révolution dans la vie gouvernementale outaouaise. Cette loi devait proclamer d'abord que le Canada reconnaissait sur son territoire deux langues officielles, le français et l'anglais, et que ces deux langues étaient égales en droit. Elle établissait aussi comme principe que tout citoyen canadien devait pouvoir communiquer avec les autorités, les institutions et les services du gouvernement fédéral dans la langue

Davidson Dunton (à gauche) et André Laurendeau ont fait du beau travail, dans les années 60, à la coprésidence de la Commission royale sur le bilinguisme et le biculturalisme au Canada. (Canapress)

officielle de son choix. La loi prescrivait aussi que les deux langues officielles soient reconnues et utilisées comme langues de travail au sein du gouvernement fédéral et de ses agences. Les objectifs de cette réforme étaient assez simples mais postulaient un ordre de choses en vif contraste avec celui qui avait prévalu jusqu'alors.

Je croyais être sans illusions sur les obstacles que nous allions rencontrer dans la promulgation et l'application de cette loi. Je me rendais parfaitement compte qu'elle dérangerait beaucoup de monde, aussi bien dans la fonction publique où des anglophones unilingues occupaient la grande majorité des postes importants, que dans l'opinion canadienne qui entretenait encore beaucoup de préjugés en matière linguistique.

Pour apaiser les inquiétudes des fonctionnaires unilingues, j'avais prévu une période d'ajustement assez longue pour que personne ne soit bousculé. Les droits acquis étaient protégés. Nous nous engagions à ne congédier personne pour raison d'unilinguisme; c'est au bas de l'échelle que nous allions exiger la connaissance des deux langues officielles, chez les jeunes candidats à la fonction publique. De plus, pour les fonctionnaires déjà en place, nous offrions des cours de langues gratuits à tous ceux dont les fonctions en

Par une froide journée de janvier 1970, j'accueille à Ottawa le premier ministre britannique Harold Wilson. Dans son ouvrage The Labour Government: 1966-1970, *il a des mots gentils à mon sujet, notant qu'à ma première conférence du Commonwealth, en 1969, je m'étais exprimé «dans une langue élégante» et j'avais fait preuve d'une «volonté de comprendre le point de vue des Africains qui m'avait mérité les lauriers du débutant». Il note avec justesse qu'avant la conférence, j'avais mes doutes sur l'utilité de cette rencontre mais qu'à la fin, j'étais devenu «un homme d'État engagé au service du Commonwealth». De nos discussions outaouaises en 1970 il rapporte: «La profondeur des convictions écologiques de Pierre Trudeau se révéla à la fois intéressante et instructive.»* (Canapress)

exigeraient l'usage. Il n'a donc jamais été question, comme certains l'ont prétendu, d'offrir aux employés bilingues, et à eux seuls, tous les hauts postes de la fonction publique sur un plateau d'argent. Quant à l'opinion publique, je comptais sur les membres du gouvernement pour expliquer les tenants et aboutissants de la loi et non seulement pour en faire comprendre la nécessité urgente afin de préserver l'unité du pays mais aussi pour en faire saisir la parfaite équité.

Malgré toutes ces précautions, je m'attendais quand même à certaines résistances; on ne bouleverse pas des habitudes séculaires sans provoquer des récriminations. Mais jamais je n'aurais cru qu'en milieu anglophone, les oppositions seraient aussi bruyantes, aussi têtues, ni qu'en milieu francophone les ultra-nationalistes québécois brandiraient la hache de guerre au lieu de l'enterrer. Et pourtant, c'est exactement ce qui s'est produit.

À la Chambre des communes, l'étude du projet de loi donna lieu à un sérieux débat mais non à l'opposition émotive et stridente qu'avait rencontrée le projet de drapeau canadien. L'Opposition officielle, dirigée par M. Stanfield, vota en majorité avec le gouvernement. Seuls une vingtaine de députés conservateurs et deux ou trois membres du NPD nous refusèrent leur appui. Le principe du bilinguisme *institutionnel* (j'insiste sur le qualificatif) semblait donc acquis.

Mais la loi n'était pas sitôt en vigueur qu'une partie de la presse anglophone, une nuée de politiciens provinciaux et beaucoup de citoyens ordinaires entraînés dans leur sillage se déchaînèrent contre ses effets. On n'attaquait pas le principe du bilinguisme institutionnel, on ne critiquait pas le texte (d'ailleurs inattaquable) de la loi elle-même; il n'eût pas été *politically correct* de mettre en doute que le gouvernement dût accorder le même traitement équitable aux deux principaux groupes linguistiques du pays. C'est toujours à la «mauvaise application» du bilinguisme qu'on faisait mine de s'attaquer. On nous attribuait des objectifs que nous n'avions jamais poursuivis, on déformait le sens de notre politique, on en faisait un épouvantail qu'on massacrait ensuite avec enthousiasme.

Ainsi, on affirmait d'abord que nous voulions «enfoncer le français dans la gorge des fermiers de l'Ouest» et l'on finissait par nous prêter «l'ambition cachée» de faire du Canada un pays unilingue français *(bilingual today, unilingual French tomorrow)*. Je ne fais que citer les principaux arguments utilisés par les adversaires de notre politique. Pour les citer tous, il faudrait un volume entier. Même des

Diversité des fonctions

Dans l'Arctique, en mars 1970, mon apprentissage comme bâtisseur d'iglous, dresseur de chiens et tambourineur dans la tradition inuit.   (Canapress/Peter Bregg)

Mon invitée au Centre national des arts, en 1970: la chanteuse et actrice américaine Barbra Streisand.
                     (Canapress)

Le surf dans les brisants du Pacifique, sur la côte ouest de l'île de Vancouver, vous nettoie l'esprit des chamaillages parlementaires. Mais les chasseurs d'autographes vous rejoindraient n'importe où!
(Canapress)

James Cross (à gauche), diplomate britannique posté à Montréal, fut kidnappé par le FLQ, groupe terroriste québécois. Pierre Laporte, ministre du Cabinet québécois, fut d'abord pris en otage et plus tard assassiné. (Canapress)

quotidiens respectables de l'Ouest canadien ont prédit qu'avec le temps, la Loi sur les langues officielles éliminerait de tous les hauts postes, aussi bien dans les milieux d'affaires qu'au gouvernement, les Canadiens incapables de communiquer dans les deux langues officielles du pays. Et pour appuyer cette prophétie de malheur, on avançait que le bilinguisme est semblable à la grossesse et qu'un pays ne peut pas davantage être à demi bilingue qu'une femme ne peut être à demi enceinte. Un quart de siècle plus tard, on mesure l'alarmisme dont ces prédictions faisaient preuve. Et pourtant, l'opposition à la politique mise en œuvre en 1968 n'a pas encore désarmé.

Pour excuser nos détracteurs anglophones, quand ils sont accusés d'intolérance, voire de racisme culturel, l'opinion modérée du Canada anglophone continue d'affirmer «que le gouvernement n'a pas bien expliqué» sa politique des langues officielles. Après vingt-cinq ans de discours, d'interviews, de débats et d'exposés, cette excuse paraît mince, pour ne pas dire carrément grotesque. En témoignent d'ailleurs les dizaines de milliers d'anglophones qui se sont regroupés sous la bannière des *Canadian Parents for French*. Comme il arrive souvent, les gens ordinaires ont compris plus vite que beaucoup de journalistes et de politiciens. Et ces derniers ne peuvent plus cacher qu'ils se sont toujours opposés, en combattant notre politique, à ce que les francophones canadiens puissent communiquer dans leur langue avec leur gouvernement fédéral et ses agences, comme le font les anglophones depuis 1867.

Quant à l'opposition des sécessionnistes québécois, les raisons en sautent aux yeux. En effet, c'est la question linguistique qui a toujours constitué leur meilleur argument pour discréditer le fédéralisme canadien. Dès le début des années 60, dans son rapport intérimaire, la commission d'enquête Laurendeau-Dunton identifiait la situation linguistique comme principal sujet de mécontentement chez les francophones du pays. Or, c'est le mécontentement qu'ont toujours exploité sans vergogne les séparatistes, pour faire avancer leur cause. Ils avaient donc raison de s'inquiéter quand nous avons commencé à corriger la situation linguistique dans les institutions fédérales. Et bien sûr, eux non plus ne se sont jamais privés de caricaturer notre politique pour la combattre plus facilement. Ils ont tonné dès le début contre l'aspect utopique de notre tentative «pour rendre bilingue la population de tout un pays». Ils savaient bien que ce n'était pas là notre objectif. Mais ridiculiser l'utopie demande moins d'effort et présente moins de risques que de discréditer des mesures qui visent à renforcer l'unité canadienne en servant la justice et l'équité.

Bien entendu, j'avais en tête bien d'autres réformes mais, en 1970, une crise majeure allait nous compliquer la vie pendant plusieurs mois. Il s'agit bien entendu de la Crise d'octobre ou crise du FLQ.

On nous a sévèrement reproché, à l'époque, de n'avoir pas vu venir cette série d'événements hautement inusités. Gouverner, c'est prévoir, nous rappelait-on, et vous n'avez pas prévu cette explosion, pourtant bien prévisible après sept ans d'attentats terroristes à Montréal et à Ottawa. Aujourd'hui, les mêmes critiques nous reprochent au contraire d'avoir lancé la police fédérale à la chasse aux renseignements sur les activités illégales et les incitations à la violence, et cela au sein même du mouvement séparatiste et de tous les partis politiques. Grâce à une loi d'accès à l'information proposée et adoptée par mon gouvernement, on obtenait récemment copie d'un procès-verbal où sont rapportées mes exhortations aux policiers.

Effectivement, en décembre 1969, près d'un an avant la Crise d'octobre, un comité ministériel se penchait sur les problèmes de sécurité publique en général et celui du FLQ en particulier. Et je disais entre autres choses aux responsables de la GRC que je comptais sur eux pour «amasser de l'information sur les sources de financement des mouvements séparatistes au Québec, l'influence séparatiste au sein du gouvernement du Québec, de la fonction publique, des partis politiques, des universités, des syndicats et des professions, enfin sur les troubles politiques au Québec». Il me semble bien clair, d'après cette citation, que j'avais en tête deux choses: certainement l'activité des terroristes et autres fauteurs de violence qui, depuis 1963, multipliaient les attentats; mais je pensais aussi à l'importance, pour les hautes instances de la GRC, de s'éduquer sur la nature même du mouvement séparatiste et sur les circonstances qui amenaient ce mouvement à chercher la dissolution du Canada, soit par les moyens démocratiques, soit par la violence et le terrorisme. Jusqu'alors, la GRC avait semblé croire que l'unité canadienne ne pouvait être menacée que par des idéologies importées: fascisme, communisme, trotskisme, maoïsme et l'anarchie sous toutes ses formes. Il lui fallait maintenant comprendre que les séparatistes violents pouvaient avoir leurs origines et trouver leurs appuis dans la bonne bourgeoisie québécoise et qu'il ne fallait pas hésiter à poursuivre l'enquête dans ce milieu.

Bien entendu, il n'était pas question d'inciter les policiers à faire enquête sur l'opposition démocratique en tant que telle et encore moins d'avoir recours à des moyens illégaux. Quand je parle des «troubles politiques au Québec», il s'agit, dans mon esprit, des attentats à la bombe, plus de soixante au moment où je m'adressais à la GRC, qui avaient causé déjà la mort de plusieurs personnes; il s'agit des vols d'armes et de dynamite qui ne cessaient de se multiplier; il s'agit de nombreux vols à main armée (revendiqués par le FLQ) dans des banques, des caisses populaires, chez des armuriers, tous crimes perpétrés au nom de l'indépendance du Québec et pour promouvoir cette cause. Nous était-il permis de rester passifs devant ce mouvement en pleine croissance qui avait commis, dans la seule année 1969, plus d'attentats à la bombe que dans les cinq années précédentes? L'objectif proclamé des terroristes était la destruction par la violence de la fédération canadienne, la rupture, par des actes criminels, du pays dont la population nous avait confié la responsabilité politique.

J'avais combattu déjà, pendant des années, l'idéologie séparatiste sans songer une seconde à demander l'aide de la police. Aussi longtemps que les sécessionnistes s'étaient limités aux moyens démocratiques pour promouvoir la sécession du Québec, il n'avait jamais été question de mettre la police à leurs trousses. Mais à compter du moment où ils avaient recours aux bombes, au vol, à l'assassinat, il ne s'agissait plus d'une opposition démocratique et il était de notre devoir de les pourchasser, de les identifier pour pouvoir mettre fin à leur activité criminelle. Or, non seulement ils multipliaient eux-mêmes les agissements illégaux, mais ils prétendaient entraîner les autres à le faire. Le FLQ incitait ses militants à infiltrer le Parti québécois et les autres formations politiques de même que la fonction publique et le gouvernement provincial. Était-il en train d'y réussir? Nous n'en étions pas certains mais encore fallait-il nous en informer en recherchant, où qu'ils fussent et par tous les moyens que la loi mettait à notre disposition, les promoteurs de la violence. Quand des journalistes qui se prétendent sérieux qualifient cette recherche de «chasse aux sorcières», ils ne font qu'exhiber leur incompétence ou leur mauvaise foi, à moins qu'il ne s'agisse des deux à la fois. En effet, le dernier concierge sait très bien que toutes les démocraties doivent en permanence se garder contre les forces de dissolution lorsqu'elles se manifestent.

En vertu du droit commun, le mandat de la GRC était d'assurer la sécurité du Canada. Elle l'avait fait jusqu'alors en se renseignant sur les intentions des maoïstes et autres trotskistes. Mais brusquement, les gens de la GRC devaient se rendre compte que ces milieux d'extrême gauche ne leur apprendraient rien sur le FLQ ni sur les autres agitateurs qui, à ce moment-là, s'en donnaient à cœur joie dans la ville de Montréal. Qu'on se rappelle la manifestation dite du «McGill français» qui avait dégénéré en bagarre, le mouvement pour la «libération du taxi» et les émeutes engendrées par l'affaire Murray Hill et finalement la grève de la police montréalaise, quelques semaines avant la séance du comité dont il est ici question. Cette grève aussi avait tourné à l'émeute et au pillage des grands magasins, rue Sainte-Catherine, au point que le gouvernement québécois de M. Bertrand avait dû solliciter l'intervention de l'armée canadienne pour protéger l'hôtel de ville.

C'est dans ce climat que je prononçais les paroles citées plus haut. Et quand certains policiers en ont conclu qu'il fallait espionner l'activité globale du Parti québécois, ils se sont trompés. La gendarmerie avait certes le droit et même le devoir de dépister ceux qu'elle soupçonnait de trahison, même si ces derniers s'abritaient au sein de partis démocratiques. Mais elle ne devait pas prendre pour cible un parti démocratique comme tel. Dès que j'eus connaissance d'une surveillance abusive, j'exigeai qu'on l'interrompe. J'ai même porté cet ordre à la connaissance du Parlement, comme en fait foi le Journal officiel.

Cela dit, il faut avouer que l'enlèvement du diplomate James Cross et sa détention comme otage par une cellule du FLQ nous ont quand même abasourdis. Jamais rien de tel ne s'était encore produit dans l'histoire du Canada et ce geste insensé nous prenait au dépourvu, c'est-à-dire mal armés pour y faire face. L'action des terroristes et les menaces de mort formulées à l'endroit de leur prisonnier, si leurs exigences n'étaient pas satisfaites, créaient brutalement une situation d'urgence. Et nous n'avions, dans notre code pénal, aucune loi relative aux mesures d'exception en temps de paix ni aucune de ces «polices spéciales qui font le charme de certaines démocraties» comme a dit à l'époque M. Robert Bourassa. Mais j'y reviendrai plus loin.

Dans l'immédiat, ma première réaction fut sans équivoque et j'ai toujours maintenu par la suite la même position: il n'était pas question de négocier avec les terroristes, même pas pour obtenir la libération d'un otage. Faut-il m'en expliquer ici une fois de plus? La raison en est simple: si l'on acceptait, comme l'exigeait le FLQ, de faire sortir de prison des felquistes criminels de droit commun qui avaient été condamnés pour homicide, vol à main armée ou attentats à la bombe, on mettait le doigt dans un engrenage dont on ne pourrait jamais le retirer. En effet, gonflés à bloc par le succès de leur chantage, les terroristes ne manqueraient pas de répéter leurs attentats et, s'ils étaient pris de nouveau et condamnés, de kidnapper quelqu'un d'autre pour faire libérer leurs prisonniers et ainsi de suite, indéfiniment. Les seuls gestes auxquels on pouvait consentir, pour gagner du temps et permettre à la police d'attraper les kidnappeurs, c'était de satisfaire des exigences mineures formulées par le FLQ, comme l'a fait M. Mitchell Sharp en autorisant la lecture du manifeste terroriste au réseau français de Radio-Canada.

Encore qu'en apprenant la nouvelle de cette concession, j'ai pensé spontanément: «Il a eu tort!» Car j'avais donné pour consigne à tous mes ministres: «On ne cède rien.» Mais à la réflexion, il m'est apparu que Mitchell avait eu raison. Il avait pris cette décision de son propre chef, parce qu'il dirigeait le ministère que l'enlèvement d'un diplomate étranger mettait en cause. Comme secrétaire d'État aux Affaires extérieures, c'est à lui que revenait la responsabilité d'assurer la sécurité du corps diplomatique en territoire canadien. De même que notre gouvernement compte sur les gouvernements étrangers pour protéger les représentants canadiens qui séjournent sur leur territoire, de même il doit protéger les diplomates dont il est

Dix ans plus tôt, j'avais participé à un séminaire avec Pierre Laporte, flanqué ici de Jean Drapeau et de Gérard Pelletier. Nous nous connaissions et son enlèvement me touchait personnellement. (ANC-CT)

l'hôte. C'est pourquoi l'enlèvement de M. Cross mettait en cause le gouvernement fédéral, plus directement que ne l'avaient fait jusqu'alors les attentats à la bombe et les autres violences commises en territoire québécois. Aussi bien, la lecture dudit manifeste ne présentait pas les dangers évidents auxquels une négociation sur les prisonniers felquistes nous aurait tous exposés. Elle était conciliable avec l'attitude très ferme que nous avions adoptée: démocratiquement élus, c'était à nous de décider si la justice devait suivre son cours ou si elle devait suivre le cours dicté par le FLQ; notre option était évidemment la première et la lecture d'un manifeste n'y changeait rien.

L'enlèvement de Pierre Laporte, une semaine après celui de M. Cross, aggrava sérieusement la situation. Ce nouveau crime me touchait d'abord personnellement. Laporte avait occupé les mêmes bancs d'école que moi, au collège Brébeuf, et son père avait fréquenté avec mon père le collège Sainte-Marie, des lustres auparavant. J'avais admiré les luttes qu'il menait, comme journaliste, contre les abus du gouvernement, au temps du régime Duplessis. Nous nous étions un peu perdus de vue depuis qu'il était ministre, mais je gardais de lui un souvenir très amical.

Du point de vue de la crise que nous vivions, l'enlèvement en plein jour d'un ministre québécois devant sa maison de la rive sud de Montréal produisit un effet dramatique. Nous avons tous commencé à croire que peut-être les felquistes n'étaient pas seulement des diseurs de sottises et des planteurs de bombes à la petite semaine, mais les membres d'un puissant réseau capable de mettre en danger la sécurité publique et d'entraîner derrière lui les autres mouvements, assez nombreux à ce moment-là, qui préconisaient l'action violente. Si tous ces groupes se coalisaient, la crise pouvait durer très longtemps, avec des conséquences tragiques pour le pays tout entier.

On a rapporté que j'étais alors furieux contre une police qui n'avait pas su prévenir de telles actions. C'est faux. J'étais impatient certes mais j'avais aussi de bonnes raisons de contenir mon impatience. La police avait tout de même fait du bon travail en repérant et en désamorçant les bombes les plus puissantes, au cours de l'année qui s'achevait. Elle avait également mis au jour deux complots pour kidnapper d'abord le consul d'Israël à Montréal, ensuite celui des États-Unis; dans un cas comme dans l'autre, elle avait empêché la mise en œuvre de la conspiration. Ce que je ne comprenais pas, c'est que, de son propre aveu, elle cherchât encore les coupables parmi les groupuscules d'extrême gauche, maoïstes et trotskistes, alors que tous les felquistes arrêtés jusqu'alors étaient des garçons issus d'une petite bourgeoisie davantage apparentée à la Société Saint-Jean-Baptiste qu'à des internationales communisantes.

Mais l'action policière contre les terroristes n'était pas mon seul souci. Quelques heures à peine après l'enlèvement de Pierre Laporte, le premier ministre Bourassa me téléphonait de Québec pour me déclarer: «Pierre, il va falloir que tu nous envoies l'armée et que tu songes à invoquer la Loi des mesures de guerre.» Et je lui faisais une réponse à deux volets: «Pour ce qui est de l'armée, tu connais la loi canadienne de la Défense: elle nous oblige à répondre positivement. Il suffit que ton procureur général demande en bonne et due forme l'intervention des forces armées pour qu'elles arrivent presque aussitôt. Mais le recours aux mesures de guerre, le seul moyen dont nous disposions pour déclarer l'état d'urgence, c'est une tout autre histoire. Les conséquences d'un tel recours seraient très graves et nous n'avons pas la preuve qu'il soit nécessaire. Je préfère ne pas y penser.» En somme, je répondais oui à la première demande, comme la loi m'y obligeait, et non à la seconde. J'ajoutai: «Voyons d'abord comment la situation va évoluer.» Et Bourassa fut d'accord.

«Guettez-moi bien», ai-je répondu à un journaliste qui me demandait jusqu'où j'irais dans ma lutte contre le terrorisme. On eut recours à l'armée pour veiller sur le Parlement. Sur la colline, le ministre John Munro rencontre un soldat.
(ANC-CT/Robert Cooper)

À compter de ce moment-là, la communication téléphonique avec Bourassa devint un rite quotidien ou presque. Je parlais aussi à Jean Drapeau et à Lucien Saulnier, mais moins souvent. Et l'impression qui se dégageait de ces conversations et de beaucoup d'autres informations en provenance de Montréal, c'est que la situation se détériorait rapidement.

De leur côté, les corps policiers étaient dépassés, au bord de l'épuisement physique et psychologique. Toutes les pistes qu'ils suivaient se révélaient fausses et l'agitation continuait de plus belle. La Ville de Montréal n'avait aucune autorité légale pour contrôler les manifestations ni les assemblées d'appui au cours desquelles des milliers de poings levés scandaient: «Vive le FLQ» et des orateurs hurlaient les plus basses injures, non pas à l'adresse des terroristes mais à l'endroit des hommes politiques.

Nous avons donc envoyé l'armée et c'est ainsi que, pour la seconde fois en deux ans, l'armée canadienne, à la demande du gouvernement de la province de Québec, est venue «au secours du pouvoir civil». Depuis l'enlèvement de Pierre Laporte, elle assurait déjà la sécurité des ministres fédéraux, y compris le premier ministre. Je passais alors la fin de semaine au lac Mousseau, dans la Gatineau; les militaires se sont joints à la police pour surveiller la maison de campagne. Et les communications officielles continuaient d'affluer, de Montréal et de Québec, pour réclamer la proclamation des mesures de guerre. Plusieurs jours encore, j'ai résisté, conscient des effets qu'un tel geste enclencherait. Je remettais l'échéance de vingt-quatre heures en vingt-quatre heures, mais mes interlocuteurs de Québec et de Montréal ne me lâchaient pas. Finalement, je dus reconnaître qu'ils étaient mieux placés que moi pour juger de l'urgence.

Ce qui, en dernière analyse, emporta mon adhésion, c'est le fait que la crise commençait d'affoler beaucoup de gens qu'on aurait crus plus raisonnables. Je songe à la déclaration signée par un groupe de chefs de files québécois qui parut dans les grands journaux de Montréal.

Le Devoir (15 octobre 1970) publiait à la une cet incroyable document qui se terminait comme suit, en page 6: «Les signataires de la déclaration sont MM. René Lévesque, président du Parti québécois, Alfred Rouleau, président de l'Assurance-vie Desjardins, Marcel Pepin, président de la CSN, Louis Laberge, président de la FTQ, Jean-Marc Kirouac, président de l'UCC, Claude Ryan, directeur du *Devoir*, Jacques Parizeau, président du Conseil exécutif du Parti québécois, Fernand Daoust, secrétaire général de la FTQ, Yvon Charbonneau, président de la CEQ, Mathias Rioux, président de l'Alliance des professeurs de Montréal, Camille Laurin, leader parlementaire du Parti québécois, Guy Rocher, professeur de sociologie à l'U. de M., Fernand Dumont, directeur de l'Institut supérieur des sciences humaines à l'Université Laval, Paul Bélanger, professeur de sciences politiques à l'Université Laval, Raymond Laliberté, ex-président de la CEQ, Marcel Rioux, professeur d'anthropologie à l'U. de M.»

Que disait cette déclaration? Après quelques considérations sur «l'atmosphère de rigidité presque militaire que l'on peut déceler à Ottawa» et la sombre crainte qu'il existe «dans certains milieux non québécois en particulier, la terrible tentation d'une politique du pire, c'est-à-dire l'illusion qu'un Québec chaotique et bien ravagé *[sic]* serait enfin facile à contrôler par n'importe quel moyen», le groupe en venait à son propos principal, sollicitant l'appui de la population (lequel ne manqua pas d'arriver, sous forme de signatures additionnelles) pour soutenir sa démarche auprès du gouvernement québécois.

La police avait la pénible tâche de faire la chasse aux kidnappeurs, à Montréal; les policiers durent pratiquer le porte-à-porte, par un froid de loup. *(Canapress)*

Cette démarche, précisaient les signataires, consistait à soutenir le gouvernement dans son intention de négocier et à donner «essentiellement notre appui le plus pressant à la négociation d'un échange des deux otages contre les prisonniers politiques».

Oui, ils qualifiaient de prisonniers politiques, sans guillemets, des terroristes condamnés pour crimes de droit commun, donnant ainsi tête baissée dans le piège tendu par le FLQ. Car les felquistes emprisonnés ne l'avaient pas été à cause de leurs opinions, ce qui aurait fait d'eux des prisonniers politiques. De toute évidence, c'est pour des délits criminels dûment démontrés que ces jeunes gens s'étaient retrouvés derrière les barreaux. Une telle confusion dans l'esprit de telles personnes m'apparut comme le signe évident d'une situation alarmante. J'aurais compris que le premier quidam venu tînt de tels propos. Mais chez des universitaires et des responsables sociaux, ce déraillement du vocabulaire et cette disposition à capituler devant les exigences du FLQ manifestaient un désordre extrême. Les terroristes avaient-ils donc réussi à déboussoler l'intelligentsia et les leaders d'opinion québécois? De toute évidence, certains d'entre eux étaient en train de perdre les pédales, ce qui mesurait le désarroi ambiant.

Ce 15 octobre, je finis donc par céder aux représentations de mon homologue québécois et du maire de Montréal. Mais je précisai: «Attention, on ne peut pas avoir recours aux mesures de guerre pour n'importe quelle raison. La Loi précise que seul un état de guerre réel ou appréhendé, seule une insurrection réelle ou appréhendée peuvent motiver ce recours. Redoutez-vous vraiment une insurrection? Êtes-vous prêts, vous Bourassa et vous Drapeau, à faire état, dans une lettre, d'une telle appréhension? Sinon, il m'est impossible de procéder. La Loi elle-même m'en empêcherait.»

Leur réponse ne se fit pas attendre. Ai-je eu tort de me rendre aux raisons qu'ils m'exposaient? Je ne le crois pas. Et je sais bien que si j'avais refusé, on accuserait aujourd'hui le «grand frère d'Ottawa» d'avoir préféré son jugement à celui des premiers intéressés, d'avoir opposé une fin de non-recevoir aux requêtes expresses du premier ministre du Québec et du maire de Montréal, affichant ainsi mon mépris pour les compétences du gouvernement québécois et de l'administration montréalaise, enfin d'avoir agi comme si le gouvernement fédéral avait mieux connu que tout le monde la situation, comme si lui seul avait été capable d'en juger sainement. Et du même coup, je serais devenu le grand responsable de la mort éventuelle de Pierre Laporte.

Dans la nuit du jeudi 15 au vendredi 16 octobre, le gouvernement décida de recourir à la Loi des mesures de guerre. Ce n'est pas de gaieté de cœur que nous avions pris cette décision. Pour ma part, elle me répugnait profondément et j'en appréhendais les suites. Je craignais qu'elle ne prête à des abus et j'en redoutais aussi les conséquences politiques. Je savais qu'elle nous serait reprochée par certains avec la dernière sévérité. Mais quand on a été élu pour gouverner, il faut gouverner au meilleur de son jugement, sans s'inquiéter des condamnations dont pourraient faire l'objet, plus tard, les actions qu'on engage. L'important, c'était alors d'empêcher que tout ne dégénère en désordre et que les terroristes ne dictent leur conduite aux élus du peuple.

Nous avons donc agi. Et la population nous a spontanément appuyés. On lisait dans *La Presse*, quelques semaines plus tard: «C'est dans une proportion de 87 p. 100 que les Canadiens appuient l'application de la Loi des mesures de guerre décrétée durant la crise provoquée par le FLQ. C'est la plus forte majorité qu'une mesure gouvernementale ait jamais recueillie, au cours de sondages effectués depuis plusieurs années. L'appui accordé à MM. Bourassa et Trudeau *se répartit à peu près également chez les francophones et les anglophones.*» (*La Presse*, Sondage Gallup, 14 décembre 1970.) C'est moi qui souligne.

À ce sujet, l'un des principaux reproches qu'on nous a faits alors et que certains répètent aujourd'hui, c'est «d'avoir utilisé une pièce d'artillerie lourde pour détruire une punaise». Ce blâme ne tient pas compte des faits. D'abord, les punaises ne posent pas de bombes, ne prennent pas d'otages et n'assassinent pas leurs prisonniers. Et quant à la pièce d'artillerie, c'est la seule dont nous disposions. Dès la séance de la Chambre qui suivit notre décision, je précisai ce qui suit: «Le gouvernement reconnaît que les pouvoirs conférés par la loi sont beaucoup plus vastes que ne l'exige la situation actuelle, malgré la gravité des événements. Pour cette raison, les règlements qui ont été adoptés (en même temps que les mesures de guerre étaient proclamées) ne permettent l'exercice que d'un nombre limité de ces pouvoirs. [...] Après un certain temps, lorsque le gouvernement aura acquis l'expérience nécessaire pour évaluer le genre de loi que les circonstances pourront exiger, j'ai la ferme intention de discuter, avec les chefs des partis de l'Opposition, de l'opportunité de présenter une mesure législative d'une portée plus restreinte.» (Débats des Communes, compte rendu officiel, vol. I, 1970, p. 194.)

Les terroristes n'avaient évidemment pas les mêmes scrupules que nous relativement aux libertés personnelles et aux droits des gens. Dès le lendemain, le samedi 17 octobre au soir, alors que la Chambre, en séance spéciale, tenait un débat d'urgence sur le recours aux mesures de guerre, nous apprenions par les médias qu'on venait de retrouver le cadavre de Pierre Laporte dans le coffre d'une voiture, à l'aéroport de Saint-Hubert. Cette nouvelle me trouva partagé entre l'horreur, le chagrin et l'inquiétude. Perdre un vieux copain, et de cette façon-là, au moment où nous cherchions à lui venir en aide, se heurter ainsi à la cruauté inhumaine d'assassins sans visage, c'est atroce. Je garde un souvenir douloureux de ma rencontre avec Françoise, la femme de Pierre Laporte, et avec les enfants de ce dernier, lors des funérailles à l'église Notre-Dame de Montréal.

J'étais effondré mais aussi très inquiet: allions-nous connaître la série d'assassinats, annoncée depuis longtemps par les felquistes, que nous n'avions jamais prise au sérieux? (Cf. *Le FLQ va tuer*, dans *Victoire,* organe de liaison interne du FLQ, n° 3, mars 1969.)

* * *

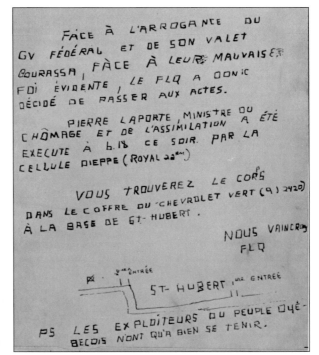

Nous sommes arrivés en retard. Cette note de la «cellule FLQ Dieppe» annonce à la police «l'exécution» de Pierre Laporte et lui indique l'endroit où trouver son cadavre.

(Canapress)

L'entrée en vigueur des règlements adoptés en vertu de la Loi des mesures de guerre fut suivie d'une vague sans précédent d'arrestations, la plupart à Montréal mais quelques-unes aussi dans certaines autres villes du Québec. Dans les heures qui suivirent le vote de la Chambre, plus de quatre cents personnes furent écrouées et gardées derrière les barreaux au-delà des quarante-huit heures prescrites par le code pénal. Certaines y passèrent des semaines. Et la majorité des personnes arrêtées ne firent jamais l'objet d'aucune mise en accusation. Elles furent libérées plus tard et le gouvernement du Québec leur versa par la suite une compensation pour les inconvénients qu'elles avaient subis.

Sans transformer mon récit en plaidoyer pro domo, je dois tout de même formuler ici quelques précisions, car ces arrestations n'ont guère cessé depuis de nous être reprochées, aux autorités fédérales et à moi personnellement, tant par les commentateurs sécessionnistes que par certains éditorialistes peu soucieux de vérifier les faits sur lesquels ils fondent leurs condamnations. L'un de ces derniers nous accusait même, l'an dernier encore, et sans avancer la moindre preuve, d'avoir fait emprisonner des gens *que nous savions innocents*. Si j'y reviens ici, c'est que des douzaines d'accusations de cette nature apparaissent désormais au dossier de la Crise d'octobre. Je ne veux pas faire mine d'en ignorer l'existence. Pas plus que celle des thèses avancées par certains universitaires, à savoir que les mesures prises au cours de la Crise relevaient d'une manœuvre politique pour discréditer le souverainisme québécois. Certains vont jusqu'à dire que les terroristes étaient des créatures du gouvernement fédéral; ceux qui gardent le sens du ridicule se contentent d'affirmer que nous avons «sauté sur l'occasion» fournie par le FLQ pour déconsidérer le Parti québécois.

Je parlerai d'abord des arrestations en affirmant, sans crainte d'être contredit, que la très grande majorité des personnes arrêtées le furent à la seule initiative de la Sûreté du Québec et de la police de Montréal et sur la foi des renseignements que ces deux corps policiers avaient eux-mêmes recueillis. La part de la GRC dans l'opération fut très minoritaire. Je le sais pour avoir parcouru, quelque temps auparavant, la liste des gens que la gendarmerie se proposait de surveiller. Je tenais à le faire, non pour substituer mon jugement à celui de la police, ce qui n'était pas mon rôle, mais pour me rendre compte de la qualité de ses informations. Or, cette liste se composait pour une très grande part de noms à consonance maoïste et trotskiste qui ne sont jamais reparus dans les listes de prisonniers, ce qui porte à croire que les personnes en question ne furent jamais inquiétées. Quant à la douzaine d'autres noms qu'elle portait aussi, ils appartenaient à des gens peu connus dont la plupart, encore une fois, ne furent pas appréhendés. Ceux qui nous accusent à répétition d'avoir fait emprisonner «des chanteuses et des poètes» se trompent d'adresse.

De toute évidence, ce sont la Sûreté du Québec et les policiers montréalais qui ont dressé une liste trop longue et mal vérifiée; ils y ont inclus les noms de militants et de protestataires, vociférants certes mais bien incapables d'activité criminelle. Je ne jette pas la pierre à ces corps policiers; tandis que nous siégions en paix, à Ottawa, sur la colline parlementaire, eux se trouvaient au milieu de la mêlée, dans une atmosphère chargée d'émotivité, au sein d'une population impatiente, menacée par la panique, qui les sommait de mettre la main, sans délai, au collet des terroristes. Il n'est pas facile, dans de telles conditions, de garder la tête froide. Mais les erreurs commises restent des erreurs, reconnues du reste par le gouvernement québécois puisqu'il a versé les indemnités mentionnées plus haut, en compensation d'arrestations injustifiées.

Cette jeune femme porte une chemise où Paul Rose (l'un des kidnappeurs du FLQ) est sacré «patriote québécois». Cela me rappelle mon ami Eugene Forsey qui, dans son autobiographie A Life on the Fringe *(Une vie à la marge), résume comme suit ces terribles journées: «À mon avis, Pierre Trudeau a maintenu le Québec à l'intérieur du Canada, ce que personne d'autre n'aurait pu faire. Je suis également convaincu qu'il nous a épargné l'épreuve des Bandes à Baader-Meinhof et autres Brigades rouges.»*

(Canapress)

Quant aux supposées manœuvres qu'on nous prête et qui auraient eu pour but «d'écraser le séparatisme québécois», je noterai d'abord qu'il s'agit là d'une accusation dépourvue de tout fondement, pur produit d'imaginations surmenées ou malades de dépit, attribuable aussi à une attitude d'esprit assez répandue chez les ultra-nationalistes et qui les porte à voir des complots partout. Je sais qu'on pourra évoquer, à l'appui de cette thèse, les notes du ministre Don Jamieson, consignées à l'époque dans son journal personnel et publiées vingt ans plus tard, à titre posthume, par la revue torontoise *Saturday Night*. Mais pour estimer la valeur de ce témoignage unique en son genre, il faut savoir que Jamieson était à Londres au moment où la crise a atteint son point culminant et pendant la quinzaine qui a suivi. Il n'a donc participé à aucun des échanges cruciaux au Conseil des ministres, au cours desquels furent mises au point nos raisons d'invoquer la Loi des mesures de guerre et définie l'attitude que le gouvernement allait prendre.

D'ailleurs, c'est bien connu, quand il s'est agi de combattre le séparatisme, nous les élus d'Ottawa l'avons toujours fait ouvertement, sans dissimulation. S'ils l'ont oublié, les souverainistes n'ont qu'à se reporter à la campagne référendaire de 1980.

Sans doute le Parti québécois a-t-il souffert de la Crise d'octobre mais uniquement à cause des proclamations séparatistes du FLQ, de la complaisance affichée par de nombreux sympathisants péquistes à l'égard du terrorisme et du fait que l'aile irresponsable du parti a plus tard réservé un accueil délirant aux felquistes libérés, voire à un membre de la cellule qui avait kidnappé et assassiné Pierre Laporte. Il faut rendre cette justice au leader: René Lévesque n'a jamais excusé, encore moins approuvé les actions du FLQ. Mais toutes ses troupes ne l'ont pas toujours suivi dans cette voie.

Il me resterait à raconter la suite de l'action policière, la libération de James Cross, le départ pour Cuba de ses ravisseurs, mais ce sont tous là des faits connus et je ne pourrais rien ajouter aux nombreux récits dont ils ont fait l'objet. Il me reste seulement à insister sur le fait qu'à la fin de 1970, une législation plus restreinte a remplacé les mesures de guerre et pour quelques mois seulement. Si nous avions été possédés du moindre instinct dictatorial, comme le prétendaient certains de nos adversaires, nous n'aurions pas été aussi pressés d'effacer toute trace des pouvoirs spéciaux auxquels nous avions été contraints de recourir à la demande expresse des autorités québécoises. Il faut noter aussi qu'au cours du quart de siècle qui a suivi la Crise, nous n'avons assisté à aucune résurgence du terrorisme. René Lévesque avait prédit: «La police et l'armée devront un jour partir et les cochonneries de Trudeau n'empêcheront pas de toute façon d'autres enlèvements.» (*La Presse*, p. A6, 9 novembre 1970.) Les faits ne lui ont pas donné raison.

On m'a souvent demandé si la Crise d'octobre m'inspirait des regrets. Ma réponse a toujours été négative. De toute manière, je ne passe pas beaucoup de temps à regretter quoi que ce soit. Nous avons vécu cette crise. Bien sûr, j'aurais préféré qu'elle n'eût pas lieu, que le FLQ ne vît jamais le jour et que Pierre Laporte soit toujours parmi nous. Mais les souhaits ne changent rien à la réalité.

Il arrive aussi qu'on me demande ce que la Crise d'octobre m'a appris sur l'art de gouverner et sur les moyens dont je disposais pour la désamorcer. Elle m'a appris d'abord que vous aurez beau pratiquer la prospective, élaborer les plus beaux plans du monde, définir avec le plus grand soin votre ordre de priorité, si vous vous révélez incapable de gérer les crises qui se présentent, le gouvernement vous échappera et ce sera la fin des haricots. En temps normal, l'art de gouverner consiste justement à prévenir les crises, à les conjurer avant qu'elles ne se produisent. En matière économico-sociale, par exemple, vous bonifiez les prestations d'assurance-chômage pour faire face au chômage massif d'une période de récession et vous mettez en œuvre tous les moyens possibles pour créer des emplois. De même, pour ne parler que de ce domaine, l'émergence du FLQ et de son activité terroriste menaçait depuis plusieurs années l'économie du Québec. Les sociétés hésitaient à investir dans la province, certaines industries qui avaient prévu s'y installer cherchaient ailleurs un site pour leurs usines. Les mesures que nous avons prises ont empêché que la situation ne dégénère en récession et n'enclenche l'engrenage du manque d'emplois générateur de misère et par voie de conséquence d'anarchie, de désaffection à l'endroit de la démocratie.

Quand tout est tranquille, on peut voir venir et prendre certaines mesures. Mais les crises, elles, ne préviennent pas. Quand une crise éclate, il faut y faire face avec les moyens et le personnel dont on dispose. Mon opinion sur ces moyens, en 1970? De toute évidence, le Cabinet, le Parlement et l'armée ont bien rempli leur rôle. La police? Elle a fini par mettre la main au collet des kidnappeurs et des meurtriers mais seulement *après* les enlèvements et les meurtres. Dans toute crise, vient une période où tout le monde se débat dans l'obscurité, en se demandant ce qui se passe. La Crise d'octobre m'a appris qu'il faut alors, au centre de l'État, une main très ferme, une direction qui ne s'affole pas, n'essaie pas de tout faire à la fois, dans l'énervement et la confusion, mais s'avance calmement, pas à pas dans la mise en œuvre des solutions. Comme je l'ai souvent répété: «Le premier devoir du gouvernement, c'est de gouverner», c'est-à-dire de ne pas céder au chaos ni à la terreur.

Les effets à long terme de la Crise d'octobre et des moyens utilisés pour en venir à bout? D'abord, il semble bien qu'ils aient mis fin pour de bon à l'activité du FLQ, ce qui n'est pas un résultat négligeable. Peu de temps après, même Pierre Vallières, qui avait évoqué, dans ses *Nègres blancs d'Amérique* (p. 434, édition de 1968), une guérilla où «les travailleurs, les étudiants, les jeunes et les intellectuels» se seraient battus «d'abord avec des pancartes, puis avec des cailloux, des cocktails Molotov, de la dynamite, des revolvers, des mitraillettes, etc.», même cet ex-théoricien du FLQ reconnaissait désormais que la violence ne réussissait pas au Québec et qu'il fallait, pour prendre le pouvoir, recourir aux moyens légaux et démocratiques.

Par ailleurs, certains analystes ont cru percevoir que l'épisode avait eu pour effet de renforcer le Parti québécois et d'augmenter son influence. Est-ce bien certain? De toute façon, si la Crise a renforcé le Parti québécois, elle n'a sûrement pas fortifié le séparatisme. Au contraire. On m'objectera que six ans plus tard, le PQ prenait le pouvoir au Québec. Oui, mais comment et à quel prix? En occultant, pour les fins de la campagne électorale, l'article premier de sa constitution. Deux fois de suite, aux élections provinciales de 1970 et de 1973, il avait mis de l'avant son projet sécessionniste et s'était fait rosser proprement par les libéraux de Robert Bourassa. Mais en 1976, le PQ avait eu sa leçon. Il avait dû se rendre à l'évidence que les Québécois n'étaient pas favorables à la sécession de leur province. C'est pourquoi il leur avait promis: «À cette élection-ci, il ne sera pas question de souveraineté. Il s'agira seulement de donner au Québec un bon gouvernement, meilleur que l'administration actuelle. Élisez-nous et vous serez mieux gouvernés. Quant à l'indépendance, nous en reparlerons plus tard et seulement après vous avoir consultés de nouveau.» C'est pourquoi j'affirmais à cette époque que le séparatisme était bien mort puisque ses représentants officiels eux-mêmes s'abstenaient de s'en réclamer, le considérant comme un obstacle à leur élection.

L'enterrement du mort eut lieu lors du référendum de 1980. Il est vrai que le PQ gagna ensuite les élections de 1981 mais, en 1985, René Lévesque se disait prêt à accepter «le beau risque du fédéralisme». Et lorsque son gouvernement tenta de stopper le rapatriement de la Constitution, en 1982, il fut désavoué par 65 p. 100 des députés élus par les Québécois pour siéger au parlement d'Ottawa et à la législature du Québec. De plus, dans trois sondages de l'époque, les Québécois donnèrent tort au gouvernement péquiste d'avoir refusé le rapatriement de 1982. Et peu de temps après, le PQ se désagrégeait.

* * *

La crise une fois passée, je pus continuer mon travail dans une atmosphère plus détendue et reprendre, à la faveur d'une paix relative, mon apprentissage de premier ministre. De mon premier mandat, il restait à servir moins de deux ans. Je n'épargnai rien pour mettre ce temps à profit.

Au cours des deux années précédentes, nous avions fait, comme gouvernement, quelques gestes spectaculaires tels l'adoption de la Loi sur les langues officielles, la reconnaissance diplomatique de la

Cette photo fut prise à Toronto, lors d'un match de la coupe Grey, en 1970. Le léger brouillard qui l'altère s'explique par son origine. La note qui l'accompagnait précise: «Avec les amitiés chaleureuses d'un photographe très, très amateur. Signé: Jean Drapeau.»   (ANC-CT)

En 1970, je devins amoureux d'une très belle fille. Margaret Sinclair et moi nous sommes mariés à Vancouver, le 4 mars 1971.

(Album de famille)

Travail et récréation à l'étranger

Cette photo est un souvenir officiel de ma visite, en 1971, à ce qui s'appelait alors Ceylan. La légende se lit: «Monté sur un éléphant, à Katugastota.»

(ANC-CT)

La légende de cette photo-ci est également très simple: «Monté sur un chameau, en Inde.» (ANC-CT)

Le premier ministre britannique Edward Heath qui visitait l'Inde au même moment a écrit que mon «élan et [mon] exubérance ont retenu l'attention du public et donné lieu à des manchettes».

(ANC-CT)

Malgré un débat acrimonieux sur les ventes d'armes britanniques à l'Afrique du Sud, la conférence du Commonwealth tenue à Singapour en 1971 a illustré pour moi le large éventail de nations diverses qui adhèrent à l'organisme et qui en font un forum de choix. (ANC-CT)

En visite dans une classe d'anglais, au cours de ma tournée en Union soviétique, 1971. (ANC-CT)

Chine populaire et du Vatican, l'abaissement de l'âge de la majorité de vingt et un à dix-huit ans. Mais notre action avait porté davantage sur le fonctionnement du Parlement et du gouvernement et sur des questions de politique intérieure qui intéressaient peu l'opinion publique. Les deux années qui suivirent furent marquées de plusieurs décisions importantes, dont je note ici quelques-unes, d'un échec retentissant et d'un demi-insuccès qui faillit bien nous être fatal.

Mais d'abord, une note à caractère personnel: 1970 fut également l'année où je devins amoureux d'une très belle fille, Margaret Sinclair. Le 4 mars 1971, nous nous sommes mariés à Vancouver. Notre histoire d'amour avait échappé à la presse, comme nous l'avions souhaité.

Au mois de juin 1971, mon gouvernement créa coup sur coup la Corporation canadienne de développement et le premier ministère de l'Environnement mis sur pied au Canada. Au mois d'août de la même année, il entreprit avec l'Ontario le nettoyage du lac Érié. En avril 1972, je signai avec le président Nixon une entente sur la qualité de l'eau dans les Grands Lacs. Entre-temps, nous avions voté un impôt touchant les gains de capital et créé un programme d'emplois d'été pour les jeunes, *Perspectives-Jeunesse*, et un programme de loisirs pour les aînés, *Horizons nouveaux*.

L'année précédente, j'avais effectué aussi ma première visite officielle en URSS, une tournée d'une quinzaine de jours qui m'avait conduit jusqu'aux confins de la Sibérie, accompagné de ma femme, Margaret, qui était enceinte de notre premier fils. En signant, avec le secrétaire général Brejnev, une entente sur la coopération et l'échange de bons procédés, je posais les premiers jalons de ce qui allait bientôt s'appeler la «détente» dans les relations Est-Ouest et qui allait être couronné par la Conférence de Helsinki (1975) sur la sécurité et la coopération en Europe.

Sur le front de l'activité partisane, j'avais provoqué des réunions qui avaient pour but de rompre avec les habitudes et les façons de faire traditionnelles. Je voulais que le parti se tourne résolument vers l'avenir et qu'en même temps il pratique la démocratie de participation. Toutes les circonscriptions étaient invitées à nous proposer leurs idées et leurs projets dont nous reprenions ensuite l'étude dans des conférences régionales et nationales.

L'échec mentionné plus haut, nous devions le subir dans la capitale de la Colombie-Britannique, Victoria, à l'issue d'une série de conférences fédérales-provinciales sur la question constitutionnelle. Je reviendrai sur cet épisode, dans la suite du présent ouvrage. Quant au demi-bide, nous l'avons connu à l'élection générale du 30 octobre

1972, qui réduisit de cent cinquante-cinq à cent neuf le nombre de sièges occupés aux Communes par les libéraux et vint très près de nous retirer le pouvoir. Pendant un jour ou deux, à cause de recomptages judiciaires dont l'issue demeurait incertaine, je ne savais pas si mon parti serait appelé à former le prochain gouvernement...

Or, ce demi-échec, je devais, pour une bonne part, en accepter la responsabilité. Quand je reviens sur cette péripétie, mes erreurs de l'époque m'apparaissent clairement. Je ne fus pas le seul mais sans doute le principal responsable de notre insuccès. Dès le départ, la campagne électorale fut mal engagée. Le parti avait choisi, en anglais, un slogan inepte et intraduisible: «*The land is strong*». Et moi, j'étais parti du mauvais pied, avec une idée fausse de mon rôle. Je m'étais mis en tête qu'il ne s'agissait pas d'une lutte électorale mais d'une simple invitation aux électeurs: «Voici le dossier de nos quatre ans au pouvoir; dites-nous ce que vous en pensez.» Je voulais marquer un contraste avec l'élection précédente et l'émotivité de la Trudeaumanie. Il m'arriva même de déclarer dans un discours que je ne faisais pas la lutte aux conservateurs ni aux néo-démocrates, que je voulais seulement exposer nos idées tandis qu'ils exposeraient les leurs, laissant à la population le soin de trancher. Je décrivais l'exercice comme «une conversation avec les Canadiens». Je voulais leur dire ce que nous avions réalisé, au cours des quatre années précédentes, et leur exposer nos projets pour l'avenir. Je leur disais: «Voici le dossier de nos quatre ans au pouvoir et voici le plan de notre action future. S'ils vous plaisent, si vous les approuvez, votez pour nous.» Et je comptais sur la contagion des idées justes pour nous assurer la victoire.

C'était là, je dus m'en rendre compte, une vue de l'esprit. La politique ne peut pas être à ce point rationnelle, dépouillée de toute émotion. Les électeurs voulaient un chef qui les dirige, ils trouvaient en moi un professeur. Mes partisans voulaient assister à un combat et je leur offrais un cours. La population attendait sa ration quadriennale d'éloquence, d'attaques, de ripostes, d'assemblées enthousiastes... et je lui débitais des exposés calmes et lucides, sur un ton professoral. Ce n'est pas ainsi qu'on gagne une élection. Aussi bien sommes-nous passés à deux doigts de perdre celle-là. J'avais oublié l'existence et l'utilité de la fameuse machine électorale dont j'entendais mon père discuter avec ses amis, quand j'avais cinq ans.

On se doute qu'il y eut, le soir du vote, un dur moment à passer. Pendant quelques heures, tout portait à croire que ma brève carrière de premier ministre venait de s'achever. Je n'en étais pas accablé, encore moins découragé. Mais il devenait possible que ma vie dût prendre un

L'un de mes assistants, Timothy Porteous, en train de fermer la porte du bureau du premier ministre. L'affiche, dans le hall d'entrée, résume notre attitude face à la précarité de notre gouvernement minoritaire. (Canapress)

tour nouveau et j'explorais en esprit les perspectives qui s'ouvraient devant moi. Le lendemain encore, le résultat final demeurant incertain, l'humeur de mon entourage était sombre. Certains de mes ministres croyaient même qu'il fallait, quoi qu'il arrive en bout de ligne, céder le pouvoir à M. Stanfield dont le parti venait de marquer des points. Pour ma part, je refusais de me tenir pour perdant et ne voulais rien décider avant de connaître le résultat définitif de l'élection.

Mais à mesure que le temps passait, notre demi-échec prenait l'aspect de plus en plus net d'un défi à relever et je retroussais de nouveau mes manches; je me sentais envahi par l'esprit combatif qui m'avait manqué pendant la campagne électorale. À compter de ce moment-là, j'étais mobilisé et bien résolu à effacer toute trace du mécompte que nous venions d'essuyer. Le résultat final confirma bientôt que notre parti arrivait en tête, même s'il ne détenait dans la nouvelle Chambre qu'une mince avance de deux sièges sur le Parti conservateur. Cela m'autorisait à former le gouvernement et je me suis présenté plein d'assurance chez

Conférence du Commonwealth à Ottawa

Accueil de la reine et du duc d'Édimbourg à l'occasion de la conférence du Commonwealth, Ottawa, 1973. Je leur présente Margaret.   *(ANC-CT)*

À titre d'hôte, j'ai présidé la réunion des chefs de gouvernement du Commonwealth. Dans ses mémoires, Edward Heath compare cette assemblée à la rencontre ratée de Singapour et note que «sous la présidence de Pierre Trudeau, l'atmosphère se révéla plus gaie et nous avons accompli plus de besogne».   *(ANC-CT)*

Signature apposée sur la photographie officielle par la reine et le duc d'Édimbourg.
(ANC-CT)

le gouverneur général, en blouson de cuir indien et voiture sport, pour bien marquer qu'il ne s'agissait pas d'une défaite mais d'un défi et qu'il n'était pas question pour moi d'abandonner la partie.

De même, je décidai de faire un remue-ménage majeur à l'intérieur même du Conseil des ministres et de mon bureau. J'invitai tous les membres du Cabinet, des plus anciens aux plus récents, à changer de ministères. Un seul refusa de bouger et fut exclu. Dans mon bureau, je modifiai profondément l'équipe de mes plus proches collaborateurs. Au lieu d'intellectuels comme Fernand Cadieux et d'ingénieurs comme Pierre Levasseur et Jim Davie, qui du reste demeurèrent des amis et dont je profitais des connaissances futuristes, je m'entourai de conseillers très politiques qui avaient fait leurs preuves auprès de M. Pearson, tels Keith Davey, Jim Coutts et Tom Axworthy. Je voulais qu'un changement de style apparaisse clairement aux yeux de tous pour bien marquer d'abord que je reconnaissais mes erreurs, mais surtout pour indiquer que nous revenions dans l'arène plus agressifs et plus décidés que jamais.

Pour moi qui m'étais maintenu jusqu'alors dans les sphères les plus élevées de la politique, il s'agissait désormais de maîtriser aussi l'art du politicien. À ma grande surprise, je trouvai ce nouvel apprentissage plus intéressant et plus stimulant que je n'aurais cru. J'avais toujours été, depuis ma jeunesse, un solitaire jaloux de sa liberté. Je maintenais soigneusement mes distances avec mon entourage, quel qu'il fût. Même au sein d'un groupe d'amis, par exemple dans les expéditions en forêt que j'ai racontées plus haut, d'instinct je prenais les devants pour m'isoler à la tête de la file. Et si un copain m'y rejoignait, je préférais alors modérer le pas pour me retrouver seul de nouveau, cette fois derrière l'équipe. Je ne décris pas ce trait de caractère pour m'en vanter; au contraire, j'en fais état pour expliquer les carences dont j'ai souffert en abordant le métier de chef.

En politique, le grégarisme à juste dose n'est pas un défaut. Quand on occupe la tête d'un parti, c'est même une nécessité. Je venais de l'apprendre à mes dépens quand les militants libéraux avaient eu l'impression de se retrouver sans chef. Et j'allais désormais exercer résolument le leadership qu'ils attendaient de moi. Sans tout à fait m'en rendre compte, je n'avais pas encore accepté de remplir pleinement ce rôle qui me répugnait un peu. Personnellement, je ne m'étais jamais senti en manque de chef, peut-être à cause de l'autoritarisme qui sévissait dans le Québec de ma jeunesse, et sans doute m'étais-je persuadé qu'il en allait de même pour tout le monde. Je perdais maintenant cette illusion; j'entrais de plain-pied dans l'action c'est-à-dire dans l'exécution plus énergique et plus complète du mandat qu'on m'avait confié et l'acceptation pleine et entière de toutes les responsabilités qu'il comportait.

Mes vingt mois de gouvernement minoritaire, à la merci du premier vote important qui coaliserait l'Opposition, me laissent au total un excellent souvenir. D'une part, nous retrouvions les inconvénients vécus plus tôt, entre 1965 et 1968, mais nous éprouvions d'autre part, à vivre ainsi dangereusement, le plaisir du risque et des périls surmontés. Nous gouvernions, mais pleinement conscients de la menace que faisait peser sur nous une opposition majoritaire. Nous formions aujourd'hui le gouvernement mais demain, peut-être, ce gouvernement serait vaincu. Mon rôle tenait à la fois du funambule sur la corde raide, qui peut tomber à tout moment et se casser le cou, et du boxeur menacé en permanence du K.-O. final. Ce n'était certes pas sécuritaire mais c'était très excitant, amusant aussi.

Sans compter que ce gouvernement minoritaire allait nous permettre d'engager des politiques nouvelles auxquelles je tenais beaucoup. Tout au cours de mon premier mandat, la réputation de «gauchiste» que m'avait faite au Québec mon opposition à Duplessis m'imposait, à Ottawa, une certaine réserve. En Amérique du Nord, tous les grands partis historiques, associés au pouvoir depuis des décennies, sont partagés à l'intérieur entre une aile gauche et une aile droite. Le Parti libéral ne faisait pas exception à cette règle. Aussi avais-je dû faire preuve de circonspection, entre 1968 et 1972. Encore mal établi à la tête de la formation que je dirigeais, il me fallait tenir compte de tout ce qui risquait de soulever contre moi les libéraux plus traditionalistes et de provoquer une scission entre les deux ailes. Cela ne m'avait pas empêché de reconnaître la Chine populaire ni de mettre en vigueur la loi déjà adoptée sur l'assurance-maladie. Mais j'avais dû constamment me garder à droite et maintenir un équilibre prudent entre les mesures progressistes et les mesures plus modérées.

Or, de ce point de vue, le gouvernement minoritaire me laissait libre de mettre de l'avant des politiques sociales plus avancées. Je savais que le NPD devrait me suivre sur ce terrain; ce parti me servirait d'appui contre les éléments les plus conservateurs de mon propre parti. Je ferais donc la politique dont je rêvais depuis toujours et la fraction sociale-démocrate de l'Opposition serait bien forcée de me soutenir, sous peine de renier son propre programme. De plus, menacé à toute heure par un vote négatif de la Chambre, me revenait en mémoire le conseil d'un vieil ami parisien disparu depuis lors, le grand médiéviste Paul Vigneaux: «S'il vous faut tomber, disait-il, prenez soin de tomber à gauche.» J'étais d'autant plus porté à suivre ce conseil que mon parti, au palier provincial, avait depuis plusieurs années tendance à tomber à droite. Aussi bien, en Saskatchewan, au Manitoba, en Colombie-Britannique avait-il presque disparu de la scène politique, remplacé par le NPD. Nous libéraux fédéraux craignions aussi de partager le sort de nos homonymes britanniques. Ces derniers, s'étant laissé pousser par les travaillistes vers des positions conservatrices, n'avaient plus à Westminster qu'une poignée de députés sans grande influence sur le cours des choses. Nous étions soucieux d'épargner ce sort au Parti libéral du Canada.

Il fallait donc, j'en étais convaincu, faire une politique de centre gauche qui diviserait l'Opposition en deux camps: conservateurs et créditistes d'un côté, néo-démocrates de l'autre, tout en m'appuyant à l'occasion sur les conservateurs pour faire adopter des mesures refusées par le NPD. Il se créerait ainsi entre les deux un passage que je comptais emprunter, le temps venu, pour aller demander à l'électorat de restaurer notre majorité. À moitié en blague, je racontais au caucus du parti que c'était là la stratégie mise en œuvre par Napoléon 1er à la bataille d'Austerlitz; il avait divisé les deux empereurs qu'il avait devant lui, d'abord en endormant leur méfiance par une longue retraite, ensuite en attirant l'une des deux armées dans un marais, pour gêner ses mouvements. Fonçant alors au centre, ses forces avaient anéanti successivement l'armée autrichienne et l'armée russe.

C'est ainsi que le gouvernement minoritaire nous permit de faire adopter par le Parlement plusieurs législations sociales au profit des citoyens canadiens les moins favorisés, telles l'augmentation et l'indexation des pensions de vieillesse, ainsi que la bonification de l'assurance-chômage, et de créer plusieurs institutions pour consolider l'autonomie du Canada, telles Petro-Canada, en réaction au choc pétrolier de 1973, et l'agence de révision des investissements étrangers. Il me permit aussi de remettre en lumière certains de nos objectifs fondamentaux, par exemple l'instauration d'un bilinguisme institutionnel dans le gouvernement fédéral.

D'aucuns avaient pris pour acquis que notre quasi-défaite de l'automne 1972 était due pour une grande part à cette politique des langues officielles. D'après un commentateur éclairé du Parti conservateur, M. Dalton Camp, nous avions «perdu nos électeurs» parce que la «persistance et la pénétration croissante du bilinguisme

Même si mes relations avec Indira Gandhi devaient plus tard se refroidir, à cause de l'usage fait par l'Inde du réacteur Candu, Margaret et moi étions heureux de la rencontrer à Ottawa, en 1973.

(ANC-CT)

J'accueille à Ottawa le premier ministre jamaïcain Michael Manley, en 1974. Lui et moi avons connu la joie de ce qu'il décrit, dans son livre sur la Jamaïque, Struggle on the Periphery, *comme «des relations chaleureuses». Il dit de moi: «Par instinct et par formation, il croit que les meilleurs espoirs de l'humanité résident dans la raison, la persuasion, le compromis et l'art de comprendre le point de vue des autres. À ces qualités s'ajoutent la largeur de vues et le sens de l'histoire qui font les vrais internationalistes.» De toute évidence, une description très généreuse.*

(Canapress)

avaient éloigné les Canadiens anglais de leur gouvernement fédéral». Au vrai, je n'étais pas assuré que ce fût là la cause de notre demi-panne, mais je tenais quand même à montrer de façon claire que nous ne renoncions pas à nos objectifs majeurs. C'est pourquoi je présentai à la Chambre une résolution qui fixait 1978 comme l'année où la fonction publique fédérale devrait être devenue bilingue. Cette résolution fut votée par le Parlement le 6 juin 1973.

J'accueille Henry Kissinger, secrétaire d'État de Nixon, à Ottawa, en 1974. Dans son livre The White House, *Kissinger décrit ainsi mes rapports avec Nixon: «On ne peut pas dire que Nixon et Trudeau étaient faits l'un pour l'autre... Trudeau éveillait infailliblement l'animosité du président contre les «swells» qui, d'après lui, l'avaient toujours snobé. Il n'avait que dédain pour l'évident plaisir que Trudeau éprouvait en société; il avait tendance à le considérer comme un mou en matière de défense et dans son attitude générale à l'égard de l'Est. Et pourtant, quand ils se retrouvaient, Trudeau ne manifestait pas la moindre condescendance à l'égard de Nixon et celui-ci accordait à Trudeau respect et attention. Aucune tension visible n'affectait leur collaboration.»* (Canapress)

Visite en Chine

Chou En-lai m'a présenté une victime de la Révolution culturelle dont il avait favorisé la réhabilitation. Son nom: Teng Hsiao-ping. Il est devenu depuis le leader suprême de la République populaire de Chine. (ANC-CT)

Escortés par Chou En-lai, nous avons visité plusieurs des hauts lieux de la Chine. (ANC-CT)

Chou En-lai (deuxième à gauche), Mao Tsê-tung et les interprètes, au cours de ma visite en Chine. (ANC-CT)

Avec Chou En-lai, je passe en revue la garde d'honneur, à notre arrivée, en 1973.
(ANC-CT)

«Que cent fleurs s'épanouissent» (comme les drapeaux canadiens). La foule nous fait un accueil «spontané», à moi, à Margaret et aux autres membres du groupe canadien.
(ANC-CT)

(ANC-CT/Robert Cooper)

Ma première visite officielle en Chine remonte elle aussi à la période du gouvernement minoritaire. Le 10 octobre 1973, je pris l'avion pour Beijing, toujours accompagné de Margaret, cette fois enceinte de notre deuxième fils. J'eus une longue rencontre avec Mao Tsê-tung. Puis nous passâmes deux jours à voyager en province avec le premier ministre Chou En-lai. Celui-ci devait ensuite, pendant deux autres jours, nous confier à une victime de la Révolution culturelle dont il avait entrepris la réhabilitation: Teng Hsiao-ping, devenu depuis le grand maître d'œuvre du gouvernement de la Chine.

* * *

Quand nous sommes rentrés de Chine, neuf mois nous séparaient encore du dénouement qui nous menaçait depuis la perte de notre majorité, en 1972: une défaite en Chambre.

Personnellement, je ne redoutais pas cette échéance. Comme je l'ai noté plus haut, la direction d'un gouvernement minoritaire est certes inconfortable à plusieurs égards mais elle s'était révélée excitante, voire passionnante en raison même des tensions et des difficultés auxquelles elle nous confrontait. De plus, je l'ai noté aussi, le bilan de ces deux années ne m'inspirait aucune honte, au contraire. Et je n'étais pas le seul à le juger positif; il ne manquait pas d'observateurs pour vanter la politique que nous avions menée depuis l'automne de 1972. J'étais donc prêt à retourner devant le peuple, pour solliciter un nouveau mandat, dès que les partis d'opposition commettraient l'erreur de se liguer contre nous. Je me demandais même s'il ne fallait pas inciter nos adversaires à commettre cette erreur…

Mais cela est une autre histoire que je raconterai plus loin.

Chapitre III

1974 - 1979
VICTOIRE ET DÉFAITE

L'épisode du gouvernement minoritaire issu de l'élection d'octobre 1972 avait été pour moi une expérience excitante; il fallait lutter pour survivre, jour après jour, et la question restait posée en permanence, comme une épée de Damoclès au-dessus de nos têtes: serions-nous encore au pouvoir le lendemain matin? Ce mode d'existence «concentre admirablement l'esprit» et excite l'imagination. Résultat: je prenais plus de plaisir à la politique et j'avais moins tendance à me prendre moi-même au sérieux. Conscient de ma défaite encore récente, je savais qu'il me faudrait livrer un dur combat si je ne voulais pas subir un second échec à l'élection suivante.

Au printemps de 1974, le temps était venu d'aborder une autre phase de cette lutte. Nous savions alors que nous avions retrouvé la confiance populaire; nous pouvions désormais envisager avec assurance un nouveau scrutin. Aussi, plutôt que de céder à la tentation de la passivité et de nous dire: «Bon, prolongeons la vie de ce Parlement jusqu'à ce que l'Opposition prenne l'initiative de nous congédier quand elle croira le temps venu», nous décidâmes de choisir nous-mêmes le moment et le lieu de l'affrontement décisif. Et c'est ce que nous avons fait, en tramant nous-mêmes notre défaite à la Chambre des communes.

John Turner, notre ministre des Finances, Allan MacEachen et moi nous sommes retrouvés un jour à déjeuner dans un petit salon du Cercle universitaire d'Ottawa. Turner, boursier Rhodes qui s'était fait élire au Parlement dans sa pleine jeunesse, était un politicien astucieux qui connaissait certainement notre parti mieux que je ne le connaissais moi-même. Nos rapports personnels ne furent jamais très intimes mais je crois que tous deux, nous avons fait de sérieux efforts pour nous rapprocher l'un de l'autre. À certains égards, sa conception du Québec différait de la mienne. Mais pour autant que je me souvienne, nous ne nous sommes jamais querellés, à quelque sujet que ce soit. Quant à MacEachen, que tout le monde au Cap-Breton appelait «Allan J.», je garde de lui le souvenir d'un homme assez secret, jaloux de son intimité, qu'on ne pouvait jamais connaître à fond. Un sens inné de la stratégie guidait sa conduite, à l'intérieur comme à l'extérieur du Parlement. Il vivait en politique comme un poisson dans l'eau; il s'en nourrissait! J'aimais beaucoup, chez MacEachen, son caractère imprévisible; je savais qu'il prendrait infailliblement la part du petit peuple, telle qu'il l'entendait, mais je ne pouvais pas toujours prédire dans quel sens il trancherait une question. J'appréciais hautement sa franchise qui ne dissimulait jamais les vrais motifs de ses actions; il expliquait ses choix sans détour et les raisons qu'il en donnait étaient toujours ses vraies raisons.

Allan MacEachen me fut toujours un sage conseiller. (Canapress)

Quoi qu'il en soit, lors de ce déjeuner avec Turner et MacEachen, nous avons fait exprès d'inclure dans le budget de Turner certaines mesures que nous savions inacceptables au NPD et d'autres que les tories ne pourraient jamais appuyer. En d'autres termes, nous avons mis au point un budget dont nous étions certains qu'il forcerait ces deux partis à voter contre nous. Mais nous y avons consigné aussi le type de propositions qui nous permettrait d'aller au peuple en disant: «Voyez, ces gens-là nous ont défaits alors que nous allions prendre en votre faveur telle et telle mesure. C'est la soif du pouvoir qui fait agir cette Opposition.» Et nous nous sommes présentés aux Communes, convaincus que nous serions défaits quand viendrait le moment du vote sur l'ensemble du budget.

Certains diront que cette tactique était trop politicienne, que les manœuvres de ce genre engendrent dans la population un regrettable cynisme à l'égard de la politique. Je leur répondrai qu'ils se trompent. La victoire de Napoléon à Austerlitz a-t-elle rendu cyniques les observateurs militaires? Qu'a fait l'Empereur? Il a divisé l'ennemi. Si vous ne pouvez pas faire la même chose en situation de gouvernement minoritaire, vous ne devriez pas être en politique. Manipulation? Peut-être. En 1972, parce que je m'étais complu dans la théorie, j'avais subi une quasi-défaite. En méconnaissant le rôle indispensable des «machines politiques», en omettant de répondre aux besoins des militants et de stimuler l'ardeur du parti tout entier, j'avais frôlé l'échec. Je n'allais pas commettre la même erreur en 1974. Le meilleur moyen de l'éviter, c'était de mener une campagne électorale plus vivante et centrée sur une ou deux questions seulement. Cela ne me posait aucun problème car j'aimais bien faire campagne, même si je m'abstenais de certains gestes traditionnels. Par exemple, je n'embrassais pas les bébés; je préférais embrasser leurs mères. Je ne pratiquais pas non plus la tape dans le dos ni sur aucune autre partie de l'anatomie humaine. Mais j'aimais que des loustics interrompent mes discours, ce qui les rendait plus vivants. J'aimais être entouré de nos partisans parce qu'ils avaient l'air heureux. J'aimais aussi les bains de foule, pourvu qu'ils ne durent pas trop longtemps. Je crois que les organisateurs de mes campagnes se rendaient compte du nombre exact d'heures et de minutes que je pouvais passer chaque jour au milieu d'une foule. Au-delà de cette limite, arrivait un moment où cela ne me plaisait plus du tout. Aussi, pour éviter que je commence à grimacer, à devenir bourru, ils devaient alors interrompre l'exercice.

Une autre différence importante devait marquer la campagne de 1974; pour la première fois qui devait être la seule, ma femme y prit une part active. Dès le début, alors que nous faisions campagne à bord d'un train qui traversa les Maritimes en revenant vers Montréal, j'avais le plaisir d'y être accompagné par Margaret et notre deuxième fils encore bébé. Je ne sais pas si cette présence fut une erreur ou une bonne idée. Les gens voulaient la voir. Il lui arrivait de prendre la parole et ses discours étaient appréciés. Je crois qu'auprès du public, sa contribution à la campagne fut un succès. Je ne saurais affirmer que l'idée de sa participation me souriait beaucoup mais j'étais disposé à en faire l'expérience. Une fois n'est pas coutume; ce fut là une exception.

La plupart du temps, je maintenais une barrière infranchissable entre ma vie privée et mon activité politique. Chaque matin, en partant pour le Parlement ou le bureau, je laissais à la maison mes problèmes de famille. De même, avant de rentrer chez moi à la fin de la journée, je m'efforçais de laisser au bureau tous mes soucis de premier ministre. Je ne tolérais pas que les problèmes politiques empoisonnent ma vie familiale. Quand je jouais avec mes enfants, le personnage du premier ministre me devenait même étranger, comme s'il se fût agi d'une autre personne. Je me souviens d'avoir pensé alors: «Le premier ministre fait certaines choses mais moi, j'ai d'autres occupations.» Et je ne m'arrêtais pas une seconde aux bêtises que j'avais pu commettre pendant la journée, ni aux incidents malheureux qui s'étaient produits au Parlement, ni à la défaite en Chambre ou à l'échec éventuel d'une politique. Je ne revenais à de tels soucis qu'après le petit déjeuner, le lendemain matin, une fois bien réveillé, une fois les enfants partis pour l'école. Cette attitude quasi schizophrénique m'était d'un grand secours.

Il se peut toutefois qu'à mon insu, la vie politique ait parfois déteint sur la vie familiale. C'était sans doute inévitable car l'un des problèmes de la politique, c'est qu'elle ne fait pas toujours la vie facile à l'épouse ou au conjoint. L'homme ou la femme engagés sont tout entiers accaparés par le combat qu'ils mènent dans l'excitation indissociable de toute lutte. Mais le membre du couple qui doit rester à la maison avec les enfants, sans prendre aucune part à l'action, ne perçoit que les mauvais échos de cette lutte et ne peut y prendre aucun plaisir. De plus, j'étais pour ma part un néophyte dans les deux domaines, familial et politique. Je m'étais marié tard, nos trois fils, Justin, Sacha et Michel, étaient arrivés assez tôt et je devais m'initier au rôle d'époux et de parent en même temps que j'apprenais le métier politique. Le défi me dépassait peut-être et je ne peux pas hélas! me vanter d'une réussite exceptionnelle.

Mais revenons à la campagne électorale de 1974. Notre projet de la mener avec vigueur, en fixant l'attention sur une ou deux questions précises, se réalisa plus aisément que nous ne l'avions prévu. C'est M. Stanfield, le chef conservateur, qui en facilita l'exécution en choisissant lui-même le thème principal: gel puis contrôles gouvernementaux des prix et des salaires, dont il se fit l'avocat. Il commettait ainsi l'erreur du général qui déploie son armée en position exposée, laissant le champ libre à son ennemi pour la canarder de toutes parts.

J'attaquai tout de suite en disant: «Attention! La première crise pétrolière déclenchée par l'OPEP date de quelques mois à peine. Le prix de l'énergie semble en voie de grimper jusqu'aux nuages. Comment pourrez-vous en contrôler la croissance? Comment allez-vous geler des prix qui sont établis au Moyen-Orient par le cartel de l'OPEP? Allez-vous leur crier "Zap! vous êtes gelés" et refuser de payer un sou de plus pour leur pétrole? Ça ne sera pas très efficace!»

J'eus tôt fait de me rendre compte que cette façon d'attaquer mordait sur l'opinion et enfonçait l'ennemi dans la boue du champ de bataille. Pour un leader de l'Opposition, être placé sur la défensive est toujours un désastre. Cela le force à défendre ses propres propositions au lieu d'attaquer le gouvernement et d'en dénoncer les méfaits. Quant à moi, mon message était simple et faisait un bon usage tactique de l'erreur commise par l'adversaire. Mais nous devions plus tard en payer le prix quand, une fois réélus, nous avons nous-mêmes imposé les contrôles, à la fin de 1975. Pour notre malheur, nous n'avons pas su justifier ce revirement qui s'expliquait pourtant par la différence énorme qui distinguait la situation de 1975 de celle qui avait eu cours un an et demi plus tôt, pendant la campagne électorale. Dans ce premier cas, en 1974, l'OPEP fixait les prix hors de notre portée; nous ne pouvions absolument pas les geler, à moins de renoncer à tout achat de pétrole, ce qui nous était impossible. Dans le second cas, un an et demi plus tard, ce n'étaient plus les pays de l'OPEP mais les prévisions, les attentes et les craintes de la population canadienne qui provoquaient l'inflation. Mais nous n'avons pas réussi à faire clairement comprendre la différence entre les deux crises et c'est notre crédibilité qui en a souffert. Toutefois, en 1974, je m'en suis tenu à ma ligne d'attaque contre M. Stanfield et j'ai remporté l'élection.

Album de famille

Ce fut ma dernière campagne contre Bob Stanfield, un adversaire que je respectais et que j'aimais bien. J'avais parfois le sentiment qu'il était injustement traité, indirectement par moi-même et plus directement par les médias. C'était un homme intelligent, réfléchi et doux. Quand il se montrait agressif, comme chef de l'Opposition, je sentais qu'il jouait là un rôle, parce que cela faisait partie de ses fonctions, mais que l'agressivité ne lui était pas naturelle. À certains égards, je profitais, me semble-t-il, d'un avantage injuste que j'avais sur lui. Il avait été appelé à la tête de son parti pour y remplacer John Diefenbaker, l'homme des perpétuelles bourrasques. Les conservateurs l'avaient choisi pour des raisons précises, à l'automne de 1967. Mais dans l'esprit du public, ces raisons avaient déjà perdu leur pertinence quand je fus moi-même élu à la tête de mon parti. Le Canada d'alors n'était plus d'humeur à voter pour un père tranquille. Les gens voulaient un homme nouveau, capable de dissiper l'image d'impuissante gaucherie qu'on se faisait alors des parlementaires. Or, s'il avait été pour la Nouvelle-Écosse un bon premier ministre, calme et compétent, M. Stanfield restait quand même un politicien de la vieille école.

Je crois qu'au total, les médias lui faisaient un mauvais sort, ce qui ne me plaisait guère. Car s'il est vrai que j'aimais gagner, vaincre un adversaire aux mains liées derrière le dos ne me comblait pas du tout. C'est pourquoi je trouvais injuste que les médias fissent si grand cas, par exemple, de la célèbre photo qui illustrait la maladresse du chef de l'Opposition aux prises avec un ballon de soccer, alors que cette gaucherie faisait suite à plusieurs coups bien réussis.

Ce qui me séparait de lui était de nature purement idéologique. Je croyais, par exemple, qu'il faisait erreur en parlant du Canada comme d'un pays composé de deux nations. J'ai toujours été en désaccord avec les Canadiens anglophones qui se croient obligés de renoncer à leur propre jugement quand ils entreprennent, comme ils disent, de «comprendre le Québec». Et je crois que M. Stanfield, parce qu'il connaissait mal le Québec, était victime de cette tendance. Or, nous étions entrés en politique, mes amis et moi, pour faire la preuve que les Canadiens français valaient bien les autres Canadiens et n'avaient nul besoin d'être isolés dans le ghetto du statut particulier ou celui des deux nations.

C'est également en 1974 qu'apparurent sur la scène, dans notre parti, plusieurs nouveaux stratèges en matière électorale. Je pense à Keith Davey, Jim Coutts, Tom Axworthy, Jerry Grafstein et Martin

Goldfarb. Ils vinrent se joindre à Marc Lalonde et à Jean Marchand qui jouaient ce rôle, depuis 1968, à la tête de notre équipe. Pendant la campagne de 1972, Keith Davey m'avait écrit une lettre dans laquelle il condamnait mon attitude et ma démarche électorales de cette année-là. Il me prédisait même avec exactitude plusieurs des conséquences désagréables qui allaient en résulter. Après notre quasi-défaite, je nommai Keith à la présidence de la campagne à venir et c'est lui qui recruta en grande partie la nouvelle équipe. Peu de temps après l'élection, j'invitai le comité de la campagne à dîner au 24 Sussex pour leur dire ma gratitude. Au cours du repas, je leur racontai l'histoire de mon père, conservateur militant, et de la «machine électorale des libéraux» qu'il exécrait, à cause des victoires répétées que lui devait Mackenzie King. Je fis bien rire mes convives en avouant que par la suite, et pendant des années, j'avais cru que le Parti libéral possédait un énorme engin magique qui sifflait, ronchonnait et projetait assez d'étincelles pour attirer les électeurs. Mais ils s'esclaffèrent plus bruyamment encore quand Jean Marchand m'interpella: «Comment, Pierre, ils ne te l'ont pas encore montrée?»

L'élection de 1974 inaugura un lustre entier de turbulence qui devait durer jusqu'à la toute fin du mandat. Au cours de ces cinq années, nous avons dû affronter des défis majeurs, aussi bien dans le domaine économique qu'en politique étrangère ou dans le débat sur l'unité canadienne. Et pour moi, ces années-là furent marquées par de grandes difficultés d'ordre familial. En 1977, Margaret et moi décidâmes de nous séparer. Puis, en 1984, nous avons divorcé. Toute personne qui a connu l'échec d'un mariage (même sans la présence de trois jeunes enfants et même sans les feux de la rampe que l'opinion publique tenait braqués sur nous) comprendra que je m'abstienne ici de tout commentaire.

Les célébrations terminées, après notre victoire électorale, le gouvernement s'imposa une retraite qui apparut peut-être aux yeux du public (et certainement à ceux des médias) comme un véritable temps mort. De fait, nous étions très occupés mais pas de façon visible pour les témoins de l'extérieur. En gros, il s'agissait une fois de plus de mon obsession bien connue relative aux contrepoids. Pour faire équilibre à l'épisode frénétique du gouvernement minoritaire et de la campagne électorale très agitée que je venais de vivre, je sentais le besoin de réfléchir, dans le calme, sur l'avenir du pays et du gouvernement. Mais je ne voulais pas que cette réflexion se prolonge trop, aux dépens de l'action. Je me disais: «Maintenant que nous

Deux fidèles lieutenants: Tom Axworthy (à gauche) et Jim Coutts.

(J.-M. Carisse)

sommes de nouveau majoritaires en Chambre, je ne vais pas répéter mon erreur de 1968 et jouer les rois philosophes. Mais je vais tout de même faire les choses avec sérieux, comme je crois qu'elles doivent être faites.» Cela signifiait consacrer les cinq ou six mois suivants à l'élaboration d'un programme et d'un calendrier de mise en œuvre, pour les quatre années à venir.

C'était là peut-être une erreur, car cet intermède nous a fait perdre notre élan et a déçu le public auquel la campagne électorale avait fait espérer que nous allions immédiatement nous plonger dans l'action. Mais à la tête d'un gouvernement minoritaire qui doit se battre jour après jour pour seulement survivre, on n'a guère le temps de planifier en détail ce qu'on se propose de faire en cas de réélection. Je me suis donc lancé dans un processus assez fastidieux qui consistait à déléguer mes adjoints auprès des ministres pour s'enquérir des priorités de chacun et pour en dresser une liste par ordre d'importance. Je note en passant que nous avions, dans ce Cabinet, des ministres très compétents.

Nous avons ensuite répété la même démarche auprès des militants clés du parti. Je tentais ainsi un retour vers la démocratie de participation. Je tenais moi-même pour prioritaires trois ou quatre objectifs principaux, mais je savais que le gouvernement dans son ensemble devait poursuivre au moins, et simultanément, vingt ou trente buts bien précis. Mes consultations visaient à les définir.

L'opération se déroula presque sans accroc et nous dota de stratégies utiles pour l'avenir mais le problème, c'est qu'au terme de l'opération, la conjoncture économique n'était plus du tout la même.

L'inflation, qui nous préoccupait déjà avant l'élection de 1974, était devenue quasi galopante et le chômage n'en continuait pas moins de s'aggraver. Pour la première fois, les pays industrialisés découvraient qu'ils pouvaient souffrir en même temps de l'inflation et du chômage. Il s'agissait d'un phénomène nouveau, baptisé depuis du nom de *stagflation*. Aucun économiste, où que ce soit dans le monde, n'avait mis au point une recette éprouvée pour s'attaquer simultanément à ces deux problèmes. La raison en est simple, c'est que le remède économique à l'inflation est précisément l'opposé du remède au chômage. Brusquement, nous nous retrouvions confrontés aux deux problèmes à la fois. Forcés par la nécessité d'agir dans l'immédiat, nous avons dû mettre de côté les plans pour le long terme que nous venions d'établir avec tant de soin. Résultat: dans les années qui suivirent l'élection de 1974, je n'avais plus le choix; il m'a fallu consacrer à la gestion de l'économie une part croissante de mon temps.

En un sens, cette occupation n'était pas pour moi une nouveauté. Comme je l'ai mentionné plus haut, dès l'époque de mes études universitaires les questions économiques étaient devenues l'un de mes principaux centres d'intérêt. Et très tôt, je m'étais rendu compte que les notions de justice et de liberté, reliées à la possibilité pour chaque personne de s'épanouir à la mesure de ses talents, toutes valeurs auxquelles j'attachais une importance fondamentale, n'avaient aucun sens concret à moins d'être soutenues par les moyens économiques correspondants. Où est la justice dans un pays qui assure à l'individu la liberté théorique d'un épanouissement total mais qui, en tolérant des clivages économiques extrêmes, lui refuse les ressources indispensables à la poursuite de cette fin? De fait, la liberté absolue engendre l'inégalité entre les forts et les faibles, entre les riches et les pauvres, entre les malades et ceux qui jouissent d'une bonne santé. Les nantis fréquentent les meilleures écoles, bénéficient des meilleurs soins médicaux; ils ont des amis influents, ils en mènent large dans la société. Tandis que les pauvres et les faibles... Si une partie des coureurs sont boiteux, la course ne peut pas être équitable.

Dès mes années de collège, ce problème d'équité s'est posé à moi en des termes très personnels, car j'étais moi-même en cause. Plusieurs des camarades avec qui j'étais en concurrence étaient arrivés

Travail, loisirs et voyages

En visite chez les travailleurs du grand projet de la Baie James, en 1975. (ANC-CT)

Du ski en Bavière, 1975... (ANC-CT)

... et le plaisir d'une autre tradition bavaroise. (ANC-CT)

à Brébeuf quand le collège Saint-Ignace, fréquenté celui-là par des fils de familles démunies, venait de fermer ses portes. Chez eux, dans les logis ouvriers, ils devaient s'installer à la table de la cuisine pour faire leurs devoirs, pendant que leurs mères préparaient le souper et que leurs frères et sœurs plus jeunes couraient autour. Je me trouvais injustement privilégié, moi qui disposais pour mon travail d'une chambre où je pouvais m'isoler. J'avais l'ambition de devenir le premier de ma classe mais je ne voulais pas devoir ce succès à des avantages particuliers. Il n'y a pas de concurrence honnête quand certains jouissent de privilèges dont les autres sont privés.

À ce sujet, je garde le souvenir d'une histoire de Saint-Exupéry dont la lecture, à l'époque, m'a fortement impressionné. À bord d'un train qui ramenait vers la Pologne de nombreux immigrants chassés de France par le chômage, Saint-Ex avait remarqué les grands yeux tristes d'un bel enfant qui voyageait dans le même wagon que lui. Et soudain, la pensée lui est venue que ce garçon possédait peut-être le même talent que Mozart mais qu'il n'aurait jamais la chance de le développer. De toute évidence, ses parents étaient pauvres; ils n'avaient presque rien à manger. Leur fils ne pourrait donc jamais apprendre la musique. Saint-Exupéry avait intitulé son histoire: «Mozart assassiné». Je me souviens d'avoir pensé que nous devions, dans notre pays, cesser d'assassiner nos petits Mozart, qu'il fallait offrir à tous les Canadiens l'occasion de développer à fond tous leurs talents.

Pendant mes études des années 40, j'allais creuser cette notion d'équité personnelle pour l'intégrer à une théorie du rôle de l'État dans l'économie. Avant mon départ pour Harvard, je n'avais qu'une pensée très conventionnelle en matière économique: le monde des affaires produisait les biens et services et l'État s'occupait de créer un milieu favorable à cette production. Je n'allais guère plus loin. Mais pendant mes études post-graduées, je m'avisai du besoin d'établir un équilibre entre le rôle de l'État et celui du secteur privé. Il faut un État suffisamment fort pour faire contrepoids à la recherche du profit et pour assurer que la richesse, une fois produite, soit équitablement distribuée; dans le sport, tout le monde sait qu'il ne saurait y avoir de franc jeu sans la présence d'un arbitre. L'État doit donc jouer un rôle actif en s'assurant qu'il existe un équilibre entre les parties constituantes de l'économie, c'est-à-dire entre producteurs et consommateurs.

Détente au pied d'une chute guyanaise, 1975. (ANC-CT)

Au pays, ralliement des troupes. Les organisateurs craignaient-ils que l'auditoire ne saisisse pas le nom de l'orateur? (ANC-CT)

À mon avis, la pratique récemment instaurée dans plusieurs pays qui consiste à exalter les vertus du marché libre, tout en affaiblissant le rôle de contrepoids assumé par l'État, n'a pas obtenu, je crois, un succès remarquable. En voyant le thatcherisme, le reaganisme et plus tard le mulroneyisme portés aux nues, même dans les pays de l'Est européen, j'ai eu le sentiment qu'on faisait là une très, très grave erreur. Si la liberté des marchés constitue certainement, du point de vue économique, le meilleur moyen d'assurer une utilisation efficace des ressources, on ne saurait se fier à cette liberté, laissée à elle-même, pour faire une distribution *équitable* des richesses ainsi produites. En d'autres termes, on peut faire confiance aux forces du marché pour assurer le bon fonctionnement de l'économie. Mais cette confiance ne contribuera pas toujours au bien de la société, à moins qu'on ne l'accompagne des moyens nécessaires au contrôle effectif des excès engendrés par le même marché libre.

Cela ne devrait plus faire aucun doute depuis les révolutions industrielles qu'a connues l'Europe au cours du XIXe siècle. La lecture de Zola nous renseigne très bien sur les excès commis en France, et la lecture de Dickens sur les excès britanniques. Nous connaissons la misère des enfants d'ouvriers condamnés au travail dans des conditions abominables et nous savons tout ce qui s'ensuivait. C'est le système du marché libre et du laisser-faire absolu, alors que l'État s'abstenait d'intervenir, qui donnait lieu à toutes ces horreurs. C'est pourquoi j'ai toujours pensé que le rôle de l'État et mon rôle personnel d'homme politique étaient de nous faire les interprètes de ceux qui n'ont pas de voix. Et j'ai tout de suite compris qu'on commettait une grave erreur en fonçant tête baissée dans l'abolition de tous les règlements pour s'en remettre aux seules forces du marché, négligeant ainsi les exigences de la justice. Toutes les misères que nous a values la déréglementation: scandale des *Savings and Loans* aux États-Unis, abus des obligations-camelote *(junk bonds)*, production de capital de papier en lieu et place de biens et de services authentiques, peut-être même la mauvaise période économique que nous traversons actuellement, tout cela établit clairement que les forces du marché sont incapables, à elles seules, de réglementer la vie économique. Au lieu de la «main invisible» d'Adam Smith, il faut la main visible d'hommes politiques qui définissent clairement leur objectif: l'édification d'une société humanitaire, capable de compassion.

Pendant mes années comme premier ministre, je me suis toujours efforcé de mettre en vigueur cette notion de justice sociale.

Notre politique des régions, y compris la création d'un ministère de l'Expansion économique régionale, dont Jean Marchand fut le premier titulaire, visait à égaliser les chances entre les diverses parties du territoire; notre politique sociale tendait à l'égalité des chances entre individus. Nous avions eu pour première tâche de consolider et de financer les grandes réformes de politique sociale amorcées par Lester Pearson. À cette fin, nous avons renversé l'ordre des priorités gouvernementales, dès 1969, et gelé pour trois ans les dépenses militaires tandis que nous augmentions le budget du Bien-être. Pour maintenir l'efficacité des mesures existantes à ce dernier chapitre, nous avons voulu renforcer le filet de la sécurité sociale et protéger contre l'inflation le revenu réel des Canadiens, en indexant les prestations et la grille des impôts. Non contents de conserver l'héritage Pearson, nous avons étendu le rôle de l'État dans trois domaines en particulier: l'assurance-chômage, la politique familiale et les revenus du troisième âge.

Mais la justice sociale est plus facile à établir en période de croissance économique. Or, après l'élection de 1974, cette croissance connut un temps mort. De 1947 à 1973, le monde industrialisé avait connu un âge d'or presque ininterrompu. Dans les années 50 et 60, la productivité avait crû au rythme de 3 p. 100 par année, ce qui avait permis au revenu moyen des familles de doubler en moins de trente ans. Mais à compter de 1973, la productivité chuta vers le taux annuel d'environ 1 p. 100. Les augmentations successives des prix du pétrole provoquées par l'OPEP, c'est-à-dire par les deux crises du pétrole, la première en 1973 et la seconde en 1979, eurent pour effet de déstabiliser l'économie mondiale, de faire exploser l'inflation et d'aggraver partout les tensions sociales et politiques. Tout le monde se sent plus optimiste, plus généreux et plus confiant quand les revenus sont à la hausse. Quand ils stagnent, c'est la peur qui prend le dessus. Avec le déclin de la confiance qu'on accordait jusque-là aux gouvernements, la recherche du gain personnel devint la force motrice non seulement de l'économie mais de la société tout entière. La *love generation* (génération de l'amour) des années 60 faisait place à la *me generation* (génération du chacun-pour-soi) des années 80.

Pendant nos deux années de gouvernement minoritaire, entre 1972 et 1974, nous avions adopté toute une série de mesures progressistes telles l'indexation des niveaux de taxes, l'augmentation des allocations familiales et la création de Petro-Canada. Toutes ces dispositions furent mises en œuvre avec l'appui du NPD et de son leader

David Lewis. Bien avant d'entrer moi-même en politique, j'admirais déjà David Lewis, son intelligence et ses dons oratoires exceptionnels. Mais après quelques mois de face-à-face dans la Chambre des communes, cette admiration ne m'a pas empêché de constater qu'il n'était pas davantage immunisé contre la «politique politicienne» que la plupart d'entre nous!

Après l'élection de 1974, l'inflation devint graduellement notre principal souci. En 1973 et plus tard encore, pendant la campagne électorale, l'inflation restait attribuable à des facteurs étrangers, c'est-à-dire que la montée des prix était causée par des chocs pétroliers successifs venant du Proche-Orient. Mais plus tard, les attentes et la méfiance des Canadiens eux-mêmes prirent le relais. Les gens se disaient: «Tous les prix vont grimper à la suite de ceux du pétrole que l'OPEP va encore augmenter. Il faut donc que j'augmente le prix de mes produits avant de les mettre en vente» ou encore «Il faut que j'exige des augmentations de salaire, avant de signer mon contrat de travail, pour faire face à une hausse inévitable du coût de la vie». Ces propos décrivent bien l'attitude des hommes d'affaires et du mouvement syndical de l'époque, celle des épargnants aussi: «Les taux d'intérêt évoluent à la hausse, disaient ces derniers, je dois donc garder mon argent jusqu'à ce que je puisse en tirer, par mes prêts, le maximum de revenu.» Évidemment, quand les prêteurs se mettent à compter sur des taux d'intérêt plus élevés, l'inflation s'aggrave d'autant. Et la même chose se produit, par l'effet boule de neige, quand l'ensemble de la population commence à craindre la montée des prix et des salaires. Il fallut donc que John Turner, ministre des Finances, appuyé par moi-même et par un Conseil des ministres unanime, s'applique à gérer cette situation nouvelle. Plusieurs membres du Cabinet, dirigés par Turner, multiplièrent les rencontres avec une foule de leaders, tant du patronat que du mouvement syndical, pour les inciter à modérer volontairement leurs exigences. Mais sans succès.

Si bien qu'un an plus tard, à l'automne de 1975, nous n'avions plus devant nous que trois options. La première consistait à poursuivre la politique suivie jusqu'alors, c'est-à-dire continuer d'exhorter patrons et syndiqués à la modération volontaire. Mais l'inflation avait fait un bond. Elle atteignait, en 1975, le taux annuel de 10,8 p. 100 et menaçait d'échapper complètement à notre contrôle. La deuxième option aurait consisté à provoquer une récession par des mesures monétaires et des restrictions draconiennes. Mais c'est en refusant de s'engager dans cette voie que le Canada venait tout juste

Au moment de préparer le budget, avec John Turner, ministre des Finances, en juin 1975, c'est l'inflation qui nous préoccupait le plus.
(Canapress)

d'échapper à la récession de 1973-1975. Et maintenant, avec un taux de chômage qui atteignait déjà 7 p. 100, nous étions d'avis qu'une récession provoquée par des moyens politiques se révélerait trop coûteuse. Enfin, c'est le contrôle des prix et des salaires qui s'offrait comme troisième solution. Jusqu'alors, le ministère des Finances s'était opposé aux contrôles parce que l'inflation nous venait de l'extérieur. Or, à l'automne de 1975, comme la politique de modération volontaire s'était révélée inefficace, les hauts fonctionnaires des Finances commencèrent à voir dans les contrôles la seule solution valable. Mais parce que nous étions les deux politiciens libéraux les plus clairement identifiés comme critiques de Stanfield et de sa politique, Turner et moi étions d'accord sur un point: il ne fallait envisager qu'en toute dernière instance l'imposition de contrôles gouvernementaux.

Puis, quand la crise atteignit son point culminant, John Turner se présenta à mon bureau pour me présenter sa démission. Comme il n'avait donné jusqu'alors aucun signe de malaise ni de mécontentement, sa démarche me prit par surprise et me déçut grandement. À peine était-il entré chez moi qu'il me déclara tout de go: «Je pars.» «Mais pourquoi? lui ai-je demandé. Nous entamons à peine notre nouveau mandat; tu devrais rester. Pourquoi veux-tu nous quitter?» Sa réponse: «Je suis en politique active depuis 1962, trois ans de plus que vous. Et puis, j'ai une famille dont je dois m'occuper. Le moment est arrivé; ma décision est prise. J'en ai discuté dans mon entourage. J'ai même confié déjà à quelques amis et à quelques conseillers que je quittais la politique. C'est pourquoi je viens vous présenter ma démission.»

Comme je m'étais souvent répété à moi-même, surtout depuis l'arrivée de mes enfants, que je ne voulais pas rester trop longtemps en politique parce que je tenais à voir grandir mes trois fils, je pouvais comprendre ses raisons. Je lui ai dit: «John, si c'est ainsi que tu vois ton avenir, j'accepte ta démission. J'en suis peiné mais je te souhaite quand même bonne chance. Et si je puis faire quelque chose pour toi, n'hésite pas à me le faire savoir.»

On peut sans doute me dire que j'ai mal agi, que j'aurais dû me mettre à genoux pour le supplier de rester. Mais je ne voyais pas la politique de cet œil-là. Aujourd'hui encore, la notion que j'en ai est très différente. Pour moi, la politique n'est pas un jeu facile; on ne peut le jouer convenablement qu'en y mettant tout son cœur. Si, pour John Turner, le cœur n'y était plus, soit à cause de sa jeune famille, de son état de fortune ou encore parce que j'étais devenu pour lui un leader inacceptable, il avait probablement raison de quitter la politique. À ma place, un autre leader aurait peut-être eu un comportement différent mais pour ma part, j'ai toujours cru qu'un adulte, quand il a soigneusement réfléchi à son avenir, connaît mieux que personne les engagements qui lui conviennent et ceux qu'il doit refuser.

Plus tard, certains ont prétendu que Turner était parti parce que je ne l'avais pas soutenu assez activement dans sa lutte contre l'inflation. Je ne crois pas que John ait jamais déclaré rien de pareil à qui que ce soit, car je doute fort qu'il ait jamais pu avoir ce sentiment. Ces étonnants ragots m'inspirèrent, à l'époque, de relire pour vérification les procès-verbaux de nos débats à ce sujet. Or, ils témoignent qu'à travers toute la période en question, j'ai constamment encouragé Turner à poursuivre l'action qu'il avait entreprise. Si lui s'était trouvé à ma place, peut-être aurait-il invité à Ottawa, au bureau du premier ministre, les hommes d'affaires et les chefs syndicaux pour leur taper

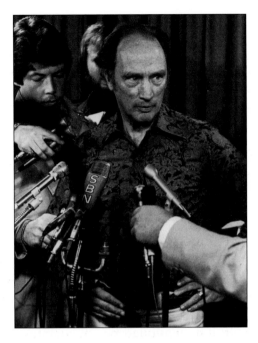

Il régnait un climat de crise après la
démission de Turner, en septembre 1975, et
je faisais face à une presse hostile.
(ANC-CT/Duncan Cameron)

sur l'épaule. Peut-être. Mais il me connaissait; il savait que je n'étais pas un adepte des tapes sur l'épaule. De plus, il le savait sûrement au fond de lui-même, vu ma profonde répugnance pour l'imposition des contrôles, je ne souhaitais rien plus ardemment que le succès de sa lutte à l'inflation par le moyen des restrictions volontaires. C'est moi qui m'étais le plus vivement opposé aux contrôles, moins de deux ans plus tôt, au cours d'une rude campagne dont ils constituaient le thème principal. Et la population, je le savais, oublierait à mes dépens que la situation économique avait changé depuis. Supposer que je n'étais pas résolu à combattre l'inflation et que je n'appuyais pas de tout mon cœur l'action d'un ministre qui venait au secours de ma crédibilité en menant une lutte sans recourir aux contrôles, c'est là une folle hypothèse inventée, je crois, par quelques journalistes à l'imagination fertile.

La démission de Turner devait alourdir l'atmosphère de crise dans laquelle nous vivions déjà. Dans nos efforts pour bâtir un consensus en faveur de la modération volontaire, nous ne nous étions pas privés de brandir devant l'opinion la menace de l'inflation galopante. Or, la démission soudaine, à ce moment critique, d'un ministre d'expérience qui avait le respect de la population, ne pouvait manquer de faire croire que la situation nous échappait. Dans une ultime tentative pour éviter les contrôles en rescapant notre politique de consensus volontaire, je désignai Donald Macdonald à la succession de Turner. Il s'était toujours opposé aux contrôles, avec la dernière énergie. S'il existait un moyen d'en éviter l'imposition, j'étais certain que Don allait le trouver. Lui et moi nous entendions à merveille depuis que nous avions fait connaissance, en 1966, quand nous étions secrétaires parlementaires. Cet automne-là, Mike Pearson nous avait délégués tous les deux à New York pour l'assemblée générale des Nations unies. Don était un lutteur redoutable, toujours franc et carré dans ses interventions. De fait, il poussait parfois la franchise un peu trop loin, dans les réunions du Cabinet. Il pouvait dire au premier ministre d'aller au diable, en des termes à peine plus gentils que ceux-là. Mais j'aimais en lui cette force de caractère. Il était très intelligent; il ne manquait pas de vigueur (il avait pour sobriquet *Thumper,* c'est-à-dire celui qui cogne dur, et pas seulement, comme on l'a méchamment prétendu, à cause de ses longs pieds); ses fonctionnaires n'allaient pas le bousculer vers l'application d'une mesure à laquelle il ne croyait pas. Mais à ma grande surprise, peu de temps après son arrivée aux Finances, il se présenta au Conseil des ministres pour nous déclarer: «Les contrôles s'imposent. Nous n'avons pas le choix.»

Il me fallut donc ravaler mes doutes et mes déclarations. Ironie du sort, c'est le jour de l'Action de grâce 1975 que j'annonçai, par le truchement de la télé, la mise sur pied d'une Commission anti-inflation. À l'imposition de contrôles directs sur les prix et les salaires, nous ajoutâmes le gel des salaires pour les membres du Parlement et de la fonction publique fédérale, ainsi que des coupures budgétaires d'un milliard et demi de dollars. Cette médecine de cheval se révéla efficace. D'un taux qui atteignait presque les 11 p. 100 en 1975, l'inflation tomba à 7,5 p. 100 en 1976 et à 7,9 en 1977. Au mois d'avril 1978, soit avant la date prévue, la Commission anti-inflation, que Jean-Luc Pépin avait présidée avec grande compétence, fut enfin abolie. Elle n'avait certes pas complètement guéri la psychologie inflationnaire des Canadiens. Mais elle avait mis fin à l'atmosphère de crise qui régnait en 1975, alors que la situation menaçait de nous échapper.

Le président Gerald Ford et moi sommes devenus de bons amis. Quand je lui rendis visite, à la fin de 1975, nous avons discuté d'économie. Dans ses Mémoires intitulés A Time to Heal, *il raconte: «D'autres chefs d'États démocratiques, en Occident, connaissaient les mêmes difficultés que moi. Lors de sa visite à Washington, le 4 décembre 1975, le premier ministre canadien Pierre Elliott Trudeau me décrivit la situation de son pays qui me parut plus pénible encore que la nôtre.»* (ANC-CT)

Comme je l'avais craint, mon gouvernement et moi-même allions payer très cher, en perte de crédibilité, cette imposition des contrôles gouvernementaux. Pour moi personnellement, le prix fut très élevé. Jusqu'alors, j'étais perçu et respecté comme un homme honnête, intègre, et non pas comme un politicien roublard capable de prêcher une ligne de conduite et d'en suivre une autre. Je mesurai l'importance des dommages en écoutant la clameur que soulevèrent, quelques semaines plus tard, des remarques plutôt innocentes formulées dans mon message de fin d'année à la télévision. Au sujet de la libre concurrence, j'avais simplement répété un truisme, à savoir que nous, les Occidentaux, n'avions pas réussi à faire fonctionner parfaitement ce système. La «société nouvelle» de l'avenir, disais-je, exigera peut-être davantage d'intervention gouvernementale, y compris l'imposition de contrôles permanents, si nous devons nous révéler incapables d'atteindre un consensus et de réduire sans contrainte nos exigences et nos espérances. Sur ce point, je citais John Kenneth Galbraith, l'économiste libéral de Harvard, issu d'une longue succession de solides libéraux sud-ontariens. Le message déclencha une vague d'hystérie dans plusieurs milieux d'affaires et quelques équipes syndicales. Je me retrouvai victime d'accusations diverses qui allaient du communisme au fascisme.

J'eus l'occasion d'exprimer plus tard à Galbraith un souhait: que mes remarques aient ajouté à ses droits d'auteur. Au cours du mois de janvier, je donnai publiquement l'assurance que je n'avais nullement l'intention de saboter le système de la libre entreprise. L'une des joies de la vie politique, c'est que les champions du milieu des affaires vous accusent continuellement de les maltraiter tandis que les chefs syndicaux vous reprochent exactement le contraire, c'est-à-dire d'être «du bord des hommes d'affaires» et injustes à l'égard des travailleurs. Dans une société comme la nôtre, chaque groupe a ses prétentions et les autorités politiques doivent se faufiler au milieu des intérêts en conflit pour déterminer où réside l'intérêt public.

Au mois d'août 1978, peu de temps après l'abolition des contrôles anti-inflation, me voici de nouveau impliqué dans une controverse à teneur économique, centrée cette fois sur la réduction des dépenses gouvernementales. Ce que le public et les médias en ont retenu, c'est mon apparition à la télévision, à peine rentré du sommet économique de Bonn, pour annoncer au pays des coupures de deux milliards et demi de dollars dans les dépenses du gouvernement. Parce que cette annonce suivait de très près mon retour d'Allemagne, l'interprétation suivante des faits fut bientôt mise en circulation: c'est le chancelier Helmut Schmidt qui m'avait converti à la cause de la modération et de la responsabilité en matière économique.

Serait-ce pour le seul plaisir de tuer de tels canards, il vaudrait la peine d'écrire ses Mémoires. La vérité, c'est que plusieurs mois avant mon départ pour Bonn, j'avais réuni le Cabinet et prévenu tous et chacun de mes ministres qu'ils auraient à réduire les dépenses de leurs ministères pour faire échec à l'inflation. Nous avions même fixé les objectifs que chaque département devait atteindre. Mais à mon retour de Bonn, je constatai que les ministres n'avaient identifié que 10 p. 100 des économies réclamées. J'ai donc déclaré à mon entourage: «Si personne n'est volontaire pour pratiquer ces coupures, nous allons les faire nous-

*Mon vieil ami John Kenneth Galbraith
domine de toute sa taille cette conversation à
Washington.* (ANC-CT)

mêmes.» Nous avons donc ciblé notre effort sur la somme de deux
milliards et demi que les Finances et le Trésor avaient définie comme
objectif global et nous l'avons ventilée entre les divers ministères, puis
annoncée à la télévision. Il est parfois des circonstances où il faut bouger ainsi, sans plus consulter personne.

Le malheureux inconvénient d'une action aussi soudaine (et celui qui motivait ma nette préférence pour le processus ordonné des
comités ministériels) c'est que dans le feu de l'action qu'exigeait l'as-
semblage rapide et l'annonce immédiate d'un tel ensemble de décisions, nous n'avions pas pu mêler à l'opération Jean Chrétien, alors
ministre des Finances. Nous aurions dû l'associer au processus mais
nous étions en plein été et Chrétien était absent d'Ottawa, en visite
dans sa circonscription. Je savais qu'il était d'accord sur la nécessité
de coupures radicales et ses fonctionnaires avaient travaillé à la mise
en œuvre des mesures qui s'imposaient. Mais au lieu d'en saisir le
ministre des Finances dès la toute première décision, je ne l'ai prévenu qu'au moment de l'annonce finale. Il avait donc raison de se sentir contrarié. Mais Jean Chrétien est un bon soldat, jamais démoralisé
par la tournure du combat. Nous avons eu vite fait de dépasser l'incident pour mener côte à côte de nouveaux combats.

Quant à Helmut Schmidt, il est vrai qu'il comptait pour moi parmi les hommes politiques que j'estimais le plus. Non seulement je respectais l'homme mais je le considérais comme un ami. Bien qu'il fût le chef d'un parti social-démocrate, il avait des opinions très voisines de mes idées libérales modérées. Il avait coutume de dire que je me situais plutôt à sa gauche qu'à sa droite. J'admirais en particulier la manière dont il avait réussi à maintenir vivant le contrat social allemand. Dans ses voyages, il était toujours accompagné de chefs syndicaux et de leaders du monde des affaires et voyait à ce qu'il existe entre eux de bonnes relations. Durant l'épisode où l'on crut à tort que Schmidt m'avait converti à la modération fiscale, j'avais fait de la voile avec lui sur la Baltique, nous avions relâché dans un port et j'avais ensuite pris grand plaisir à l'écouter jouer de l'orgue. Mais la seule affaire que j'aie discutée avec lui au cours de nos entretiens, c'est l'achat par l'Allemagne d'un plus grand nombre d'avions canadiens. Ma conversion sur le chemin économique de Damas n'avait donc pas eu lieu.

* * *

Il est exact qu'au cours de cette période les problèmes de l'économie canadienne ont dominé notre ordre du jour. Et pour une bonne part, ils ont rendu obsolète la planification qui nous avait coûté tant d'efforts. Mais je ne voudrais pas créer l'impression qu'ils furent alors mon unique préoccupation. À la même époque, je dus, par exemple, consacrer beaucoup d'énergie à redéfinir la place du Canada dans le monde.

Au vrai, ce n'est pas mon intérêt pour les relations internationales qui, en 1965, m'avait attiré vers la politique; à ce moment-là, je ne portais pas à ce domaine d'activité, sauf à quelques problèmes comme celui des armes nucléaires, une très grande attention. J'avais bien donné à la revue *Cité libre* quelques textes sur le sujet. Et sans doute mes voyages à travers le monde m'avaient-ils rendu conscient de l'injustice subie par les deux tiers de la population mondiale qui vivent dans la pauvreté. Mais je n'étais fasciné ni par l'étude de la politique étrangère ni par la pratique de la diplomatie, même si mon premier travail de député, en France, en Afrique et aux Nations unies, m'avait vivement intéressé. En devenant premier ministre, j'avais le sentiment que Lester Pearson, au cours de sa carrière, avait atteint un tel degré d'excellence dans ce domaine que je ne pourrais pas ajouter grand-chose à ses intuitions ni à ses actions, sauf peut-être

Allemagne, 1978

Sur la Baltique avec Helmut Schmidt dont j'ai toujours aimé la compagnie. (ANC-CT)

Échange d'idées avec Schmidt, au cours d'une réception, lors du sommet économique de Bonn, en juillet 1978.
(ANC-CT)

En revanche, les discours officiels qui dominent ce type de réunions m'ont toujours impatienté.
(ANC-CT)

L'inévitable photographie officielle. De gauche à droite, Roy Jenkins, Takeo Fukuda, Giulio Andreotti, Jimmy Carter, Helmut Schmidt, Valéry Giscard d'Estaing, James Callaghan et moi. (ANC-CT)

Les délégations allemande et canadienne se rencontrent, y compris les épouses. Don Jamieson et Jean Chrétien m'accompagnaient. (ANC-CT)

dans certains cas comme la reconnaissance de Beijing, réalisée au cours de mon premier mandat. Mais l'expérience de mes nouvelles fonctions devait m'enseigner qu'un chef de gouvernement n'a pas le choix; il doit se mêler directement de politique étrangère ne fût-ce qu'à l'occasion des différents sommets, des inévitables échanges personnels avec d'autres chefs d'État ou de gouvernement et des visites qu'il doit faire à l'étranger. Je m'appliquai donc à mieux connaître ce champ d'action et m'entourai à cette fin de collaborateurs compétents. Ivan Head, ex-agent aux Affaires extérieures, fut mon principal conseiller personnel en politique étrangère tout au cours de la décennie 70. Après le départ de Head, c'est Robert Fowler, fonctionnaire du Conseil privé, et Tom Axworthy, membre de mon bureau, qui jouèrent ce rôle dans les toutes dernières années de la décennie 70 et jusqu'à ma démission en 1984. La politique étrangère occupa graduellement une part croissante de mon horaire, surtout dans les années qui suivirent l'élection de 1974.

Provoqués par le «choc Nixon», c'est-à-dire par la décision présidentielle américaine d'imposer arbitrairement une taxe additionnelle de 10 p. 100 sur tout produit exporté vers les États-Unis, nous avions annoncé, dès 1972, l'adoption d'une nouvelle politique destinée à renforcer l'autonomie canadienne, en réduisant nos rapports de dépendance envers la république voisine. Mitchell Sharp, notre ministre des Affaires extérieures, annonça donc aux Canadiens que trois options s'offraient à eux: la première consistait à maintenir le *statu quo*; la deuxième, à nous intégrer plus intimement à l'économie américaine et la troisième, à «raffermir l'économie canadienne et certains autres aspects de notre vie nationale, afin de réduire la vulnérabilité actuelle de notre pays». Et cette dernière démarche, désormais connue sous le nom de «Troisième option», comportait elle-même trois éléments distincts: augmenter la propriété canadienne de notre économie, protéger notre culture, diversifier le commerce extérieur du Canada.

Pour renverser la tendance vers la domination américaine de notre commerce et de notre industrie, il fallut une volonté politique d'une rare fermeté. En effet, chaque phase du processus provoquait des différends avec le gouvernement des États-Unis dont l'appui aux sociétés américaines, quelles qu'elles soient, s'accompagne toujours de criailleries stridentes. L'intensification de la controverse provoquait une angoisse croissante dans le milieu canadien des affaires. Mais les mesures que nous avons prises ont quand même atteint les objectifs que nous visions. Ces dispositions étaient de plusieurs types. D'abord, les Canadiens ont profité de généreux encouragements à l'économie, tels le Régime enregistré d'épargne-retraite. Ensuite, les crédits d'impôt sur dividendes, puis la réduction des impôts sur le revenu personnel et celui des compagnies sont venus protéger leur revenu disponible. Grâce principalement à ces mesures, le taux d'épargne des Canadiens atteignait 14 p. 100, en 1983, alors qu'aux États-Unis, il stagnait à 4 p. 100. À compter de 1975, les Canadiens se mirent à exporter vers les États-Unis plus de capital-actions que les Américains n'en investissaient au Canada.

Nous eûmes recours également à certaines réglementations pour contrôler la croissance de la propriété américaine dans notre économie. Une agence fut créée, en 1973, sous le nom de FIRA, pour passer en revue tous les investissements étrangers, ce qui permettait de négocier avec les investisseurs et de nous assurer que le Canada retirerait de ces placements le plus grand bénéfice possible. J'avoue ne pas saisir ce que certains trouvent louche dans cette politique. Dans certains cas, nous avons utilisé la propriété gouvernementale directe pour arriver à nos fins, en créant des outils comme la Société canadienne de développement, qui devint propriétaire d'actifs étrangers dans nos mines et notre industrie manufacturière, et la société Petro-Canada. Plus tard, en 1980, notre Programme national de l'Énergie établissait à 50 p. 100 le plancher de la propriété canadienne dans l'industrie du pétrole. Cette politique a eu pour résultat qu'au milieu de la décennie 80, la tendance était renversée. Statistique Canada nous apprend qu'entre 1971 et 1986, la part de notre économie sous contrôle étranger fut réduite de 37 à 23,6 p. 100, et la part contrôlée par les Américains de 28 à 17 p. 100.

Pour appuyer notre stratégie de la Troisième option qui visait à diversifier nos relations commerciales avec l'étranger, je consacrai une large part de mes efforts et de mon temps à multiplier les contacts du Canada avec le monde extérieur en dehors des États-Unis. En 1974, je me rendis à Bruxelles exposer aux responsables européens l'idée d'établir un lien contractuel entre le Canada et la Communauté économique européenne. Et je retournai en Europe l'année suivante pour renouveler notre proposition. Enfin, en 1976, nous touchions au but c'est-à-dire à la conclusion d'une entente Canada-CEE qui mettait en place un comité conjoint de coopération, accordait aux deux parties le statut de nation la plus favorisée et préconisait l'échange d'hommes de science et autres participants intéressés. Sur cette lancée, à l'automne de 1976, je signai une entente similaire avec le Japon.

En période difficile, tous les leaders se sentent devenir des cibles.   (ANC-CT)

Hélas, il arrive parfois que la meilleure politique ne permet pas de réaliser les objectifs qu'on se proposait d'atteindre par sa mise en œuvre. La Troisième option, une politique tournée vers l'avenir, fondée sur la puissance croissante de l'économie japonaise et sur l'importance du nouveau marché européen, n'allait pas réussir hélas! à changer les habitudes, pour ne pas dire les routines, des exportateurs canadiens. Peut-être la tâche de modifier les décisions de milliers d'exportateurs excède-t-elle le pouvoir de n'importe quel gouvernement; peut-être aussi exige-t-elle beaucoup de temps.

De fait, après plusieurs années d'efforts, une conclusion a fini par s'imposer à moi: les hommes d'affaires canadiens ont la partie trop facile dans leurs rapports avec les États-Unis dont ils connaissent les clients potentiels, les techniques, la langue et la géographie. Quand il s'agit de commercer avec l'Asie, l'Afrique et toutes les autres parties du monde y compris même le continent européen, ils manifestent trop de paresse et pas assez d'initiative. Ce sont des entrepreneurs d'un type bien spécial. Au contraire des Américains, des Allemands ou des Français qu'on retrouve partout, même dans les coins du monde les plus éloignés de leurs territoires, c'est à coups de pied au derrière qu'il faut pousser nos hommes d'affaires vers de nouveaux marchés. À tour de rôle, tous mes ministres du Commerce international me l'ont répété. Ainsi, notre commerce a poursuivi son essor mais sans se diversifier comme nous l'avions espéré, ce qui nous a laissés tributaires de nos échanges avec les États-Unis.

Cependant, mes visites officielles à l'étranger m'ont mis en relation avec de nombreux chefs d'État et de gouvernement ce qui, en de nombreuses occasions, s'est révélé très profitable aux intérêts du Canada. Je sais que de nombreux observateurs, surtout dans les médias, exagèrent parfois l'importance des rapports d'amitié qui peuvent s'établir entre leaders politiques. Car le plus souvent, c'est l'intérêt national qui façonne, en dernière analyse, la politique de chaque État. Un leader responsable ne fera jamais passer au second rang, seulement parce qu'il vous aime bien, les intérêts de son pays. Mais les bons rapports personnels vous autorisent, par exemple, à décrocher le téléphone pour éliminer sans délai les malentendus qui peuvent se produire.

Par exemple, le souvenir me revient de deux rencontres avec Léonide Brejnev, l'un des derniers leaders de l'Union soviétique. Lors de ma première visite à Moscou, en 1971, il m'avait reçu dans une pièce de dimensions médiocres, très simplement meublée. Brejnev

Au Kremlin avec notre ambassadeur à Moscou, R.A.D. Ford, conversations officielles avec Leonide Brejnev et son ministre des affaires étrangères, Andrei Gromyko. Dans ses Mémoires, Gromyko me décrit de façon plutôt amusante comme «un homme de tact et de grande habileté... Bien qu'il eut toujours d'abondantes munitions à utiliser contre ses adversaires politiques, il évitait soigneusement les insultes personnelles. C'est une caractéristique que tout le monde remarquait. Des gens qui le connaissent bien affirment qu'il n'a pas d'ennemis personnels». Cela, je dois le dire, n'est pas l'exacte vérité. Gromyko fait encore l'observation suivante, qui sent son rideau de fer: «Bien sûr, c'est un politicien bourgeois; ses idées sont celles de la classe sociale à laquelle il appartient. Néanmoins, en matière internationale, il dépassait des épaules et de la tête les hommes d'État d'autres pays de l'OTAN qui, aveuglés par leur hostilité à l'endroit du socialisme, ne veulent ou ne peuvent pas percevoir la situation dans sa réalité.» (ANC-CT)

était le chef d'un empire alors puissant et se comportait en conséquence. Il parlait très fort et s'exprimait avec une rudesse étudiée. Mais de temps à autre, une lueur de malice éclairait son regard. Nous avions pris place de part et d'autre d'une longue table. Il me faisait face; quelques mètres seulement nous séparaient. Son regard restait braqué sur moi. Ses yeux perçants étaient surmontés d'énormes sourcils qui lui faisaient un curieux visage. Comme la mode masculine des cheveux longs régnait alors en Occident, peut-être ma coiffure, qui n'avait rien de soviétique, lui donnait-elle de moi la même impression d'étrangeté.

Toujours est-il qu'il se lança dans une longue diatribe contre le capitalisme. Comme je ne voyais aucun avantage à tirer d'une contre-diatribe sur le marxisme et le matérialisme dialectique, je le laissai poursuivre, sans l'interrompre, sa tirade passionnée sur les torts très graves des Américains et les intentions très pures des Soviétiques. Mais dès qu'il s'arrêta de parler, j'en profitai pour lui présenter une longue liste que j'avais dans ma poche. Elle comprenait les noms de trois cents familles canadiennes dont certains membres habitaient encore l'URSS et qui tentaient d'obtenir pour eux des visas de sortie. Quelques mois plus tard, la plupart de ces cas avaient été réglés et des centaines de citoyens soviétiques, hommes et femmes, avaient pu rejoindre leurs familles au Canada.

Je rencontrai de nouveau Brejnev quatre ans plus tard, en 1975, à la conférence de Helsinki sur la sécurité et la coopération en Europe. Cette conférence fut pour nous l'occasion d'exercer des pressions sur les Soviétiques en faveur des droits humains et du libre mouvement des personnes. L'entente conclue à Helsinki devait par la suite se révéler très importante parce qu'elle conférait une légitimité certaine aux dissidents d'Europe orientale, par exemple la formation tchécoslovaque dite Groupe de la Charte 77. Mais je profitai également de cette rencontre pour régler avec l'URSS un grave différend bilatéral. En effet, la flotte de pêche soviétique, avec ses vaisseaux-usines, refusait alors de se conformer à nos règlements relatifs aux quantités de poissons qu'elle pouvait capturer sur nos côtes. Or, déjà le déclin de nos stocks de poisson annonçait la crise que nous connaissons aujourd'hui. Et contre ce refus, nous n'avions qu'un recours possible: interdire nos ports aux vaisseaux soviétiques. J'avais donc décidé d'en parler à Brejnev, si l'occasion s'en présentait, pendant que nous serions tous deux à Helsinki. À la fin de la conférence, chaque délégué revenant à son siège, dans l'immense amphithéâtre, après avoir pris la parole, je profitai de la première pause pour m'approcher de Brejnev qui était installé au milieu de sa coterie, à quelques allées de nous. «Pouvez-vous me prêter l'oreille un moment?» lui ai-je demandé, par l'intermédiaire d'un interprète. Il acquiesça aussitôt. Je lui exposai donc la situation et lui déclarai en conclusion: «Si nous n'arrivons pas à régler ce problème, dès demain nous fermons tous nos ports à vos vaisseaux de pêche.» Il décrocha le téléphone de son pupitre, parla quelques minutes à ses fonctionnaires. Quelques jours plus tard, les diplomates soviétiques cessaient de prétendre qu'il leur était impossible de dicter à leurs capitaines, en haute mer, la quantité de poissons qu'ils pouvaient capturer. Et comme par hasard, après mon petit échange avec Brejnev, les capitaines soviétiques qui se trouvaient alors en mer près des côtes canadiennes reçurent sans délai le message!

Je garde aussi un très vif souvenir de ma rencontre de 1973 avec Mao Tsê-tung. Je l'avais aperçu déjà, une première fois, en 1960, alors que je dirigeais une petite délégation canadienne invitée aux défilés militaires d'octobre. Les autorités chinoises avaient convié les chefs de chaque délégation à rencontrer Mao qui nous reçut au sommet du portail de la place Tian'an Men. Spectacle inoubliable que celui du révolutionnaire de la veille, fils de paysans, désormais installé à la tête d'une véritable marée humaine. Lors de ma deuxième visite, en 1973, je n'avais pas demandé à rencontrer Mao mais mon entourage (et pour être honnête, moi aussi) comptait bien qu'on nous en donnerait l'occasion. Nous savions que le Grand Timonier se retirait de temps à autre dans un complet isolement; nous savions aussi qu'il avait des problèmes de santé. Les étrangers qui vivaient en Chine chuchotaient même qu'à quatre-vingts ans passés, il était souvent parfaitement lucide mais que parfois aussi, il n'avait pas l'esprit très présent. Serait-il en bonne santé, au moment de mon séjour en Chine, et me recevrait-il? Au cours de nos rencontres bilatérales avec Chou En-lai, un messager se présentait de temps à autre et murmurait quelques paroles à l'oreille d'une personne présente. Mais après son départ, nous faisions semblant de n'avoir rien remarqué et nous revenions à notre ordre du jour. Il arriva pourtant qu'après l'un de ces murmures, Chou En-lai me déclara brusquement: «Bien. Il faut maintenant ajourner nos discussions. J'ai autre chose à faire et vous aussi.» Sans autre explication, on m'entraîna vers la Cité interdite, à l'endroit du complexe où se trouvait la maison de Mao.

Nous entrâmes dans une pièce très sombre, dont tous les rideaux avaient été tirés. J'y aperçus un vénérable personnage au visage rond, au crâne dégarni. Il trônait dans un fauteuil, pareil à un Bouddha. À mon arrivée, il se leva pour me tendre la main et les caméras entrèrent en action. Je compris qu'on avait fermé les rideaux afin de faire place à l'éclairage artificiel des cinéastes. Nous avons ensuite pris nos sièges et nous sommes lancés dans une longue conversation dont il fut de loin le participant principal. J'étais intéressé à ses opinions sur la politique étrangère et je me souviens d'une discussion prolongée sur le Moyen-Orient. J'avais l'impression que la Chine penchait davantage vers le parti des Arabes; il me fit

1

2

3

4

1. *Selon Henry Kissinger, le Canada avait irrité Nixon en reconnaissant la Chine populaire avant les États-Unis. Il rappelle: «Cédant à son hostilité envers Pierre Trudeau, Nixon déclara que les contacts et autres communications avec les Chinois pouvaient se produire n'importe où sauf à Ottawa.»*
                                        (Canapress)

2. *Visite au Grand Timonier, Mao Tsê-tung.*   *(ANC-CT)*

3. *Chou avait le style, la prestance et le visage d'un mandarin.*   *(ANC-CT)*

4. *Chou En-lai, personnalité fascinante. Un homme vraiment aimable, une personne impressionnante.*   *(ANC-CT)*

valoir que l'Occident inclinait exagérément vers celui d'Israël et développa à mon intention une théorie des contrepoids qui m'était déjà familière. L'entretien me fit assez grande impression.

Chou En-lai avait lui-même une personnalité extrêmement séduisante. Bien que membre du gouvernement révolutionnaire de Mao et bien qu'il eût fait avec lui la Longue Marche, il avait le style d'un mandarin et présentait l'aspect, le visage et les manières de cette élite. Il était très cultivé, voire érudit. Il ne faisait étalage ni de sa culture ni de son érudition mais les mettait en œuvre dans la discussion de chaque sujet abordé. Autant que j'ai pu en juger au cours de nos rencontres, c'était une personne aussi aimable qu'influente au sein du gouvernement chinois.

Il arrivait aussi que le face-à-face avec un leader étranger établisse un bon rapport entre les interlocuteurs sans toutefois rapprocher les façons de penser respectives. La première fois que j'ai rencontré Fidel Castro, lors d'une visite officielle à Cuba, en janvier 1976, j'ai découvert un aspect de l'homme que ses harangues enflammées ne laissaient pas deviner. Ma femme Margaret et Michel, le plus jeune de nos fils, encore bébé, m'accompagnaient dans ce voyage et Castro nous invita tous les trois à passer une journée avec lui sur une île, dans une petite maison dépourvue de tout luxe. Nous pratiquâmes ensemble la plongée sous-marine. Grand fumeur de cigares, il était tout de même un excellent plongeur. Il pouvait descendre à trente ou quarante pieds de profondeur et retenir son souffle pendant une minute entière, en attendant l'arrivée des poissons. Son élocution, en privé, contrastait très vivement avec le ton de ses discours de tribun; il parlait si bas qu'il fallait se pencher vers lui pour bien l'entendre. Il donnait l'impression d'un homme réfléchi. Il n'abusait pas des monologues. Au contraire, il posait des questions, toujours disposé à un échange de vues. Ce personnage privé différait totalement de celui que le public apercevait à la tribune. Mais sous les deux aspects de sa personnalité, il exerçait un magnétisme peu commun, aussi bien comme orateur puissant que comme révolutionnaire à la voix douce, alors que seule sa longue barbe témoignait de ses opinions extrémistes.

Mais cette visite remonte à l'époque de l'intervention militaire cubaine en Angola et notre gouvernement avait sévèrement condamné l'aventure africaine des militaires cubains. Dans une atmosphère très amicale, au coucher du soleil et tandis que la lune s'élevait dans le ciel, j'eus avec Castro une discussion à ce sujet. Au Canada, nous connaissions mal la situation angolaise mais nous savions qu'il y avait là-bas des troupes cubaines engagées dans une guerre civile. Je lui posai donc la question: «Ce que vous faites là, n'est-ce pas vous ingérer dans les affaires intérieures d'un pays étranger?» Il m'expliqua qu'il s'agissait d'une démarche très différente: rien à voir avec l'intervention des Américains au Viêt-nam. Il était intervenu dans le seul but de protéger le gouvernement légitime de l'Angola contre les incursions de guérilleros appuyés par l'Afrique du Sud et certaines puissances membres de l'OTAN. Il s'appliqua surtout à minimiser l'importance de son corps expéditionnaire; il me cita des chiffres insignifiants et m'assura que ses troupes ne feraient en Angola qu'un séjour très bref, qu'elles n'étaient pas venues là pour y rester.

Cependant, de retour au Canada, j'appris que les vrais chiffres étaient de très loin supérieurs à ceux que Castro m'avait cités et que les Cubains étaient en Angola pour longtemps. En possession des vrais chiffres et vu l'intention évidente manifestée par les Cubains de prolonger «la brève incursion» dont m'avait parlé Fidel, je me dis qu'il fallait interrompre notre aide à Cuba. Jusqu'alors, nous avions continué de commercer avec Cuba et de fournir à l'île de l'aide économique, malgré les pressions constantes qu'exerçaient sur nous les Américains. Mais à cause de l'affaire angolaise, nous avons décidé d'interrompre l'aide que nous accordions à Cuba, à la seule exception des secours humanitaires. Comme je n'ai rencontré Castro que plusieurs années plus tard, je ne saurais dire comment il a réagi alors à la politique dure que nous avions adoptée. Mais je suis certain qu'elle ne lui a pas plu.

Mes relations avec Indira Gandhi ont souffert à la fois d'une absence d'atomes crochus, entre elle et moi, et d'un désaccord flagrant sur une question de première importance. J'ai d'abord fait sa connaissance dans une conférence du Commonwealth, à Londres, en 1969. J'étais alors nouveau dans le métier de premier ministre (elle l'était encore davantage) et ce fut une bien étrange rencontre. Je crois d'abord qu'elle m'a déçu par son attitude sinon renfrognée du moins marquée d'une étrange passivité et d'un quasi-mutisme. Notre première conversation fut, de son fait, ponctuée de longs silences. Entre nous deux, le courant ne passait pas très bien. Mais le souvenir encore vif de mes voyages en Inde m'inspirait un profond respect pour l'énorme responsabilité qu'elle portait. Dans les années qui suivirent, la communication est devenue plus facile, même si les questions débattues dans les conférences du Commonwealth nous trouvaient

En visite chez Castro

L'accueil officiel à notre arrivée. Aéroport international José Marti, janvier 1976. (ANC-CT)

Au même aéroport, réception moins officielle pour la famille Trudeau, y compris le bébé Michel.

(ANC-CT)

1. *Margaret et moi avons trouvé Castro amical, ennemi des formalités, un homme très différent du personnage public... et grand promoteur du plus fameux produit de son île.* (ANC-CT)

2. *Plongée sous-marine dans les eaux cubaines.* (ANC-CT)

3. *Avec Fidel Castro, excellent plongeur, un de ses collaborateurs... et un très gros poisson.* (ANC-CT)

souvent en opposition l'un à l'autre. En particulier, nous nous sommes durement querellés au sujet du réacteur Candu et de la prolifération des armes nucléaires.

Depuis 1956, le Canada transférait à l'Inde sa technologie nucléaire. Cela faisait partie de notre programme d'aide. L'un de nos principaux dons fut celui d'un réacteur nucléaire Candu destiné à la production d'électricité. Or, il nous vint un jour de sérieux soupçons en apprenant que les Indiens utilisaient du plutonium extrait de ce réacteur pour mettre au point, selon les termes de Mme Gandhi, «un engin nucléaire de paix». Je lui posai donc une question très directe: «Êtes-vous en train de fabriquer une bombe?» Elle me donna sa parole que l'Inde ne faisait rien de tel. Mais peu de temps après, en 1974, nos services décelaient une explosion de cet engin, qui ressemblait comme une sœur à un essai nucléaire classique. Les Indiens nous la décrivirent comme «une explosion nucléaire pacifique». C'était là une façon de jouer sur les mots. Elle permit à Mme Gandhi de me jurer ses grands dieux qu'il n'y avait pas de bombe en fabrication dans son pays.

Au cours d'un entretien subséquent, elle tenta une fois de plus de me rassurer en développant davantage ses explications: «C'est le type d'engin, me dit-elle, dont nous pouvons avoir besoin pour construire un barrage ou déplacer une montagne, à des fins de développement.» Mais je me suis senti trahi. Deux fois déjà, j'étais revenu sur cette question dans des entretiens avec Mme Gandhi. Il existait même une correspondance où je lui expliquais clairement que l'aide canadienne en technologie nucléaire devait servir uniquement à l'exploitation de centrales électriques et qu'il ne saurait être question que les Indiens l'utilisent pour produire le plutonium nécessaire à une explosion. Ni le gouvernement ni moi-même n'avons donc hésité une seconde à interrompre complètement toute assistance nucléaire à l'intention de l'Inde. Nous avons de plus imposé unilatéralement des restrictions sévères sur toutes nos exportations d'uranium et annoncé de nouvelles mesures très rigoureuses pour nous assurer que notre matériel nucléaire ne servirait désormais qu'à des usages pacifiques.

De même, avec Menachem Begin, mes rapports furent plutôt tendus. Au départ, sa visite au Canada, en 1978, fut l'occasion d'échanges très positifs. J'admirais la bonne volonté dont il avait fait preuve dans ses négociations de paix avec le président égyptien Anouar al-Sadate. Mais il voulut ensuite exercer des pressions pour

Menachem Begin, premier ministre d'Israël, en visite à Ottawa, novembre 1978. Il est accueilli par Barney Danson (à droite) et Don Jamieson.

(ANC-CT)

nous faire déménager de Tel-Aviv à Jérusalem l'ambassade du Canada en Israël. Bien sûr, c'eût été là un beau coup pour son gouvernement qui cherchait, par tous les moyens, à obtenir la reconnaissance internationale de Jérusalem comme ville israélienne. Je lui déclarai d'emblée que nous n'en ferions rien. Il n'était pas question pour nous d'infléchir en ce sens notre politique, puisque Jérusalem était identifiée par les Nations unies comme un territoire occupé. Là-dessus, Begin est devenu très désagréable, allant jusqu'à me dire: «Dans ce cas, je vais faire savoir à vos électeurs de Toronto que vous refusez d'appuyer Israël sur ce point.» «Vous ne leur apprendrez rien, lui ai-je répliqué, ils le savent déjà. Vous pouvez leur dire tout ce que vous voudrez mais je ne crois pas que de telles déclarations seraient très courtoises, de la part d'un visiteur, ni qu'elles puissent produire de grands effets.» Je savais que de telles démarches de sa part seraient vaines. Ma circonscription montréalaise de Mont-Royal comptait une population juive importante et je discutais volontiers avec mes commettants des questions d'Israël et de la Palestine.

Ce que Begin reçut de nous, c'est un refus catégorique. Joe Clark, pour son malheur, n'a pas fait preuve de la même sagesse; il devait plus tard s'attirer une foule d'ennuis en voulant suivre le conseil de Begin.

J'ai noté déjà que notre politique avait souvent causé des frictions entre le Canada et les États-Unis mais, pendant tout le temps que j'ai passé au poste de premier ministre, j'ai toujours entretenu de bonnes relations personnelles avec les présidents américains. Ce fut d'abord Richard Nixon, flanqué de Henry Kissinger, que je rencontrai en 1969, lors de ma première visite à la Maison-Blanche. À l'époque, je savais peu de chose de Kissinger mais je savais que Nixon avait connu dans sa carrière des succès remarquables et des échecs cuisants. Moi, le débutant, j'avais affaire à un politicien d'expérience, connu pour son astuce, de qui j'avais beaucoup à apprendre, car il connaissait mieux que moi bien des questions. Je n'ai jamais, par la suite, enregistré sur magnétophone mes conversations avec mes visiteurs mais on peut apprendre bien d'autres choses, au contact d'un homme comme Nixon.

J'avoue que ni lui ni moi ne mettions dans nos échanges beaucoup de chaleur et de sympathie. C'étaient des rencontres d'affaires. Je n'étais nullement attiré par son type de personnalité mais je ne manquais pas d'empathie pour les problèmes qu'il rencontrait, à la tête d'une des deux super-puissances de notre monde. J'avais à son égard des sentiments très divers. Chez lui, l'homme privé différait énormément de l'homme public. En public, il s'exprimait avec aisance, improvisait des toasts pleins d'à-propos ou bien, toujours très digne, se faufilait sans peine entre les questions des journalistes. Même après que les révélations du Watergate eurent gravement entamé sa réputation, il attirait les gens comme un aimant. Par exemple, je me souviens de la réception qui suivit, à Paris, les funérailles du président Pompidou. Une foule de chefs d'État et de politiciens éminents se trouvaient là mais seul Nixon était bien entouré. Cela se passait pourtant à la veille de sa démission. Même au plus creux de l'affaire Watergate, les gens se pressaient autour de lui. J'en fus témoin: il restait stoïque au milieu de ses malheurs; il exerçait encore une fascination étonnante sur les hommes d'État du monde entier.

En privé, au contraire, il restait distant, empesé et transpirait abondamment. De temps à autre, il demandait à Kissinger de clarifier certains points. À l'évidence, il n'était pas à l'aise dans sa peau. Et pourtant, dans ses fonctions officielles, il faisait preuve d'une aisance et d'une maîtrise exceptionnelles. Un homme complexe.

Pendant toute l'ère Nixon, c'est la guerre du Viêt-nam qui, en politique étrangère, a dominé l'ordre du jour. Beaucoup de Canadiens reprochaient à notre gouvernement de ne pas protester assez

Au cours d'entretiens officiels, je résistai aux fortes pressions exercées par Begin pour nous amener à déménager l'ambassade du Canada de Tel-Aviv à Jérusalem.

(ANC-CT)

vigoureusement contre la présence des Américains au Viêt-nam. Nous avions condamné l'invasion américaine du Cambodge, en 1970, et plus tard, en 1972, la reprise des bombardements sur le nord du pays. Mais sur la situation générale au Viêt-nam, nous n'avons pas abusé des déclarations. Je ne voyais tout simplement pas quel effet nos protestations pourraient avoir sur le gouvernement américain. Bien sûr, les Américains n'auraient jamais dû se trouver là-bas. Mais une fois sur place, ils avaient promis aux gens du Sud de les protéger contre ceux du Nord et ne pouvaient plus se libérer de cet engagement. Le dilemme où ils se trouvaient me causait les pires inquiétudes. Mais comme je ne pouvais rien contribuer à la solution du problème, je ne voulais pas multiplier inutilement les grands gestes spectaculaires.

Nixon ne m'a jamais parlé du fait que le Canada avait condamné son invasion du Cambodge, ni de notre opposition à sa politique des bombardements. Mais de toute évidence, notre attitude à la Commission internationale de contrôle l'affligeait grandement. Nous faisions partie de cette commission, nous étions l'un des pays censés superviser la «paix» au Viêt-nam. Même après l'échec du cessez-le-feu, alors que la vie de nos Canadiens était en danger, à plusieurs reprises Nixon nous supplia de ne pas quitter la Commission. Il nous fallut donc lui rappeler que nous n'avions jamais accepté la tâche de superviser une guerre, encore moins celle de participer aux combats. Il revint tout de même à la charge, cette fois pour obtenir que nous restions à la Commission quelques mois de plus, jusqu'à ce qu'on ait trouvé un autre pays pour nous remplacer. Mais après ces quelques mois, nous avons fait savoir à Washington que la situation était invivable et que nos gardiens de la paix rentraient à la maison. La révélation des fameux rubans enregistrés par le président nous apprit plus tard quelle colère lui avait inspirée notre décision et de quels noms d'oiseaux il m'avait gratifié à cette occasion. Ma seule réponse fut de remarquer que des gens bien plus estimables que lui m'avaient adressé des injures plus graves encore que les siennes.

Gerald Ford, qui succéda à Nixon en 1974, dans les circonstances exceptionnelles que l'on sait, était un homme plus franc, plus direct, et plus à l'aise dans sa peau. Il n'avait pas la prétention d'être un grand géo-politicien; il laissait à Kissinger les questions de politique étrangère. Mais c'était un homme agréable et honnête. Et de toute évidence, il savait traiter avec le Congrès ce qui, dans le système américain, est de première importance. J'aimais bien le fréquenter. Retraités tous les deux, nous avons continué (et continuons toujours) de nous revoir, ou bien chez lui à Beaver Creek ou précédemment à Vail où nous avons skié ensemble pendant les fêtes du Nouvel An. De tous les présidents américains avec qui j'ai eu l'occasion de traiter, ce qui classe Ford dans une catégorie à part c'est qu'il est le seul à n'avoir rien fait qui prît le Canada à rebrousse-poil.

Au contraire, c'est à Gerald Ford que nous devons l'un des plus grands succès de la politique étrangère canadienne. Quand le président de la France, Valéry Giscard d'Estaing, prit l'initiative, en 1975, de convoquer pour un premier sommet les puissances économiques majeures, le Canada ne fut pas invité. Mais quelques mois plus tard, je me trouvai en visite à Washington et le président Ford me proposa de faire une mini-croisière sur le Potomac et de dîner à bord de son yacht avec lui-même, Kissinger et Ivan Head. Au cours de la discussion qui occupa le repas, Kissinger et Ford se persuadèrent qu'il serait utile de m'inviter au sommet économique suivant que Ford devait présider à Porto Rico. Ils me savaient capable de comprendre le point de vue des Américains, même si je ne le partageais pas toujours. Je fus donc invité, en 1976, et le Canada se trouva admis dans le Groupe des Sept plus grands pays industrialisés. Pour une puissance moyenne comme le Canada, ce n'est pas un mince avantage que d'appartenir à un groupe aussi influent. Or, c'est à Gerald Ford que nous devons cette chance.

Le démocrate Jimmy Carter qui succéda à Gerald Ford était un personnage remarquable, d'une intelligence exceptionnelle, qui possédait des connaissances très étendues et de solides principes. Son dévouement à la cause des droits humains était bien connu de même qu'une autre disposition, plus rare encore chez les présidents américains: il portait au Tiers-Monde un très vif intérêt. Ce qui, principalement, fait de lui un grand homme d'État, c'est qu'il était un homme de paix et qu'il a réussi à réunir à Camp David Anouar al-Sadate et Menachem Begin pour y négocier le traité de paix entre Israël et l'Égypte. Je soupçonne, pour avoir traité avec Begin, quelles difficultés il a dû vaincre pour mener à bien ce rapprochement.

Mais le Congrès de son pays n'a cessé de poser des problèmes à Carter. Il devait perdre beaucoup de son crédit auprès du peuple américain à la suite de la dure lutte qu'il a dû mener au Sénat pour l'approbation de son traité sur le canal de Panama, un épisode qui mit en vedette sa très grande largeur d'esprit et démontra qu'il avait raison.

Les rapports difficiles entre Carter et le Congrès américain devaient avoir un effet sur les relations entre le Canada et les États-Unis. Lui et moi avions décidé de mettre fin au différend qui, depuis trop longtemps, opposait nos deux pays sur la question des frontières maritimes et de la gestion des stocks de poisson. Carter choisit donc comme négociateur un avocat de Washington, Lloyd Cutler, dont la grande compétence était reconnue, et je désignai de mon côté le regretté Marcel Cadieux, un diplomate canadien de grand talent et de longue expérience. Cadieux négocia à merveille et les pourparlers produisirent une entente sur la gestion et le partage des pêches atlantiques. Carter accepta cette entente et l'adressa au Sénat mais il se révéla incapable de la faire approuver par cette Chambre. Les sénateurs de la Nouvelle-Angleterre étaient d'avis que l'accord négocié procurait trop d'avantages au Canada; ce fut la mort de l'entente.

Plus tard, au cours de mon dernier mandat, mes rapports avec Ronald Reagan furent plutôt agréables. Nos personnalités et nos façons de penser créaient pourtant entre lui et moi la plus grande distance qui puisse exister entre deux personnes. Il avait une foi profonde dans la liberté des marchés et souffrait d'une quasi-obsession à l'égard du communisme qu'il appelait «l'empire du mal». Mais c'était un homme très sociable et qui racontait très bien des histoires

Washington, 1977

En 1977, visite au nouveau président, Jimmy Carter, à la Maison-Blanche. Je lui ai offert un beau livre canadien de publication récente. (ANC-CT)

Avec le président Carter, son épouse et la mienne: le salut obligatoire à la tribune de la presse, devant la Maison-Blanche. (ANC-CT)

Sous la coprésidence du vice-président Walter Mondale et du speaker Tip O'Neil (à droite), je prends la parole devant le Congrès des États-Unis. (ANC-CT)

Lors d'une réception, rencontre avec Elizabeth Taylor et son mari John Warner.
(Canapress)

très drôles. Je reviendrai sur mes relations avec lui quand j'aborderai le récit de la période où je l'ai fréquenté.

J'eus aussi l'occasion, au cours de mes années au pouvoir, de traiter avec toute une succession de premiers ministres britanniques. Le premier fut Harold Wilson dont je fis la connaissance peu de temps après mon entrée en fonction. Je le connaissais déjà de réputation comme l'homme-miracle du Parti travailliste. Il m'a paru assez habile et astucieux mais dans les conférences du Commonwealth et les autres rencontres auxquelles nous avons participé tous les deux, il ne m'a jamais donné l'impression qu'il méritait vraiment la haute réputation dont il jouissait. Ted Heath, son successeur tory, possédait une intelligence et une culture remarquables, ce pour quoi j'ai toujours eu du respect pour lui. Bon navigateur à bord de son yacht, c'était aussi un bon pianiste et un bon organiste. Comme leader, il a montré beaucoup de courage et de vision dans sa lutte pour intégrer la Grande-Bretagne au Marché commun européen.

J'aime beaucoup Jim Callaghan, qui a succédé à Heath. C'est un homme de solide bon sens et aussi, je crois, d'un grand courage intellectuel. Bien que premier ministre travailliste, il n'a jamais fait preuve de militantisme échevelé. Au contraire, il m'a parfois semblé trop prudent. C'est un homme à la personnalité chaleureuse et un homme d'État très responsable. Je le rencontre, aujourd'hui encore, dans des réunions internationales, et je suis toujours impressionné par la vivacité de son esprit.

Quant à Margaret Thatcher, il est bien connu que nous étions en désaccord sur de nombreux points, y compris les relations Est-Ouest et Nord-Sud. À l'occasion des sommets internationaux, elle jouait souvent le rôle d'interprète du président Reagan en exposant un point de vue ultra-conservateur. Ce qu'on sait moins, c'est qu'en dépit des critiques qu'elle ne me ménageait pas (je ne lui ménageais pas les miennes, moi non plus), nous n'étions pas seulement courtois l'un à l'égard de l'autre mais même plutôt amicaux, d'une assez étrange façon. Après nos prises de bec, nous nous efforcions toujours de faire ensemble une promenade dans le jardin puis de prendre le thé en parlant d'autre chose. Je trouvais cela assez gentil, car ce qui nous séparait, c'étaient des différends idéologiques évidents. Il ne pouvait être question de nous convertir mutuellement. Dans les réunions, nous nous adressions, chacun par-dessus la tête de l'autre, à l'auditoire que nous voulions atteindre. Or, la plupart du temps, cet auditoire se portait davantage de son côté que du mien, surtout dans

Trois leaders britanniques

*Un instantané intime de Ted Heath,
en visite au Canada, en 1973.*
(Toronto Star/G. Bezant)

*Jim Callaghan, un autre premier
ministre britannique dont j'admire
l'intelligence. Nous nous rencon-
trons encore, de temps à autre.*
(Les Productions La Fête/Jean Demers)

*Entre Margaret Thatcher et moi, la
discussion était si virulente que
Ronald Reagan nota un jour dans
son journal: «À un certain moment,
j'ai cru que Margaret allait mettre
Pierre en pénitence, debout dans un
coin de la pièce.» Pourtant, en dépit
du fait qu'elle trouvait mes idées
désespérément «à gauche», il existait
entre nous une bizarre amitié.*
(ANC-CT/Robert Cooper)

Deux aspects du Tiers-Monde
La Guyane, 1977

Revue de la garde d'honneur à mon arrivée en Guyane. (ANC-CT)

Une autre espèce de garde d'honneur: à la campagne, les enfants d'une école.
(ANC-CT)

Au Japon, octobre 1976

Pendant notre visite au Japon, en octobre 1976, on nous a fait l'honneur d'une audience au palais impérial.
(ANC-CT)

Moi-même judoka convaincu, j'ai eu le plaisir de visiter le centre de judo Kadokan, à Tokyo. J'y ai rencontré des experts japonais et étrangers, y compris des Canadiens. *(ANC-CT)*

Un dîner japonais solennel et très traditionnel. Les chaises sont absentes et le mur est orné d'une splendide gravure du mont Fuji.

(ANC-CT)

Des toasts officiels, sous les drapeaux des deux pays, marquent la réception que nous offrent, à Margaret et à moi, dans leur résidence de fonction, le premier ministre et madame Takeo Miki, le 22 octobre 1976. (ANC-CT)

Au palais Akasaka, où nous résidions, signature d'un accord culturel entre le Japon et le Canada, le 26 octobre 1976. (ANC-CT)

les derniers Sommets des Sept. Elle formait avec Reagan une équipe redoutable, généralement appuyée par l'Allemand Helmut Kohl et par le premier ministre japonais du jour, tandis que le président français François Mitterrand et moi nous retrouvions le plus souvent seuls de notre bord.

Au total, ma façon d'aborder les relations internationales se fondait sur mes rapports avec la communauté canadienne. On doit, je pense, traiter la communauté mondiale de la même façon qu'on traite ses frères et ses concitoyens. Il s'agit là d'une attitude qui s'inspire davantage d'un certain idéalisme que de la *realpolitik*. Mais j'avais le sentiment qu'une puissance moyenne comme le Canada, incapable d'influer sur le monde par la force de ses armées, devait au moins tenter de l'influencer par la force de ses idéaux. Je m'efforçais de gouverner le Canada en appliquant des principes de justice et d'égalité; je tenais à ce que notre politique étrangère s'inspirât des mêmes valeurs.

En conséquence, les pays du Tiers-Monde devaient jouer chez nous un rôle important dans la définition de cette politique. Au cours de l'année fiscale 1969-1970, le Canada consacrait deux cent soixante-dix-sept millions de dollars, soit 0,34 p. 100 de son produit national brut, à l'aide publique au développement. En 1975, nous avions porté ce chiffre à sept cent soixante millions et 0,54 p. 100 du PNB. Et dans l'année 1984-1985, cette assistance atteignait les deux milliards de dollars et 0,49 en pourcentage du PNB. De plus, nous avions amélioré le contenu de notre aide (en remplaçant nos prêts par des dons) et réorienté notre action: en 1970, seulement 5 p. 100 de l'aide canadienne était destinée aux pays les moins développés (les plus pauvres d'entre les pauvres) mais dix ans plus tard, ces nations les plus défavorisées en recevaient 30 p. 100.

Mon intérêt pour le Tiers-Monde ne se bornait pas aux seules questions d'argent; il me commandait un engagement profond au service de cette cause. J'avais pour amis personnels des chefs d'État comme Michael Manley de la Jamaïque, Julius Nyerere de la Tanzanie, Léopold Senghor du Sénégal et Lee Kwan Yew de Singapour; je profitais de toutes les occasions, tels les Sommets des Sept, les conférences du Commonwealth, les réunions de la Francophonie internationale et plusieurs autres forums, pour faire partager aux leaders de l'Occident les préoccupations de ces hommes du Tiers-Monde.

Mes voyages dans tous ces pays, du temps que je vagabondais sac au dos, m'en avaient suffisamment appris pour que je devine un peu ce que pouvait être la tâche de leader, dans un pays pauvre, vu les options peu nombreuses et le potentiel très limité dont ils disposent. Si je fus, comme je le crois, l'un des chefs de gouvernement du Nord les plus décidés à promouvoir l'amélioration des rapports Nord-Sud, c'est sans doute que j'avais voyagé et vécu dans les pays de l'Amérique latine, de l'Asie et de l'Afrique. J'avais vu de mes yeux la misère qui les accablait, j'avais pu comparer cette misère à ce que, dans les pays du Nord, nous appelons nos difficultés. Quand un sondage Gallup nous révélait que l'opinion publique désignait l'aide au développement comme première coupure à pratiquer, à cause des temps difficiles et du chômage, je savais que ces temps difficiles faisaient figure de paradis terrestre aux yeux des millions de parents du Tiers-Monde dont les enfants s'endorment chaque soir avec la faim au ventre. Et je ne parle pas de ceux, très nombreux, qui meurent d'inanition.

* * *

Les problèmes d'une économie ravagée par l'inflation et le souci d'explorer les possibilités du Canada en politique étrangère ne furent pas notre seule préoccupation, dans les années qui suivirent l'élection de 1974. Les questions qui avaient motivé mon entrée en politique, unité nationale et place du Québec dans le Canada, agitaient l'opinion de plus en plus profondément.

Depuis l'échec de l'entente de Victoria, en 1971, une paix relative avait régné sur ce front-là. La conférence constitutionnelle réunie à Victoria, du 14 au 16 juin 1971, occupait le septième rang dans la série qu'inaugura Lester Pearson, en février 1968, par une rencontre fédérale-provinciale dont les débats furent présentés à la télévision. J'étais alors ministre de la Justice. Depuis toujours, la question constitutionnelle m'apparaissait comme une boîte de Pandore et, depuis 1967, je conseillais à M. Pearson de ne pas ouvrir ce dossier. Quand Pearson me disait: «Les provinces nous harcèlent; il faut répondre», je répondais: «Laissez-les nous harceler.» Mais une fois qu'il eut pris la décision d'aborder en priorité la réforme constitutionnelle, je mis de l'avant mon opinion très ferme, à savoir que le gouvernement fédéral ne pouvait pas se contenter de réagir aux exigences provinciales mais qu'il devait avoir, lui aussi, son ordre du jour. À la conférence de 1968, Daniel Johnson, premier ministre du Québec, avait plaidé pour sa thèse: «égalité ou indépendance» et j'avais répliqué par mes arguments à l'encontre d'un statut particulier pour le Québec. Comme nous plaidions nos causes respectives devant la population, grâce à la télévision, peut-être les Canadiens ont-ils alors commencé à saisir un peu mieux ce qui était en jeu dans ce débat qui, aux yeux des profanes, pouvait paraître ésotérique.

La conférence constitutionnelle de Victoria, résultat de ce long processus, vint à un cheveu de réussir, en 1971. Si elle se solda finalement par un échec, c'est parce que Robert Bourassa n'eut pas la force de respecter ses engagements. Je ne suis pas un adepte très fervent de l'Histoire au conditionnel passé. Mais un succès à Victoria aurait signifié pour le Québec la réalisation d'un vieux rêve: se faire reconnaître un droit de veto en matière constitutionnelle. Il aurait assuré aussi la promotion des droits linguistiques à travers le pays tout entier. Peut-être même un tel succès aurait-il prévenu les divisions et les rancœurs qui ont accablé le Canada au milieu des années 70. En toute hypothèse, il aurait sûrement épargné au pays une décennie entière de chamaillages constitutionnels. La décision (ou l'indécision) de Bourassa en 1971 a coûté cher à tout le monde, y compris à lui-même. S'il avait accepté le veto que nous lui offrions alors, la question constitutionnelle aurait disparu de l'ordre du jour et il n'aurait pas senti le besoin de déclencher l'élection hâtive de 1976 qui a valu le pouvoir au Parti québécois. Nous aurions fait l'économie du lac Meech et de l'entente de Charlottetown. De fait, Robert Bourassa a dû consacrer le reste de sa carrière à tenter de récupérer ce qu'il avait si follement refusé en 1971.

En avril 1970, quand Bourassa l'emporta sur l'Union nationale et conquit le pouvoir au Québec, je crus que son arrivée au poste de premier ministre nous permettrait de réaliser des progrès sérieux dans le dossier constitutionnel. Il faisait figure d'homme nouveau. Il était fédéraliste. Économiste compétent, il avait l'esprit clair et ne passait pas, à l'époque, pour un nationaliste militant. Croyant tenir la chance de tirer de l'impasse le dossier constitutionnel, je déléguai à Québec MM. Gordon Robertson, notre secrétaire du Conseil privé, et Marc Lalonde, à l'époque mon secrétaire principal. Marc, l'un de mes plus fidèles collègues depuis les tout débuts de notre action politique, était un brillant avocat dont la famille cultivait la terre à l'Île Perrot, près de Montréal, depuis des générations. Sans jamais trahir ses origines, il avait fait une brillante carrière aux universités de Montréal et d'Oxford. Quant à Robertson, il était à mes yeux le type même du haut fonctionnaire accompli.

J'avais une entière confiance dans ces deux hommes. Je leur confiai donc la mission de parler à M. Bourassa et à ses fonctionnaires

Mon vieil allié Marc Lalonde et moi, à la table du Conseil des ministres. Nous nous remémorons les «luttes d'autrefois».

(Les Productions La Fête/Jean Demers)

pour s'enquérir de leurs revendications et des conditions minimales qu'il nous faudrait remplir pour parvenir à un accord. Je voulais connaître les exigences de ce nouveau gouvernement afin de voir si elles se révéleraient recevables du point de vue fédéral et si nous pourrions les faire accepter par le reste du pays. Mes deux éclaireurs rencontrèrent d'abord Julien Chouinard, secrétaire du Cabinet québécois, et ensuite Robert Bourassa lui-même qui approuva jusqu'au détail tout ce dont ils avaient convenu.

Québec mettait de l'avant, entre autres conditions, une formule d'amendement qui donnerait au Québec un droit de veto sur toute modification éventuelle de la Constitution. C'était nous demander beaucoup, à nous du fédéral et à tous les autres premiers ministres. Mais Bourassa restait ferme: «C'est le minimum», disait-il. Nous nous sommes donc mis au travail et nous avons formulé un ensemble de propositions qui répondaient aux exigences québécoises du moment et permettaient en même temps d'atteindre la plupart des objectifs fédéraux.

La charte proposée à Victoria présentait des avantages pour tous les Canadiens étant donné qu'elle permettait de rapatrier la Constitution et d'y enchâsser les éléments essentiels d'une charte des droits. Elle prévoyait une formule d'amendement efficace et enchâssait les langues officielles dans les processus législatif, judiciaire et exécutif du gouvernement fédéral et de plusieurs provinces canadiennes. Bonne pour le Canada, la proposition l'était encore davantage pour le Québec: son gouvernement obtenait le droit de veto, le fédéral s'y imposait formellement l'obligation de désigner comme juges de la Cour suprême trois membres du Barreau québécois; l'entente reconnaissait la préséance du pouvoir provincial en toute matière concernant les allocations relatives à la famille, à la jeunesse et à l'enseignement professionnel. Enfin, le gouvernement fédéral renonçait à ses pouvoirs de réserve et de désaveu. Il ne s'agissait pas là de concessions mineures!

Nous nous sommes donc employés à faire accepter aux autres provinces cet ensemble de mesures. Comme on pense bien, le droit de veto du Québec et de l'Ontario leur paraissait particulièrement difficile à avaler mais il existait à l'époque beaucoup de bonne volonté. Nous avons même réussi à convaincre plusieurs gouvernements de provinces anglophones qu'ils devaient offrir leurs services en français quand ils avaient sur leurs territoires des populations francophones importantes. Au bout du compte, nous avions en main une proposition que Marc Lalonde put présenter à Bourassa et à ses fonctionnaires en disant: «Voilà. Regardez tout ça de près, scrutez chaque ligne et chaque mot. C'est cela que nous proposerons à la conférence finale de Victoria et dans la discussion, vous nous trouverez à vos côtés.»

En arrivant à Victoria, nous avions en main une proposition que le Québec avait concoctée avec notre aide et notre appui, et que Bourassa s'était engagé à signer. Mais nous avons dû faire face à un débat de plus, assez rude celui-là. La Colombie-Britannique se plaignait de ne pas recevoir elle-même un droit de veto et d'autres provinces mettaient en cause les dispositions relatives à la Cour suprême. Mais un réel désir se manifesta de conclure une entente qui couronnerait les sept conférences fédérales-provinciales auxquelles nous avions ensemble réussi à survivre. Une par une, toutes les provinces finirent par accepter le marché. Et c'est le moment que Bourassa choisit pour tout compromettre. M'ayant pris à part, il me souffla: «Je vais demander à Claude Castonguay, mon ministre des Affaires sociales, de prendre la parole; il veut présenter une exigence de plus relativement aux affaires sociales.»

Il s'avéra donc que Castonguay en voulait beaucoup plus. Au lieu de la juridiction partagée dont nous étions déjà convenus, il proposait que toute initiative d'une province, dans le domaine social, absorbe automatiquement toute mesure fédérale de même nature et qu'Ottawa en paie la note. En somme, Ottawa se procurerait l'argent en imposant des taxes et remettrait aux provinces des sommes globales que celles-ci dépenseraient à leur guise. Le moins que j'en puisse dire, c'est qu'une telle exigence ainsi formulée à la dernière minute me causa quelque surprise. Cette proposition Castonguay équivalait à faire du gouvernement d'Ottawa un simple percepteur d'impôts qui n'aurait plus jamais de rapports directs avec les citoyens québécois sauf pour aller chercher leurs sous. Accepter cela, c'était mettre le doigt dans un engrenage qui encouragerait les autres provinces à faire de même. En dernière analyse, le gouvernement du Canada serait devenu le percepteur des impôts pour une confédération de centres commerciaux.

Après l'intervention de Castonguay, qui préceda de peu la fin de la conférence, je dis à Bourassa: «Il est évident, Robert, que cette proposition est mort-née. Mais je te demande de tenir ta parole et de signer le document que tu as préparé toi-même et que tu as promis d'endosser.» Réponse de Bourassa: «Ne me demande pas de signer maintenant. Je veux d'abord rentrer chez moi pour consulter mes ministres. Surtout, je veux attendre la fin des classes afin d'éviter les manifestations étudiantes.» Nous avons donc décidé que les onze chefs de gouvernement retourneraient dans leurs capitales respectives et consacreraient les douze jours suivants, jusqu'au 28 juin, à réfléchir sur l'ensemble des propositions que nous venions de discuter. «J'attends ton appel», ai-je dit à Bourassa.

Il était facile de prédire qu'à son retour à Québec, il ferait face à une tempête machinée par son opposition nationaliste. Cela ne manqua pas. Le 23 juin suivant, cinq jours avant la date convenue, je reçus l'appel de Bourassa. J'étais en voyage. Dans le motel ontarien qui me logeait, le téléphone sonna passé dix heures, ce qui est pour moi une heure tardive. «J'ai procédé à de nombreuses consultations, me dit-il, et je n'arrive pas à faire accepter par mes ministres l'entente de Victoria. De plus, Claude Morin est contre, Claude Ryan aussi. Ce dernier se propose de publier dans Le Devoir une série d'éditoriaux pour nous reprocher d'avoir renoncé à notre force de négociation, de sorte que je dois répondre non.» Je me dis à moi-même, en raccrochant: «O.K. Nous allons donc remettre les maux dans la boîte de Pandore, fermer la boîte, et nous ne la rouvrirons pas de sitôt!»

En 1974, Bourassa aggrava de nouveau les tensions relatives à la question linguistique et à l'unité nationale, en adoptant la loi 22 qui faisait du français la seule langue officielle du Québec. Cette

Marc Lalonde (à demi caché) et moi étions convaincus que le premier ministre québécois Robert Bourassa (à droite) s'était engagé à signer l'accord constitutionnel de Victoria, en 1971. (Canapress)

loi suivait de près notre loi fédérale sur les langues officielles. Elle survenait au moment précis où nous avions toutes les peines du monde à faire accepter au reste du pays notre conception du bilinguisme institutionnel: en plusieurs milieux anglophones, on ne cessait de rabâcher comme un mantra la complainte du «français qu'on veut nous enfoncer dans la gorge». Si Bourassa avait consacré le français comme langue principale du Québec, ce qu'il était déjà, ou langue de travail, comme l'entendait le Code civil, nous n'aurions pas eu d'objection. Mais que le gouvernement provincial proclame: il n'y aura au Québec qu'une seule langue officielle et ce sera le français, alors que nous nous acharnions à faire accepter le bilinguisme à travers le pays tout entier et que nous venions d'obtenir des provinces, à Victoria, une bonne mesure de bilinguisme au niveau provincial, cette démarche m'est apparue comme une stupidité du point de vue politique et je ne me suis pas gêné pour en faire état publiquement.

Voici un premier ministre qui se disait fédéraliste mais qui n'hésitait pas à saper nos arguments en faveur du bilinguisme dans tout le pays. Son projet de loi équivalait à reculer l'horloge de plus d'un siècle. On aurait dit un effort délibéré pour miner la cause de la tolérance que nous plaidions à travers le Canada. Les lois québécoises qui visent à promouvoir l'usage et l'excellence du français, ou l'enseignement de cette langue aux immigrants, ou encore à rendre plus accessibles aux nouveaux venus les écoles de langue française, toutes ces lois sont bonnes. Mais quand on s'avise ensuite de recourir à la contrainte en retirant aux citoyens le droit de choisir librement, alors on fait de la loi un usage abusif. À mon avis, la meilleure façon de promouvoir une langue, c'est d'inciter à l'excellence ceux qui en font usage. Sans doute le français est-il menacé, chez nous comme ailleurs, par le dynamisme de l'anglais, surtout dans le domaine de la culture populaire télévisée. Mais la question que cela pose est la suivante: doit-on défendre sa langue par la contrainte et en fermant des portes ou au contraire en faisant de cette langue une source d'excellence?

Et pourtant, en dépit de mon entier désaccord avec la philosophie qui inspirait la loi 22 et plus tard la loi 101 du Parti québécois, plus contraignante encore que la précédente, je n'ai jamais songé à utiliser le pouvoir constitutionnel de désaveu pour annuler cette législation. Le bon moyen de changer les mauvaises lois, c'est de changer le gouvernement qui les propose et non pas d'en appeler à l'autorité fédérale pour contraindre une province. Il valait mieux cultiver l'espoir que des citoyens québécois contesteraient la législation provinciale devant les tribunaux, ce qui fut fait pour en corriger certaines dispositions discriminatoires, et attendre que la population, mieux informée, élise dans l'avenir des politiciens à l'esprit plus ouvert.

De nouveau, en 1976, avec ces lois pour toile de fond, la situation devint critique, au Québec, lorsque survint la querelle des Gens de l'air. Cette controverse provoqua une éruption politique d'une telle intensité qu'elle devait entraîner la démission de Jean Marchand, l'un de mes plus vieux amis et de mes meilleurs ministres. La crise contribua aussi, sans aucun doute, à porter au pouvoir le Parti québécois, quelques mois plus tard.

Pourtant, à titre de ministre des Transports, Marchand n'avait rien fait d'autre que d'appliquer la recommandation d'un groupe de travail ministériel, c'est-à-dire de permettre aux pilotes francophones de s'exprimer en français, au Québec, quand ils s'adressaient à des contrôleurs de la circulation aérienne également francophones. Il s'agissait de rendre plus commodes les échanges entre ces interlocuteurs et de faciliter la communication, quand tous deux étaient d'accord pour le faire. Cela était conforme aux dispositions de la Loi sur les langues officielles adoptée en 1969 et, de fait, un service bilingue de contrôle aérien faisait déjà partie de la routine dans les aéroports d'Europe. Mais l'Association canadienne des pilotes de lignes et l'Association canadienne des contrôleurs s'opposèrent de toutes leurs forces à cette politique, au nom de la sécurité. Je crois aussi que de nombreuses personnes opposées depuis toujours et pour d'autres motifs à notre Loi sur les langues officielles, profitèrent de l'occasion pour servir leurs préjugés. Contrôleurs et pilotes leur faisaient la partie belle en criant très haut: «Permettre au Québec l'usage du français dans l'air, c'est mettre en danger la vie de nos passagers. Il y aura des morts. Nous ne pourrons plus nous comprendre, d'un avion à l'autre, ce qui va causer de très, très graves problèmes.»

Le débat nous prit par surprise. Notre proposition était si raisonnable qu'aujourd'hui encore il est difficile de comprendre comment elle a pu déclencher une crise pareille. Mais l'Histoire nous enseigne que parfois le contenu émotif de certaines questions paralyse la raison. Toujours est-il que le refus du bilinguisme par les deux associations nationales entraîna la formation d'un groupe dissident, l'Association des gens de l'air, pour représenter les pilotes et les contrôleurs québécois. La question de la sécurité tout court se compliqua bientôt d'inquiétudes relatives à la sécurité d'emploi, à l'avancement et aux rivalités entre syndicats. Au milieu de tous ces problèmes, alors que la crise faisait encore assez peu de bruit, je procédai à un remaniement ministériel et confiai à Marchand le ministère de l'Environnement, tandis qu'Otto Lang, un professeur de droit élu en Saskatchewan, le remplaçait au Transport. La santé de Marchand était devenue fragile et les exigences d'un énorme ministère comme celui des Transports l'épuisaient, ce qui l'avait poussé à me demander un ministère de proportions plus modestes.

La crise éclata pour de bon en juin 1976. Quand les pilotes et les contrôleurs se mirent en grève, la situation se gâta tout à fait. Je me souviens d'un voyage que je fis alors dans l'Ouest. Les pilotes et les contrôleurs qui faisaient du piquetage à l'aéroport me conspuèrent à qui mieux mieux. À bord de l'avion, les hôtesses s'approchaient de moi pour me jeter au visage que nous mettions en danger la vie des passagers. Elles évoquaient d'horribles collisions en plein ciel qui

Le Saskatchewanais Otto Lang (qui apparaît sur cette photo avec Marc Lalonde et moi, devant Eugene Whelan) devait gérer en mon absence la grève des aiguilleurs de l'air. (ANC-CT)

causeraient d'innombrables pertes de vie. Les associations en grève achetaient aux journaux de langue anglaise des pages entières d'espace publicitaire pour y dénoncer le bilinguisme. De leur côté, les journaux du Québec répliquaient par des éditoriaux qui déploraient qu'on somme ainsi les Québécois de «*speak white*»! Nous décidâmes finalement de former une commission d'enquête avec deux juges comme présidents et de lui donner pour mandat d'examiner en profondeur la question entière. Le 23 juin, je paraissais à la télévision nationale pour tenter de calmer les esprits et pour assurer la population que la sécurité aérienne aurait toujours préséance sur toute autre considération. Mais il restait à Otto Lang une vilaine grève à régler. Lang était l'un de mes ministres les plus intelligents. Ce que j'aimais de lui, c'est que dans les débats du Conseil, jamais il ne s'attardait indéfiniment sur le même point. Il présentait des arguments très rationnels, souvent avec chaleur et insistance, mais il ne se répétait pas, prenant pour acquis que tout le monde avait compris la justesse de son raisonnement et décelé les carences du point de vue opposé. J'attachais de la valeur à une telle démarche que je trouvais très efficace.

Après mon intervention à la télé, je dus retarder d'un jour mon départ vers Porto Rico, où je me rendais participer pour la première fois au Sommet des Sept, afin de présider une réunion d'urgence du Conseil des ministres qui devait fixer les conditions d'un règlement possible. Le lendemain, en mon absence, Lang régla le conflit avec les associations en grève, au prix de concessions très importantes: le mandat de la commission d'enquête était élargi, aucune expansion des services aériens bilingues n'aurait lieu à moins que les commissaires ne concluent à l'unanimité que la sécurité aérienne n'était pas menacée et l'on ajouterait à la commission un troisième commissaire dont le choix devrait être approuvé par l'Association du contrôle aérien.

Indigné de ces concessions, ce qui n'avait rien d'étonnant, Jean Marchand me présenta sa démission. Cette décision me porta un coup pénible à encaisser. Son départ laissait dans l'équipe un énorme vide. Déjà, Gérard Pelletier avait quitté le Cabinet pour devenir ambassadeur en France, mais ce départ était prévu. Pelletier m'avait depuis longtemps prévenu qu'il ne passerait que dix années en politique, soit de 1965 à 1975. Mais dans le cas de Marchand, leader de notre groupe et défenseur émérite de notre cause, son départ soudain m'affligea profondément. Ma seule consolation fut de l'entendre dire: «Maintenant que me voilà sorti de la politique fédérale, je retourne au Québec combattre le Parti québécois.» En ce sens, je ne perdais pas complètement mon collaborateur; il partait seulement combattre sur un autre front. D'ailleurs, c'est une bifurcation dans sa carrière que nous avions déjà envisagée en nous demandant si Marchand ne devrait pas éventuellement prendre du service actif en politique provinciale, voire briguer le poste de premier ministre du Québec. Mais quand même, à ce moment-là, ce fut pour moi un très dur coup. Mais il ne pouvait pas être question d'abandonner la partie.

La crise des Gens de l'air a certainement affaibli notre crédibilité au Québec. Les séparatistes n'hésitèrent pas à la présenter comme preuve que les trudeauistes n'avaient pas réussi à faire accepter le bilinguisme dans l'Ouest et que les Canadiens anglophones n'acceptaient toujours pas le fait français dans le pays. Heureusement, grâce aux mesures que nous avions déjà prises, j'étais capable de réduire un peu les dommages, car je pouvais dire: «Le commissaire de la Gendarmerie royale est un Canadien français; le président du Sénat est un Canadien français; le gouverneur général est un Canadien

Jean Marchand ne devint jamais premier ministre du Québec mais, comme l'atteste cette photo, il acquit le poste (et le costume) de président du Sénat. Nous avons tous deux parcouru une longue route depuis la grève de l'amiante!

(ANC-CT)

français; le premier ministre est un Canadien français; le commissaire de l'Office du film est un Canadien français; le chef de l'état-major des armées est un Canadien français...» À la lumière de ces faits, il devenait un peu plus difficile de prétendre que toute réalité française était exclue de la vie canadienne! Et puis, le moment venu, les enquêteurs nous firent rapport qu'à travers le monde entier, les pilotes parlent aux tours de commande des langues autres que l'anglais, quand ils se trouvent dans leur pays, revenant ensuite à l'anglais au cours des vols internationaux. Toute la question s'estompa aussi rapidement qu'elle avait surgi. Plus personne aujourd'hui ne s'abstient de survoler le Québec de peur qu'un quidam, à bord d'un Piper Cub, ne soit en train de communiquer en français avec le contrôleur de l'air. Et pourtant, c'était là, à l'époque, l'argument favori des pilotes, des contrôleurs et de nombreux passagers anglophones. Au Québec, à l'automne 1976, beaucoup d'électeurs se présentèrent dans les bureaux de vote, le 15 novembre, porteurs de macarons qui proclamaient: «Il y a du français dans l'air».

Ce jour-là, l'élection d'un gouvernement du Parti québécois dirigé par René Lévesque ne me causa ni surprise ni alarme. Dès 1968, je m'étais réjoui de la création du Parti québécois qui regroupait les divers mouvements marginaux occupés jusqu'alors à promouvoir la sécession. Le regroupement offrait aux forces fédéralistes du Québec une cible bien identifiée. Il devenait enfin possible de porter le débat sur la place publique, dans un forum démocratique, au lieu de subir tous les mécontents qui parlaient d'indépendance ou qui posaient des bombes, ou qui pratiquaient à la fois le discours et la violence, depuis la fin des années 50.

Ma réaction à l'arrivée au pouvoir du Parti québécois, le 15 novembre 1976, se situait dans la même ligne. Je me disais: «Très bien. L'adversaire se présente en terrain découvert et nous pourrons désormais poursuivre la discussion jusqu'à tirer une conclusion décisive. Nous allons savoir quelle espèce de sécession ils veulent faire; nous allons connaître les appuis dont ils jouissent.» Et j'ai toujours eu la conviction intime qu'en dernière analyse, c'est nous qui allions l'emporter. Au mois de mai de cette année-là, j'avais même déclaré que le séparatisme était mort. Pourquoi? Parce que le Parti québécois, quand il tentait de faire accepter la sécession, n'avait récolté que sept députés et 23 p. 100 du vote en 1970, six députés et 30 p. 100 du vote en 1973. Or la victoire du Parti québécois confirmait curieusement mon analyse, à savoir que les Québécois ne votaient pas pour la séparation. C'est pourquoi, pendant la campagne de 1976, le PQ avait cessé de prêcher l'indépendance. Il avait pris pour thème «donner au Québec un bon gouvernement». Ses candidats disaient aux électeurs: «Nous vous parlerons un jour d'indépendance mais plus tard, à l'occasion d'un référendum. Pour le moment, il s'agit de vous donner un bon gouvernement. C'est à cette fin qu'il faut nous élire.» Or, les gens en avaient assez de Bourassa; ils ont donc voté pour Lévesque et son parti. En un sens, cet aboutissement était devenu presque inévitable, à plus ou moins brève échéance. Depuis l'effondrement de l'Union nationale qui avait fait du Parti québécois la seule opposition de fait, les électeurs n'avaient plus le choix; s'ils voulaient se débarrasser des libéraux, comme ils souhaitaient le faire en 1976, il leur fallait voter pour le Parti québécois.

Je connaissais Lévesque depuis longtemps. C'était une forte personnalité; il avait beaucoup de charme, beaucoup de dynamisme et beaucoup d'énergie. Il était un peu *prima donna*, en ce sens qu'il recherchait volontiers la vedette, mais il ne manquait pas de substance.

Que je me trouve avec Richard Hatfield du Nouveau-Brunswick (en 1978)...

S'il avait une faiblesse, c'était de manquer d'ordre, d'être souvent brouillon et toujours en train d'improviser. Excellent tacticien, ce n'était pas un grand stratège mais un adversaire qui imposait le respect. À mes yeux, nos démarches respectives différaient profondément: lui, me semblait-il, faisait appel aux émotions des Québécois tandis que, de mon côté, je m'efforçais plutôt de leur parler raison. Mais quoi qu'il en soit, c'est un combat intéressant qui s'annonçait entre nous deux.

Je parus à la télévision nationale pour dissiper les craintes que pouvait soulever dans la population l'élection au Québec d'un gouvernement séparatiste et pour affirmer que le Canada défendrait son existence uniquement par les méthodes d'une société démocratique, non par la force des armes. Mais j'exprimais aussi mon sentiment que si le Canada était jamais déchiré, cela constituerait un péché contre l'esprit, un péché contre l'humanité. Personnellement, je me sentais revigoré; il s'agissait sans doute du combat de ma vie et j'aime bien me

... ou en promenade avec Lévesque lui-même, le premier ministre du Québec ne m'a jamais fait les yeux doux. (Canapress)

battre. Même si, comme Pelletier, j'avais naguère fait le projet de quitter la politique active après dix années au parlement, il n'était quand même pas question pour moi de tenir cette résolution. Je voyais devant moi le séparatisme incarné dans un gouvernement, il n'était pas question de partir. Je mènerais le combat jusqu'au bout.

Les dirigeants du Parti québécois avaient accédé au pouvoir en promettant un bon gouvernement mais ils n'étaient pas sitôt élus qu'ils se mirent à parler du référendum à tenir pour permettre aux Québécois de choisir entre le Canada et l'indépendance. Bien entendu, leur politique impliquait que le Canada était déjà trop ébranlé pour qu'il pût jamais s'en remettre. Le Canada, disaient-ils, ne permettra jamais au Québec de satisfaire ses aspirations légitimes. Il ne s'agissait donc plus d'obtenir un statut particulier; on allait demander aux Québécois de voter pour l'indépendance. Évidemment, dans les circonstances, je n'avais plus le choix: il me fallait rouvrir la boîte de Pandore constitutionnelle.

De fait, j'en avais déjà entrouvert le couvercle en 1975. Bourassa avait remporté, deux ans plus tôt, une grande victoire électorale et j'avais moi-même obtenu une nette majorité parlementaire en 1974. Avec deux gouvernements forts et fraîchement élus, dirigés par deux Québécois, je croyais le moment venu de faire une nouvelle tentative. Le 9 avril 1975, au cours d'un dîner auquel j'avais convié tous les premiers ministres, on s'interrogea sur la réforme constitutionnelle. Était-il possible de revenir à l'entente de Victoria et de seulement rapatrier la Constitution avec la formule d'amendement contenue dans cette entente, tout en remettant à plus tard le débat sur les autres questions? On évoqua même la possibilité de réussir cette opération avant les Jeux olympiques de 1976. Au lendemain de cette rencontre, je m'empressai d'écrire aux premiers ministres pour demander à chacun d'accueillir Gordon Robertson, le secrétaire du Conseil privé, qui était alors devenu un expert en la matière, afin de discuter avec lui de cette éventualité. Je suggérais dans ma lettre que nous complétions le processus au début de 1976, afin que le Parlement britannique puisse légiférer au mois de mai ou juin de la même année. J'en discutai aussi avec James Callaghan, premier ministre du Royaume-Uni, qui me promit d'appuyer, à ce sujet, toute proposition que le Parlement du Canada jugerait bon de lui faire tenir.

Dans un premier temps, la position québécoise fut d'entériner tout le contenu de Victoria, en y ajoutant des «garanties constitutionnelles relatives à la langue et à la culture françaises». Nous passions ainsi de la sécurité sociale, cause célèbre de 1971, à la souveraineté culturelle. En novembre 1975, nous adressâmes à Bourassa un document qui contenait l'essentiel de la charte de Victoria additionné d'un nouvel article sur la protection de la culture et de la langue françaises. Du reste, il faut le dire, le Québec n'était pas seul à formuler de nouvelles exigences. En particulier, l'Alberta et la Colombie-Britannique revenaient sur l'appui qu'elles avaient accordé à la formule d'amendement de Victoria.

En mars 1976, je me rendis à Québec discuter Constitution avec Bourassa et ma visite donna lieu au fameux (ou infâme, selon le point de vue) épisode du «mangeur de hot-dogs». Cet incident fit sans doute l'objet d'une exagération journalistique mais la rencontre fut vraiment orageuse. Voici les faits. En traversant la salle des pas perdus de l'aéroport, à mon arrivée dans la capitale québécoise, j'avais remarqué sur la couverture d'un magazine la photo de Bourassa en train de manger un hot-dog. J'étais d'excellente humeur, ce

Les tensions constantes entre les séparatistes québécois et le Canada ajoutaient encore à la joie d'accueillir, au 24 de la promenade Sussex, l'équipe de hockey des Canadiens de Montréal, éminente réussite biculturelle. Je m'entretiens ici avec quelques-uns des vainqueurs de la coupe Stanley, dont Serge Savard et Larry Robinson. (J.-M. Carisse)

jour-là, et quand les journalistes me demandèrent, à mon arrivée, quel serait le menu du déjeuner, je répondis en blague que tout le monde connaissait la faiblesse du premier ministre pour les hot-dogs.

Or, quand je quittai le bureau de Bourassa, je n'étais plus d'humeur à plaisanter ni à m'amuser. Au cours du repas (sans hot-dogs sur la table), le premier ministre m'avait déclaré qu'il n'était plus intéressé aux garanties culturelles que nous avions obtenues pour lui et qu'en outre, il cesserait complètement de collaborer à notre initiative à moins que des pouvoirs fédéraux importants ne soient transférés au Québec. Le match pouvoirs contre rapatriement commençait.

Je n'en fus pas trop surpris mais par ailleurs, Bourassa m'avait sérieusement contrarié en traitant d'une autre question. Au cours des préparatifs des Jeux olympiques que la reine devait inaugurer à l'été de 1976, Bourassa nous avait suppliés de prévoir qu'elle arrive au Canada par Québec afin que cette visite lui procure, à lui Bourassa,

Dans la salle à manger du 24 Sussex, mon collègue Francis Fox et moi sommes les hôtes de plusieurs équipiers du Canadien, accompagnés de leurs épouses. Les amateurs de hockey reconnaîtront autour de la table Yvon Lambert, Serge Savard, Jacques Lemaire, Guy Lafleur et Réjean Houle.   *(J.-M. Carisse)*

prestige et publicité. Mais ce jour-là, il me demandait au contraire de modifier les arrangements afin que la reine ne mette pas les pieds dans la capitale provinciale. Ma réponse: «Mais elle arrive en bateau. Voudrais-tu que le yacht royal survole Québec pour atterrir à Montréal?» Gagné par l'impatience, je m'entendis lui poser la question: «Quand est-ce, Robert, que tu vas apprendre à te décider?» Pourtant, je fus d'une courtoisie parfaite dans mes réponses aux journalistes. Je précisai qu'il n'y avait pas de hot-dogs au menu du déjeuner, que nous avions dégusté un délicieux bifteck saignant et bu une bonne bouteille de Haut-Brion. Toutefois, je ne suis pas certain d'avoir réussi à dissimuler complètement ma mauvaise humeur.

Mais l'épisode ne se termina pas sur une plaisanterie citée hors contexte. Peu après, et c'est là le fait important, l'irritation que Bourassa m'avait causée me fit déclarer publiquement ce que j'avais commencé de penser en moi-même, à savoir que le gouvernement fédéral devrait peut-être procéder unilatéralement au rapatriement de la Constitution. Pourquoi? Parce que je commençais à désespérer d'arriver jamais à une entente négociée qui ne nous coûterait pas, en abandon de pouvoirs fédéraux, un prix exorbitant. Cette déclaration déclencha une vive controverse, et pas seulement au Québec.

Au mois de septembre suivant, le premier ministre britannique Callaghan, en visite au Canada, confia à Bourassa, dans un entretien privé, qu'en matière constitutionnelle le gouvernement britannique agirait selon les vœux exprimés par le Parlement du Canada. Je ne sais si cette confidence impressionna Bourassa mais peu de temps après, il déclenchait une élection hâtive sur le thème de la résistance qu'il fallait opposer à «la menace d'action unilatérale brandie par Trudeau». Bien entendu, la population se fichait éperdument de ces subtilités juridiques et Bourassa fut vaincu par le Parti québécois, c'est-à-dire par la promesse d'un bon gouvernement.

L'élection du Parti québécois, en 1976, modifia aussitôt et directement les perspectives de réforme constitutionnelle. Elle rendait les négociations inévitables mais en même temps, elle les vouait à l'échec. En effet, dans les circonstances, on ne pouvait absolument pas espérer, si on voulait être réaliste, qu'un parti sécessionniste se laisserait convaincre de renouveler la Constitution du Canada. Les péquistes étaient en politique pour détruire le Canada et non pour le conserver. En conséquence, à compter de 1976, quelles que fussent les tactiques mises en œuvre au jour le jour dans les différents accrochages qui se produisaient, ma vraie bataille a toujours consisté à préparer les Canadiens et spécialement les Québécois pour le jour où le gouvernement fédéral devrait passer outre aux usages et en appeler à Londres sans consentement unanime des provinces, peut-être même unilatéralement. De 1976 à 1979, notre stratégie fut de nous montrer le plus raisonnables possible, et plus conciliants avec les provinces que ne le commandait la raison, tout en sachant que, selon toute vraisemblance, jamais un gouvernement dirigé par René Lévesque ne signerait aucune entente. Notre tâche essentielle fut de préparer l'opinion publique à la démarche dramatique qui s'imposerait en fin de compte, pour trancher le nœud gordien.

Ce qui accentuait l'évidente futilité de ces négociations, c'est que l'élection de Lévesque apportait de l'eau au moulin des autres premiers ministres provinciaux. Ces derniers n'étaient certainement pas favorables au séparatisme mais très souvent, ils n'étaient que trop heureux d'utiliser Lévesque comme repoussoir afin d'augmenter leurs propres gains. Je me souviens d'une déclaration où le premier ministre Peckford (Terre-Neuve) affirmait que sa conception du

À la conférence constitutionnelle des premiers ministres, en novembre 1978, avant que le photographe officiel nous ait rappelés à l'ordre. Debout, de gauche à droite: W.B. Campbell, I.-P.-E.; Bill Bennett, C.-B.; Peter Lougheed, Alberta; moi; Frank Moores, T.-N.; Bill Davis, Ontario; Sterling Lyon, Manitoba. Assis: Richard Hatfield, N.-B.; René Lévesque, Québec; Allan Blakeney, Saskatchewan; John Buchanan, N.-E. (ANC-CT)

Canada se rapprochait davantage de celle de Lévesque que de celle de Trudeau! Les premiers ministres se disaient: «C'est Lévesque qui va rouvrir le bocal aux vers de terre *(can of worms)* constitutionnel et nous ne raterons sûrement pas l'occasion de nous procurer de bons appâts pour notre propre partie de pêche.» Chaque province se mit donc à allonger la liste des éléments à négocier en y ajoutant l'objet chéri de sa concupiscence particulière: l'une demandait la juridiction sur la câblodistribution, une autre l'autorité en matière de taxation indirecte, une troisième voulait la compétence exclusive en matière de pêches, et ainsi de suite. De plus, chaque conférence interprovinciale aggravait la gourmandise des provinces. Un simple coup d'œil sur les comptes rendus de ces rencontres (1976, 1977 et 1978) révèle une liste longue comme le bras des pouvoirs fédéraux qui auraient dû passer aux provinces comme prix de leur acquiescement au rapatriement de la Constitution. Cela créait une nouvelle dynamique et, malheureusement, la manœuvre avait la bénédiction du nouveau chef conservateur. En effet, Joe Clark déclarait: «Il faut décentraliser bien davantage» et parlait d'une communauté de communautés plutôt que d'un peuple canadien vigoureux et uni.

Face à cette manie de décentralisation, et comme j'avais toujours en tête que l'opinion publique constituerait en fin de course l'ultime cour d'appel, j'adoptai une attitude de souplesse plutôt que d'entêtement. Au mois de janvier 1977, en réponse à une lettre de Peter Lougheed, président de la rencontre annuelle des premiers ministres qui s'était tenue à Edmonton l'année précédente, j'avais refusé de céder à la demande des provinces qui insistaient pour faire du partage des pouvoirs une partie intégrante de toute entente relative au rapatriement. Mais en octobre 1978, au deuxième jour de la conférence fédérale-provinciale, je surpris les premiers ministres en produisant une liste de sept pouvoirs que le gouvernement fédéral était prêt à céder aux provinces. Pour démontrer la souplesse de ma position, je déclarai aux journalistes, après la séance où j'avais fait cette annonce: «Je leur ai presque abandonné la boutique.» Mais de fait, je ne jouais pas très gros jeu.

Je savais déjà, vu la liste cumulative de leurs exigences, qu'il n'était pas question pour les premiers ministres de dire oui à ce moment-là. D'abord, je tenais pour hautement improbable que René Lévesque signe jamais quoi que ce soit; il avait toujours proclamé que le Canada était en panne et que rien ne pourrait le remettre en marche. Quant aux autres premiers ministres, ils se seraient peut-être pris au jeu si l'offre avait été faite au début de mon mandat, alors qu'ils me savaient en selle pour longtemps. Mais j'en étais alors à la quatrième année de ce mandat, je devrais bientôt déclencher des élections et ces messieurs étaient tous prêts à parier que je serais défait et qu'ils auraient la partie plus facile avec Clark. Je ne croyais donc pas qu'ils allaient accepter ma proposition mais j'étais vraiment disposé à négocier tous les pouvoirs que je croyais prudent de céder en échange du rapatriement (terme officiel et sans grâce, inventé pour désigner le fait de remettre entre les mains des Canadiens la Constitution de leur pays). Je voulais me montrer aussi généreux que le voisin et peut-être même davantage. Mais les premiers ministres s'entêtèrent à dire non, ce qui démontra à un nombre croissant de Canadiens qu'ils ne verraient jamais leur Constitution au Canada, à moins de se soumettre au chantage de quelques politiciens provinciaux à l'ambition vorace.

En préparation des élections qui allaient suivre, lors d'un dîner à Toronto pour le
financement du parti, en 1978. (Canapress)

Croyant percevoir dans l'opinion publique un glissement favorable, je jugeai le moment venu, pendant l'élection de 1979, d'aller
parler au peuple canadien, surtout (peut-être *ad nauseam* et peut-être
imprudemment) de la question constitutionnelle. Je voulais souligner l'importance de faire passer sous autorité canadienne, par référendum si nécessaire, notre loi fondamentale, quitte à négocier ensuite un nouveau partage des pouvoirs.

Certains de mes meilleurs conseillers politiques, y compris
Keith Davey, m'avaient exhorté à tenir cette élection beaucoup plus
tôt, dans les premiers mois de 1977. L'arrivée au pouvoir du Parti
québécois venait alors de se produire, notre cote dans les sondages
était excellente et de nombreuses personnes, à l'extérieur comme à
l'intérieur de notre caucus, me pressaient d'aller au peuple. On me
faisait valoir que la population, troublée par la montée du séparatisme, voudrait me garder aux commandes à cause de ma conception
du Canada. Il est fort possible qu'à ce moment-là nous aurions été
reportés au pouvoir mais ce n'était pas, à mon avis, une raison suffisante pour déclencher des élections. Nous jouissions d'une confortable

Hôte du chef de l'Opposition Joe Clark, dans le bureau du premier ministre. À mon avis, Clark était un adversaire beaucoup plus redoutable que Brian Mulroney mais ce dernier, en 1983, devait réussir à déposer son leader. (ANC-CT)

majorité. Notre mandat n'était pas épuisé. Je venais de voir René Lévesque triompher au Québec parce que Bourassa avait déclenché, sans raison sérieuse, une élection hâtive. Et nous avons vu depuis plus d'un premier ministre provincial mordre la poussière à la suite de scrutins prématurés. Je ne suis donc pas certain qu'une élection, à ce moment précis, aurait produit pour nous des résultats plus favorables. De toute manière, je ne crois pas utile de me faire du souci au sujet de ce-qui-aurait-pu-arriver.

Je savais, en m'engageant dans l'élection de 1979, que la lutte serait dure. Il était clair qu'une foule d'experts politiques, y compris les premiers ministres, s'attendaient à nous voir défaits. Et je savais que Joe Clark, mon nouvel adversaire, ne serait pas facile à battre. En 1976, les tories l'avaient choisi pour chef, en remplacement de Robert Stanfield. Son élection avait surpris, Clark ayant réussi à se faufiler entre Brian Mulroney et Claude Wagner. Mais je savais dès le départ qu'il serait un adversaire plus redoutable que Stanfield; je l'avais connu jeune député, sur les arrière-banquettes de la Chambre d'où il m'apostrophait, le doigt pointé vers moi, et m'accablait de questions pour éprouver mon sang-froid ou interrompre mes discours. Je soupçonnais qu'il pourrait devenir un chef de l'Opposition efficace et je ne me trompais pas. Même après ma victoire de 1980 contre Clark et sa propre défaite aux mains de Mulroney, qui lui coûta son poste de leader, même alors j'ai déclaré à mes amis: «Ils ont choisi le mauvais candidat.» Je croyais que Joe Clark aurait été pour moi un adversaire plus dangereux que Brian Mulroney.

Au cours de la campagne électorale de 1979, je me suis beaucoup déplacé et partout à travers le pays j'ai multiplié les discours sur la question constitutionnelle. Le Parti québécois était au pouvoir et je voulais faire comprendre aux Canadiens que des décisions difficiles nous attendaient si nous voulions faire obstacle à la montée du séparatisme. C'était là le thème majeur de ma campagne. J'expliquais avec précision les mesures que j'allais prendre dans le domaine constitutionnel. Mais sur plusieurs autres sujets, y compris l'économie, je me contentais de passer en revue la liste de nos réalisations. Je répétais aux Canadiens que notre pays n'est pas facile à gouverner mais qu'en dépit des difficultés, nous avions assez bien réussi. Dans mes discours, je citais un grand nombre de faits et de statistiques. Nous avions baptisé cet exercice les «Olympiades économiques». Il avait pour objectif de démontrer que, comparé aux autres pays du monde, le Canada se classait bon premier comme créateur d'emplois et dans plusieurs autres secteurs. Mais comme l'un de mes ministres, George McIlraith, aimait à le répéter: on ne gagne jamais une élection à cause de ce qu'on vient d'accomplir. «Peu importent vos réalisations d'hier, disent les électeurs; nous voulons savoir ce que demain vous allez faire pour nous.» En 1979, j'ai commis l'erreur d'insister trop exclusivement sur nos projets constitutionnels. D'autres, peut-être, ont deviné pendant la campagne que nous nous dirigions vers une défaite. Des sages de toutes couleurs, hommes et femmes, ont prétendu après le fait que dès le premier jour ils nous savaient battus. Mais pour ma part, je n'ai accepté l'échec qu'une fois les votes comptés et les recomptages terminés. Toute campagne électorale exige une énorme dépense d'énergie. En compensation, aussi longtemps que la défaite n'est pas consommée, on continue de croire à la victoire ou plutôt on continue de l'espérer. Et cet espoir même vous persuade que la lutte connaîtra une heureuse issue. Autrement, on ne pourrait pas continuer à se battre.

Aux funérailles de John Diefenbaker, août 1979.   (Canapress)

Mais les résultats de 1979, le 22 mai au soir, ne laissaient aucun doute sur le revers que nous venions d'essuyer. Les conservateurs remportaient cent trente-six sièges; les libéraux, cent quatorze; le NPD, vingt-six et les créditistes, six. Les tories prenaient donc le pouvoir; nous l'avions perdu. Après onze ans, sans interruption, au poste de premier ministre, j'étais démis de mes fonctions. Comme toujours, ma première réaction me fut inspirée par ma combativité naturelle. Je n'accepterais pas cette défaite; je poursuivrais la lutte comme chef de l'Opposition et je ferais un retour en force.

Pour le moment, je n'avais plus de papiers officiels à lire ni de lettres à signer par centaines, ce qui me permit de partager l'été suivant entre le repos et la réflexion. Je décidai de faire une expédition en canot dans les Territoires du Nord-Ouest, de céder une fois de plus à l'attrait que le canotage a toujours exercé sur moi.

Nous sommes nombreux, je pense, à sentir parfois le besoin de retourner à l'essentiel pour retrouver notre équilibre. Pour moi, une bonne façon de pratiquer ce retour, c'est de me plonger dans la nature, en canot, pour m'éloigner le plus possible de la vie quotidienne et de ses complications, pour m'écarter aussi des besoins artificiels que la

En canot

Le canot a toujours eu pour moi beaucoup d'importance. En 1992, je canotais encore, tard dans la saison. (Les Productions La Fête/Jean Demers)

Mon dernier adieu à la colline parlementaire, après l'annonce de ma démission. Mon chauffeur Jack Deschambault se prépare à me conduire... hors de la politique.

(J.-M. Carisse)

civilisation vous impose. Le canot vous force à distinguer nettement vos besoins de vos désirs. En canot, ce sont vos besoins qui vous préoccupent: la survie, la nourriture, le sommeil et la protection contre les intempéries, toutes choses qu'on a tendance à prendre pour acquises quand on vit dans ce qui s'appelle la civilisation. En milieu dit civilisé, on est constamment pressé de faire ceci ou cela pour des motifs imposés par la société, c'est-à-dire par l'entourage, ou de satisfaire les besoins artificiels que vous crée la publicité. Le canot, au contraire, vous rapproche de la nature par un type de voyage qui n'exige ni routes ni sentiers. On suit les routes de la nature; on choisit les moins fréquentées, comme disait Robert Frost, dans un autre contexte, et cela fait toute la différence. On découvre des valeurs plus simples, on distingue mieux les valeurs artificielles de celles qui sont indispensables au développement spirituel et humain. C'est pourquoi le canot a toujours tenu dans ma vie une place aussi importante.

De plus, j'ai eu le bonheur de rencontrer d'excellents canoteurs avec qui j'ai fait des voyages mémorables, aussi bien sur les rivières et les lacs de nos régions que dans les espaces sauvages qui entourent la rivière Nahanni. Ils ne m'en voudront sûrement pas de mentionner ici le nom du plus grand canoteur de notre époque, le légendaire Bill Mason, qui savait faire danser un canot, qui savait aussi partager cette science grâce à ses films et à ses livres, merveilleux documents, et tout en communiquant aux autres son amour du canot, son amour de la vie.

Cet été-là, après ma défaite électorale, je me suis offert aussi un voyage en train vers les Rocheuses, avec mes trois fils, pour y visiter nos parcs nationaux, et finalement, en septembre, un voyage au Tibet. Pour la première fois depuis 1968, je me retrouvais libre de faire ce que je voulais et cette liberté retrouvée m'était bien douce.

Tout au cours de cette période, je me sentais déchiré entre deux options. Une partie de moi-même me disait: «Le peuple a choisi, tu n'es plus au pouvoir. Mais tu as eu ta chance, pourquoi pas, désormais, quitter pour de bon la politique?» Mes enfants étaient jeunes, je les aimais et voulais naturellement passer plus de temps auprès d'eux. Je me souviens d'avoir confié à Gérard Pelletier: «Je vois très bien quelqu'un d'autre occuper le poste de premier ministre mais je ne vois personne qui puisse me remplacer comme père de mes enfants.» Ainsi ma vie personnelle pesait d'un grand poids sur mes pensées du moment. Mais une autre part de moi-même se sentait aussi profondément que jamais engagée dans l'action. Après la défaite, plusieurs libéraux qui s'étaient fait élire grâce à moi et quelques sénateurs qui me devaient leur place à la Chambre haute commencèrent à murmurer: «Trudeau doit partir.» Ce genre de propos produisait sur moi le contraire de l'effet espéré. Je me disais: «Merde, alors! S'ils veulent me chasser, je reste!» J'oscillais donc entre deux pôles: partir et rester.

À mon retour du Tibet, voyant la longue barbe que j'avais au menton, mon secrétaire principal me prodigua de très sérieux conseils. Jim Coutts, un Albertain dont la physionomie trompeuse était celle d'un enfant de chœur, possédait au contraire la sagesse d'un politicien rempli d'expérience. Il sentait souvent le besoin de me prodiguer des avis plutôt sévères. Cette fois, le conseil qu'il me donna avait un caractère très personnel: «Écoutez, me dit-il, si vous voulez donner le signal de votre départ définitif, gardez cette barbe. Mais si vous préférez rester au poste, vous feriez beaucoup mieux de vous raser.» Ce que je fis. Mais même rasé de près, je n'allais me montrer ni très combatif, ni très efficace comme chef de l'Opposition.

Je ne crois pas en avoir voulu à Clark de sa victoire. Je me souviens même d'avoir dit: «Il faut lui donner la chance de gouverner.» Curieusement, si je n'ai pas été un bon chef de l'Opposition, c'est à cause de mon bagage d'expérience et parce que je connaissais trop bien la difficulté qu'on éprouve quand on est aux commandes. Je comptais aussi que les Canadiens, quand ils auraient pu comparer ma conception d'un Canada fort à la philosophie des provinces fortes propre à Joe Clark, reviendraient au Parti libéral à un moment donné. Mais je n'éprouvais aucune soif de pouvoir et plus nous avancions dans l'automne, plus j'inclinais vers la retraite. Ma pensée à ce sujet s'est finalement cristallisée à l'occasion d'un congrès du Parti libéral, à Toronto, au mois de novembre 1979. Je rendais visite à un ami, dans le quartier Beaches, et je décidai de rentrer à pied jusqu'à mon hôtel du centre-ville. Tout en déambulant, d'abord sur le trottoir de bois qui longeait la plage froide et déserte, je repassai dans ma tête tous les éléments de la question. Je savais qu'il me faudrait décider très bientôt, dans un sens ou dans l'autre. Je me souviens même d'avoir pensé qu'il était bien agréable de pouvoir marcher sur la grève comme un homme libre.

Et finalement, le 21 novembre 1979, ma décision était prise. J'annonçai ma démission. Mais le sort me réservait encore des surprises.

Chapitre IV

1979 - 1984
BIENVENUE DANS LA
DÉCENNIE 80

Dès le mois de septembre 1979, nos sources nous apprirent que Clark éprouvait des difficultés à organiser son gouvernement. À l'évidence, il cherchait à gagner du temps en retardant le plus longtemps possible le moment de se présenter devant le Parlement. Bien qu'il eût été élu au mois de mai, il ne convoqua les Chambres qu'en octobre. Il était clair que la mise au point de sa politique ou la formation de son Cabinet lui donnait de la peine. Clair aussi qu'il n'arrivait pas à résoudre l'un des problèmes qui l'avaient fait élire, à savoir la conclusion d'une entente avec le premier ministre de l'Alberta, Peter Lougheed, sur la formule à adopter pour fixer les prix de l'énergie. On avait hautement proclamé qu'entre Albertans, les deux hommes s'entendraient sans délai pour régler ce problème épineux. Mais la preuve était déjà faite que cette prétention n'était rien d'autre qu'une belle théorie. Nous étions nombreux à croire qu'une fois la session parlementaire en route, Clark ne durerait pas plus de six mois. Si j'ai choisi le mois de novembre pour présenter ma démission comme chef du Parti libéral, c'est que je prévoyais pour le printemps suivant la défaite en Chambre du gouvernement Clark et que je tenais à laisser aux libéraux le temps de tenir un congrès pour choisir mon successeur avant la déconfiture parlementaire des conservateurs.

Même une fois la décision prise de quitter mon poste, je continuai à m'intéresser de très près, comme chef de l'Opposition, aux affaires quotidiennes du Parlement. Je savais donc, et mes collègues aussi, que le vote du 13 décembre sur le budget du gouvernement Clark serait extrêmement serré. Ce budget de John Crosbie, avec sa taxe de 18 cents sur l'essence, avait irrité tous les partis d'opposition. De plus, certains députés conservateurs ne seraient pas de retour en Chambre à temps pour participer au vote. Allan MacEachen, qui dirigeait à l'époque le travail parlementaire de notre parti, nous avait servi au caucus un avertissement sévère: «Vous faites mieux d'être tous présents!» Nous y étions tous, y compris l'héroïque député qui s'est fait conduire en ambulance de l'hôpital à la Chambre. Mais certains des nôtres y vinrent à contre-cœur, persuadés que ce serait une terrible erreur et une astuce de mauvais goût que de renverser le gouvernement Clark aussi tôt après sa victoire. Mais nous avons remporté ce vote et ce fut la fin du gouvernement.

Quand je réfléchis à cette extraordinaire série d'événements, il me vient la pensée que Clark a probablement voulu répéter l'exploit de John Diefenbaker. Après avoir défait de justesse, en 1957, les libéraux dirigés par Louis Saint-Laurent, les tories avaient balayé le pays, l'année suivante, au cours d'une seconde élection. Beaucoup de membres de notre caucus croyaient que Clark avait fait le même pari et qu'il allait le gagner; selon eux, les conservateurs balaieraient le pays, après une défaite en Chambre, et eux-mêmes perdraient leurs sièges. Je me suis toujours demandé pourquoi Clark n'avait pas retardé le vote ou apporté à son budget les quelques petits amendements qui lui auraient valu l'appui des créditistes. À ce prix, il pouvait conserver son poste de premier ministre. Peut-être n'a-t-il pas cru les libéraux (parti sans leader, depuis ma démission) assez culottés pour lui infliger un échec aux Communes, au risque d'être ensuite effacés eux-mêmes de la carte dans une élection générale. Peut-être se sentait-il assuré d'une victoire dans le pays, s'il était battu en Chambre? Au sein de mon parti, l'idée de renverser le gouvernement était loin de faire l'unanimité. Je me disais pour ma part: «Bon. Je ne savais pas que cela allait se produire aussi tôt mais je savais que de toute façon cela allait arriver. Voilà, c'est fait. Hourra.» Immédiatement après sa défaite en Chambre, Clark annonçait qu'une élection fédérale aurait lieu le 18 février 1980.

Si invraisemblable que cela puisse paraître, il s'est trouvé des gens pour croire que j'avais moi-même manipulé tous ces événements et que ma démission, trois semaines plus tôt, n'était qu'une ruse pour inspirer à Joe Clark une confiance exagérée. Si j'avais pratiqué ce genre d'astuce, je serais sans doute en politique, encore

Je débusque un tory! Échange de plaisanteries avec Catherine Clark, sous le regard souriant de son père. La scène a lieu lors d'une fête de Noël où les fils Trudeau ont l'air de s'amuser ferme, eux aussi.
                                                                    (J.-M. Carisse)

aujourd'hui! Mais ma démission n'était sûrement pas un stratagème. Question de fait: jusqu'au matin même de mon retour, le 17 décembre, je ne savais vraiment pas si je désirais ou non reprendre du service. De nombreux partisans m'en avaient prié, dès après la défaite de Clark aux Communes. J'avais alors évoqué l'histoire vraie d'un ancien premier ministre du Yunan, province chinoise, que l'Empereur avait invité à reprendre la tête du gouvernement. Il avait répondu: «J'y suis resté assez longtemps pour mon goût. Je reviendrai seulement si l'Empereur me le demande trois fois, à genoux.» J'ai raconté l'histoire au personnel de mon bureau; mes collaborateurs ont tout de suite compris que j'allais me faire prier.

Il faudrait que la première des trois invitations me vienne du caucus, qui jusqu'alors s'était montré assez loyal à mon endroit. Ses membres ne refusaient jamais de se battre; avec moi, ils en avaient vu de toutes les couleurs. Mais depuis notre défaite électorale, certains d'entre eux s'étaient mis à penser qu'il serait préférable, pour le parti et pour leur avenir personnel, de se donner un nouveau chef. Je me disais, de mon côté: «Les gens qui composent le caucus, je passe avec eux, à la Chambre, le plus clair de mon temps. Si mon retour ne leur inspire pas d'enthousiasme, alors c'est non. Je ne reviens pas.» Le caucus comprenait aussi un certain nombre de sénateurs qui n'auraient pas été fâchés de me trancher la gorge. Comme ma démission avait été partiellement attribuable au fait que certaines personnes conspiraient dans mon dos pour se débarrasser de moi, ce que je n'appréciais guère, il valait mieux sonder les reins et les cœurs de tout notre groupe parlementaire. Mais Allan MacEachen me communiqua bientôt qu'à l'issue d'un long débat, le caucus s'était prononcé à l'unanimité en faveur de mon retour.

La deuxième invitation, je l'attendais des instances libérales extra-parlementaires. Je savais que des hauts fonctionnaires du parti, y compris certains membres de l'exécutif, étaient d'avis que les libéraux remporteraient plus facilement les élections imminentes s'ils avaient à leur tête quelqu'un d'autre que Trudeau. Après notre défaite de mai 1979, quelques-uns d'entre eux s'étaient empressés de réclamer la tenue très prochaine d'un congrès qui, dans leur esprit, ne m'accorderait qu'un faible vote de confiance, me forçant ainsi à me retirer. Il avait fallu l'intervention de Jean Marchand pour les dissuader.

Lorsque survint le renversement du gouvernement Clark, la course à ma succession n'était pas amorcée pour de bon. John Turner avait fait savoir le 10 décembre, trois jours avant la déconfiture des tories, qu'il ne présenterait pas sa candidature et personne d'autre ne s'était encore mis de l'avant. Je favorisais moi-même Donald Macdonald comme prochain chef du parti. Mais avant qu'il n'eût eu le temps de se décider, j'avais moi-même choisi de revenir. À l'issue d'un débat qui, d'après ce que j'en sais, dura très longtemps, les membres de l'exécutif me prièrent, eux aussi, de reprendre mon poste.

Enfin, le troisième effort de persuasion, je l'attendais de mes collègues les plus proches et de mes amis. Je voulais être certain qu'ils voudraient rester à mes côtés. Car, privé d'amis et de collaborateurs résolus à reprendre la lutte, je ne serais sûrement pas revenu dans la mêlée. Je réunis donc à Stornoway un groupe d'amis et de conseillers et je constatai qu'ils n'étaient pas tous du même avis. Marc Lalonde ne croyait pas à la possibilité d'une victoire en février. C'est l'amitié qui lui dictait sa réponse: «Non. Ne reviens pas; tu vas te faire massacrer.» Jean Marchand partageait la même opinion: «Tu as déja vécu l'expérience du pouvoir. Et si tu te représentes, tu seras battu. Pourquoi rappliquer? Tu as fait ta part, nous avons réalisé certaines des choses qui nous tenaient à cœur, reste à l'écart.» Je me souviens d'avoir appelé Gérard Pelletier, à Paris, pour entendre l'avis de quelqu'un qui observait à distance la succession des événements: «Tu dois certainement te remettre en selle, me dit-il, car pour moi, ta victoire ne fait aucun doute. J'ai acquis cette certitude en écoutant les Canadiens qui passent à Paris, en lisant les journaux, en m'informant à toutes les sources possibles. Tu vas être réélu. Ne rate pas cette chance. Nous avons besoin de toi pour le référendum.» Pelletier était devenu ambassadeur et fonctionnaire mais sans cesser d'être mon ami et je crois qu'il me parlait très franchement.

René Lévesque venait d'annoncer pour le printemps de 1980 son référendum sur l'indépendance du Québec. Et dans la même semaine, tandis que, de mon côté, je pesais la question de mon retour, le Cabinet Lévesque discutait des termes de la question référendaire. Jim Coutts aussi invoquait, pour me convaincre, l'argument du référendum. Après avoir insisté sur l'impact que pourrait avoir mon intervention, si j'entrais dans la lutte référendaire avec le titre de premier ministre, il ajoutait: «Et puis, qu'est-ce que vous risquez? Deux ou trois mois de votre temps, rien de plus. Ou bien vous l'emportez, ou bien vous êtes battu. Et dans le second cas, vous vous retrouvez exactement au même point où vous êtes maintenant.» De toute évidence, l'opinion était divisée. Mais en majorité, mes proches me répétaient: «Nous vous prions instamment de reprendre la tête du parti, Monsieur le premier ministre.» Et si je décidais de rempiler, je pouvais même compter sur l'entier appui de ceux qui doutaient de mon succès.

Le référendum québécois qui se dessinait à l'horizon joua un grand rôle dans ma décision de revenir aux affaires. Déjà, en 1977, j'avais déclaré, dans un discours au Château Frontenac, devant les membres de la Chambre de commerce de Québec: «Parlant de constitutions, la France s'en est donné dix-sept en cent soixante-dix ans. Nous qui en sommes encore à la première, après plus d'un siècle, nous pouvons certainement nous en offrir une seconde, mais laquelle? Il faudrait savoir d'abord si les Québécois sont des Canadiens ou des séparatistes.» Et j'avais fait appel au Parti québécois pour qu'il pose une question claire au peuple du Québec. Je l'invitais à poser cette question sans délai et de façon définitive afin d'éviter que, dans l'hypothèse où les séparatistes seraient battus, ils soient tentés de rouvrir ensuite le même débat tous les cinq ans.

Photo d'apparence irrévérencieuse où deux intimes du Parti libéral, Keith Davey (à gauche) et Gordon Ashworth, ont l'air de prier, après ma démission, pour mon retour à la politique. (J.-M. Carisse)

Je devais apprendre, beaucoup plus tard, que Lévesque et ses stratèges avaient fait le calcul suivant: eux-mêmes avaient pris le pouvoir en 1976, alors que j'avais été réélu en 1974, ce qui m'obligeait à tenir une élection au plus tard en 1979. Et comme les sondages annonçaient ma défaite, je devrais, selon toute vraisemblance, me trouver loin du pouvoir avant l'expiration de leur mandat. Leur plan consistait donc à retarder le référendum jusqu'à ce que Trudeau disparaisse de la scène. Il est amusant de rappeler que tout de suite après ma démission, à la fin de novembre, ils ont jugé le moment venu de fixer la date du référendum. Jusqu'à l'annonce de mon départ, cette date avait été laissée dans le vague et sans cesse repoussée vers un avenir imprécis. De toute évidence, mon retour dérangeait leurs plans et si j'ai rappliqué, c'était pour une bonne part afin de me placer en travers de leur route. La stratégie des péquistes leur avait explosé au visage. L'un des principaux arguments utilisés par mes amis pour me convaincre de rempiler, c'est qu'ils voyaient pour moi la chance de participer à la campagne référendaire et d'y intervenir avec une efficacité décuplée, si entre-temps je redevenais premier ministre.

S'ils avaient connu cette photo, peut-être auraient-ils été encore plus impressionnés par mes aptitudes.
(J.-M. Carisse)

Mais en dépit de tout cela, il ne s'agissait pas d'une décision facile. Au départ de mes amis, ce soir-là, je quittai Stornoway pour arpenter les rues de Rockliffe, dans le voisinage du parc, pendant quelques heures, jaugeant les différents facteurs qui allaient décider de mon avenir. Et quand je revins me mettre au lit, j'avais tranché assez nettement à l'encontre d'un retour aux affaires. Mais le lendemain, le mardi 18 décembre, une pensée dérangeante m'éveilla brusquement: le regret d'avoir pris la veille une mauvaise décision et l'intention très nette de la renverser ce jour-là même. C'est alors que j'appelai Jim Coutts au téléphone. À ma demande, il avait préparé deux textes, l'un pour annoncer mon retour, l'autre pour expliquer le contraire, si je décidais de ne pas revenir. J'ai dit à Jim: «O.K. On y va.»

* * *

Plusieurs commentateurs ont remarqué que ma campagne électorale de 1980 obéissait à des consignes très strictes. J'avais appris ma leçon, et je ne voulais pour rien au monde répéter mes erreurs passées. Comme ils l'avaient fait en 1972, des conseillers politiques, dont Keith Davey et Jim Coutts, m'ont fait comprendre que ma défaite de 1979 tenait au fait que j'avais mené la campagne selon mes seules lumières. J'avais concentré trop d'efforts sur les questions qui me préoccupaient personnellement, et pas assez sur celles qui tracassaient l'électorat. En 1980, notre démarche fut très différente. Nous avons axé la campagne sur des questions plus simples, plus susceptibles aussi de capter l'attention des électeurs.

Joe Clark s'était fait un certain nombre d'ennemis. Sous l'effet de pressions dont j'avais l'expérience, il avait décidé de déménager, de Tel-Aviv à Jérusalem, notre ambassade en Israël. Puis, il dut reculer quand le monde arabe eut réagi par une colère très prévisible. De plus, cherchant le succès là où nous avions connu l'échec, il avait tenté de conclure une entente avec l'Alberta sur le prix du pétrole. Cependant, même en multipliant les gentillesses à l'égard du premier ministre Peter Lougheed, même en exigeant moins de l'Alberta que nous n'avions demandé nous-mêmes, il n'avait pas pu obtenir un accord. J'axai donc principalement ma campagne sur le thème des qualités que doit posséder un chef. «Il ne suffit pas d'être leader, disais-je. Encore faut-il être un *bon* leader. Il faut savoir ce qu'on fait.» J'attaquais Clark (sans pitié, je crois, quand j'y repense) en affirmant qu'il se conduisait comme le maître d'hôtel des provinces en leur faisant porter sur un plat tout ce qu'elles désiraient. Et j'ajoutais que même en s'humiliant ainsi, il n'obtenait rien. J'attaquais sa notion d'un Canada «communauté de communautés», lui opposant mon concept d'un Canada nation forte. Je promettais de réaliser une politique énergétique vigoureuse et bénéfique pour le Canada, sans faire de courbettes devant aucune province mais sans non plus être injuste pour aucune. Je promettais que nous serions le gouvernement du Canada tout entier.

Le thème central de la campagne était le suivant: «Quand on forme le gouvernement, on doit être capable de gouverner, c'est-à-dire de prendre des décisions. Et nous savons le faire.» Dans mes tournées électorales d'un océan à l'autre, mes conseillers m'aidaient à focaliser sur ce point central sans me perdre dans trop de détails. Les sondages eurent tôt fait d'indiquer que nous jouissions d'une bonne avance. Cette fois, nous n'avons pas voulu tenir un débat des chefs; celui de 1979 m'avait trop déçu. On avait l'impression qu'il était dirigé par les journalistes au lieu de l'être par les participants à la campagne. En 1980, on m'a tenu loin des assemblées qu'on prévoyait truffées de loustics parce que les loustics éveillaient ma

Une fois clairement acquis le fait que nous avions remporté une majorité, je commençai mon discours aux partisans libéraux réunis au Château Laurier par les mots suivants: «Bienvenue dans la décennie 80.»
(J.-M. Carisse)

combativité et tiraient de moi des propos qui n'étaient pas toujours bien avisés, d'un point de vue politique. Mais j'ai mené cette campagne dans l'enthousiasme et le 18 février 1980, le Parti libéral retrouvait cent quarante-huit sièges, les conservateurs cent trois et le NPD d'Ed Broadbent trente-deux.

* * *

À la foule chaleureuse des libéraux qui remplissaient la salle du Château Laurier, ce soir-là, je lançai: «Bienvenue dans la décennie 80.» Pour moi, il s'agissait de recommencer à neuf, complètement.

Avant l'élection de 1979, j'avais l'impression que tout était bloqué à cause de la situation économique et parce que les provinces résistaient à bloc, sentant notre fin prochaine. À ce moment-là, rien ne bougeait plus et l'on avait toutes les misères du monde à faire quoi que ce soit. C'est pourquoi la seconde chance qui nous était donnée se révélait si excitante. À l'instar de Sénèque qui conseillait de «vivre chaque journée comme si elle devait être la dernière», j'étais résolu à gouverner, au cours de ce mandat, comme s'il dût être mon dernier. J'adoptai une démarche assez différente de l'attitude que j'avais eue au cours des mandats précédents. Je donnai instruction au personnel de mon bureau de réduire le nombre des documents que je devais lire, le nombre des lettres que je devais signer, et d'abréger les notes et les mémos qu'ils m'adressaient. Je décidai aussi de concentrer mon attention sur quelques points particuliers, peu nombreux, tels le référendum au Québec, le problème de l'énergie, les questions économiques. Mais surtout, pour atteindre mes objectifs, j'acceptais certains risques que j'aurais refusés auparavant.

Nous comptions alors plusieurs années au pouvoir, au cours desquelles nous avions tenté de coopérer avec les provinces, avec les patrons et les travailleurs, avec nos détenteurs de ressources pétrolières. Mais même dans cet esprit coopératif, nous avions eu toutes les peines à réaliser quoi que ce soit. Je me dis alors: «Suffit! J'ai la conviction, partagée je l'espère par la population du Canada, que certaines dispositions doivent être prises, hors contexte du fédéralisme dit coopératif. Il faut en prendre seul l'initiative sans quoi elles ne verront jamais le jour. Prenons pour exemple le problème de la Constitution. Tous les premiers ministres, depuis Mackenzie King en 1927, ont tenté de rapatrier le document avec le consentement des provinces, mais aucun n'a jamais pu y réussir. Je me suis dit que jamais nous n'aurions une Constitution bien à nous si nous n'étions pas prêts à agir seuls. De même pour l'énergie, de même pour certaines mesures économiques. Tel fut l'esprit qui inspira notre action après 1980. Nous avions fait la preuve qu'une démarche lente et prudente n'avivait pas l'esprit coopératif des provinces; peut-être même avait-elle pour effet de l'amortir. Nous avons donc résolu de devenir plus efficaces, en passant seuls à l'action quand il le fallait.

L'un de mes premiers gestes après l'élection fut de rencontrer Ed Broadbent, le leader du NPD, en tête-à-tête. Lui et moi n'avions jamais été intimes mais nous avions du respect l'un pour l'autre. Je reconnaissais en lui un homme intelligent, de bonne éducation, bon *debater* et chef de parti efficace à la Chambre des communes. À coup sûr, la proposition que j'allais lui faire le surprendrait. Dans un effort pour négocier une alliance quelconque entre nos deux partis, je lui offris de confier à son groupe plusieurs postes ministériels de première importance dans notre prochain Cabinet. Même en possession d'une majorité confortable, je me disais que renforcer la représentation géographique, au sein du gouvernement, aiderait grandement à la solution de certains problèmes cruciaux d'importance nationale, tel par exemple celui de la Constitution. Nous étions riches en représentants issus de Terre-Neuve, de la Nouvelle-Écosse, du Nouveau-Brunswick, de l'Île-du-Prince-Édouard, du Québec et de l'Ontario, mais nous n'avions fait élire, à l'ouest de l'Ontario, qu'une poignée à peine de députés libéraux. En revanche, des candidats du NPD avaient été élus à travers tout l'Ouest, sauf en Alberta. Je croyais que nos efforts vers l'unité se révéleraient beaucoup plus efficaces si nous arrivions à joindre nos forces. Depuis le temps de M. Pearson, des propositions de cette nature, plus ou moins réfléchies selon les cas, avaient fait l'objet d'un dialogue constant entre le Parti libéral et le NPD. Cette fois-ci, l'offre que je faisais était très sérieuse. Toutefois, Broadbent l'a déclinée, de crainte que son parti n'y perde son influence et sa crédibilité. Mais il arriva qu'en matière constitutionnelle, le NPD nous a soutenus sur presque tous les points.

Je le répète: l'Histoire au conditionnel passé ne m'intéresse pas beaucoup. D'autres peut-être auront plaisir à spéculer sur la décennie différente qu'aurait pu être celle des années 80, si cette rencontre secrète entre Broadbent et moi avait permis de réaliser le front commun des forces de progrès à travers le pays tout entier.

* * *

Le référendum au Québec fut le premier défi d'importance que j'eus à relever après l'élection de 1980. C'est le sort du Canada qui se trouvait en jeu et, par voie de conséquence, celui de notre gouvernement. Car dans mon esprit, il ne faisait pas le moindre doute que je devrais démissionner, si les séparatistes gagnaient ce référendum. En pareille occurrence, il m'aurait fallu conclure: «J'ai perdu la confiance du peuple québécois qui a choisi de quitter la fédération canadienne. Je n'ai mandat de négocier ni cette séparation ni une association nouvelle avec un Québec souverain.» De fait, j'ai toujours pensé que

Avec Ed Broadbent, leader du NPD, très surpris par mon offre d'une coalition de nos deux partis qui aurait fait entrer au Cabinet des députés du NPD.

(ANC-CT)

René Lévesque aurait dû faire le même raisonnement et démissionner lui-même, une fois que les électeurs eurent répudié ce qui était la raison d'être de son gouvernement. Mais ce n'était pas là le seul point que nous ne voyions pas du même œil.

Au départ, diriger la campagne en faveur du NON fut l'affaire exclusive de Claude Ryan, qui avait succédé à Robert Bourassa comme chef du Parti libéral québécois. Je connaissais Ryan depuis longtemps. On peut dire sans se tromper que les origines de nos pensées respectives sont très différentes. Je crois, comme je l'ai déjà dit, qu'il avait fait une erreur très grave, pendant la Crise d'octobre 1970, en apposant sa signature au bas d'un manifeste qui préconisait la libération des «prisonniers politiques» felquistes comme moyen de sauver les vies de Pierre Laporte et de James Cross. Mais la nouvelle de son engagement en politique active dans le Parti libéral du Québec m'avait quand même réjoui. Je me souviens de m'être dit, quand j'appris que les libéraux québécois en avaient fait leur leader: «Voici un homme aux mains nettes, capable de penser clairement. Il va donner au parti provincial une vigueur nouvelle et lui rallier de nouveaux éléments.» C'était là, je crois, un sentiment assez général chez

Album de famille

(ANC-CT)

de nombreux Québécois qui attribuaient la défaite du gouvernement Bourassa, en 1976, à ce qu'on pourrait appeler un relâchement de la direction, peut-être même un affaissement de la moralité politique dans le PLQ de l'époque. On s'attendait que Ryan, comme leader, s'acquitterait bien de son rôle. Personnellement, je ne lui aurais pas donné mon appui, au départ, mais je me souviens d'avoir jugé que le parti provincial n'avait pas fait un mauvais choix.

Il ne tarda pas toutefois à exhiber ses vraies couleurs, c'est-à-dire à se montrer tel qu'il avait toujours été: un nationaliste, partisan de la société distincte et du statut particulier qu'il n'avait cessé de promouvoir depuis son accession à la direction du journal *Le Devoir*. Chef libéral, il continua de revendiquer plus de pouvoirs pour le Québec, comme moyen de résoudre le problème constitutionnel, et je croyais fermement, pour ma part, que son parti n'avait pas fait de lui son leader pour qu'il poursuive dans cette voie. On l'avait élu pour aider les libéraux à défaire le parti séparatiste, ce qui exigeait un Canada fort et une forte présence canadienne-française à Ottawa.

Nous, libéraux fédéraux, avions discuté depuis le tout début, dans notre caucus du Québec, de la forme que devrait prendre notre participation à la campagne référendaire. Je disais, pour ma part: «D'abord et avant tout, nous sommes tous des Québécois. La question relative à la séparation du Québec nous intéresse donc au premier chef, nous politiciens fédéraux, aussi directement qu'elle intéresse les politiciens provinciaux. Nous sommes des Québécois; nous allons nous exprimer. Mais nous n'allons pas nous comporter en grands frères venus diriger les opérations, ce qui pourrait jouer contre nous.» Nous étions tous d'avis que le Comité du NON, sous l'autorité de Claude Ryan, devait diriger la campagne. Et nous apporterions à ce comité la collaboration qu'il attendrait de nous. Personnellement, j'avais prévenu tout le monde, dès le départ, de ne pas compter sur moi pour faire campagne de village en village et parler à tout un chacun. Qu'est-ce que j'avais à expliquer? Tout le monde connaissait mes opinions. Je me serais ennuyé et j'aurais ennuyé mes auditoires, à leur répéter constamment les mêmes propos. J'annonçai donc que j'allais faire moi-même quelques apparitions au Québec. Mais ma consigne aux effectifs québécois de notre parti fut d'aller de l'avant, de soutenir les forces du NON et de ne pas ménager leurs efforts.

La première ronde du débat fut remportée haut la main par le Parti québécois. Le 20 décembre 1979, René Lévesque avait rendu publics les termes de la question référendaire (question pipée, à mon avis, comme j'aurai l'occasion de l'expliquer plus loin). Du 4 au 20 mars 1980, l'Assemblée nationale du Québec eut cette question comme unique poste à son ordre du jour. Ce premier débat était télévisé. Le Parti québécois l'avait mis en scène de main de maître, chaque intervenant devant soutenir le OUI avec des arguments différents, afin d'éviter les répétitions fastidieuses. En face, les libéraux du Québec s'engagèrent dans une impasse en exposant sans ordre diverses façons compliquées de réaliser une espèce de statut particulier pour le Québec. Ils tentaient d'expliciter le très complexe Livre beige de Claude Ryan, dont l'argumentaire consistait à dire que le Québec devait rester intégré au Canada et fidèle au fédéralisme mais qu'il devait s'efforcer d'obtenir toute une série de pouvoirs nouveaux. Le Parti libéral se noyait dans un marécage de sa fabrication tandis que le Parti québécois tenait un discours ferme et fier.

Résultat: les nouvelles en provenance du Québec étaient catastrophiques. Mes ministres et les autres membres du caucus affirmaient à l'unanimité que le débat constituait un triomphe pour le Parti québécois. Ensuite, Claude Ryan, à titre de chef des forces du NON, s'engagea dans une tournée de la province, village après village ou presque, pour parler à de petits groupes. Il ne ménageait pas ses efforts mais sans grand effet; pas de manchettes dans les médias, peu d'impact sur l'opinion publique. Je jugeai alors le moment venu de lui donner un plus sérieux coup de main. J'avais déjà chargé Jean Chrétien de diriger nos troupes fédéralistes mais je lui laissai alors une plus grande liberté. Je l'encourageai à plus de vigueur dans l'action, à se tailler le rôle qu'il voulait. Nous traînions de l'arrière dans les sondages. Bientôt, Ryan se rendit compte qu'il perdait du terrain et consentit à faire de Chrétien le coprésident des forces du NON. L'arrivée de ce dernier, entouré d'une équipe gonflée à bloc, amorça un virage dans le sens de l'option fédéraliste.

Quant à moi, je m'en tins à ma résolution première de limiter mon rôle à quelques interventions seulement, mais à des moments favorables. À mesure que le jour du vote approchait, il devenait de plus en plus clair que les gens voulaient entendre ce qu'avait à dire le Canadien français qui occupait à Ottawa le poste de premier ministre. Je pris la parole à quatre reprises seulement: le 15 avril à la Chambre des communes, le 7 mai devant la Chambre de commerce de Montréal, le 9 mai à un ralliement dans la ville de Québec et le 14 mai au centre Paul-Sauvé de Montréal. Je donnai sans texte chacun de ces discours, aidé de quelques notes pour me rappeler les points

Après l'élection de 1980, je décidai de me concentrer sur un petit nombre de questions cruciales, notamment le référendum au Québec, le problème de l'énergie, les difficultés économiques et la réforme constitutionnelle.

(ANC-CT)

sur lesquels je voulais mettre l'accent. Pour l'essentiel, mon message consistait à dire aux Québécois que le parti séparatiste au pouvoir essayait de les tromper au moyen d'une question truquée. Cette question longue et contournée visait à faire adhérer les gens au séparatisme, mais par étapes. J'affirmais: «Si la question était claire, formulée en noir sur blanc: "Vous, Québécois, désirez-vous la séparation, oui ou non?", je n'aurais rien à redire. Mais au lieu de cela, ils vous posent cette question compliquée qui appelle à voter pour une souveraineté-association suivie d'autres négociations, d'autres référendums, prenant toujours pour acquis qu'après une victoire du OUI, les Québécois continueraient d'avoir droit au dollar canadien, au passeport canadien et à d'autres avantages encore. Ils vous demandent de dire oui. Or, à leur question, telle qu'ils l'ont formulée, il est impossible de faire une réponse honnête. Ils vous demandent si vous désirez vous associer aux autres provinces mais comment votre vote, au Québec, pourrait-il forcer les autres provinces à s'associer à vous, dans l'hypothèse où vous auriez décidé en faveur de la souveraineté-association?» Bien entendu, je me chargeai de poser la question suivante au premier ministre de l'Ontario et à quelques autres: «Voilà

Au départ, c'est Claude Ryan (à gauche), leader des libéraux provinciaux du Québec, qui dirigeait la lutte contre le Parti québécois. Quand la campagne commença de vaciller, je désignai Jean Chrétien (à droite) pour intervenir avec toutes les forces fédérales à sa disposition et je m'offris pour participer moi-même, en temps opportun. (ANC-CT)

qu'ils veulent vous obliger à vous associer, une fois qu'ils auront voté la séparation. Qu'en pensez vous?» Les Québécois n'eurent pas à tendre l'oreille pour entendre la réponse du Canada anglais qui opposait un NON retentissant à toute association avec un Québec indépendant.

En contre-attaque, les séparatistes interrogeaient à leur tour: «Comment Trudeau peut-il affirmer que le reste du Canada refusera toute association, même si une grande majorité des Québécois en exprimaient le désir par leur vote? Ne croit-il donc pas à la démocratie? Et n'est-ce pas la démocratie en action que nous observons ici?» Je répondais: «Va pour la démocratie. Mais nul peuple démocratique ne peut lier les mains d'un autre peuple. Que penseriez-vous des Cubains s'ils décidaient subitement, par une écrasante majorité, que nous devons admettre Cuba au sein de la fédération canadienne? Nos convictions démocratiques nous obligeraient-elles à intégrer Cuba comme onzième province canadienne? La même logique s'appliquerait à un Québec séparé. En votant OUI, vous jetez aux orties votre force de négociation; vous remettez votre sort entre les mains des autres provinces qui pourront vous répondre: "Faites l'indépendance si vous le voulez mais une fois que vous l'aurez accomplie, il ne sera plus question de nous ré-associer".»

Au moment où la campagne atteignit son point culminant, l'élan avait changé de bord et les séparatistes commençaient à commettre de sérieuses erreurs. L'une des mieux connues donna naissance à l'incident des «Yvettes» déclenché par un important ministre féminin du Cabinet Lévesque. Celle-ci avait fait, dans un discours, la gaffe majuscule de se moquer des femmes au foyer qui prenaient soin de leurs enfants au lieu de combattre sur les barricades séparatistes. Et bougeant les pieds dans le plat, elle avait ajouté négligemment que l'épouse de Claude Ryan était l'une de ces femmes. L'accusation portait à faux, car Madeleine Ryan avait toujours été très active dans le domaine social, particulièrement comme militante de l'Action catholique. Cela équivalait à dire aux femmes: «Vous avez beau militer ailleurs mais si vous votez NON, vous êtes des niaises.» En attrapant du même coup les femmes non militantes et celles qui s'imposaient de rester à la maison, de prendre soin des enfants et de cuire les repas, les séparatistes s'infligeaient à eux-mêmes une double baffe. Toutes les femmes et particulièrement celles qui penchaient vers le NON se sentirent insultées et l'incident donna lieu à une vigoureuse campagne féminine en faveur du NON.

Celui de tous mes discours qui semble avoir laissé le plus vif souvenir, c'est celui que je prononçai au centre Paul-Sauvé de Montréal. Pour moi, au contraire, il ne figure pas dans la liste des meilleurs. Je préfère de loin celui que je donnai à Québec, en 1977, où j'analysais avec une logique beaucoup plus rigoureuse la situation québécoise. Mais je me souviens que la soirée au centre Paul-Sauvé fut très émouvante. Nous venions de voir toute une série de ralliements séparatistes truffés de drapeaux fleurdelysés. Mais ce soir-là, le centre Paul-Sauvé était rempli à craquer de partisans fédéralistes enthousiastes, porteurs de milliers de drapeaux à feuille d'érable. Là, je commençai de croire que nous allions l'emporter. J'avais toujours espéré une victoire, j'y avais toujours cru. Mais cette fois, je la sentais venir.

J'eus aussi le sentiment que l'occasion m'était fournie de répondre à une attaque idiote dont j'avais été victime. C'est Lévesque lui-même qui avait gaffé en déclarant à mon sujet: «Son nom est Pierre Elliott Trudeau et c'est l'élément Elliott, l'élément anglais, qui prend le dessus aujourd'hui, de sorte que nous, Québécois francophones, ne pouvons attendre de lui aucune sympathie.»

C'était là une insulte d'autant plus absurde et dérisoire qu'elle venait s'ajouter à ces accusations de trahison, formulées par les séparatistes contre mes ministres et députés francophones et moi personnellement, parce que nous commettions le crime de défendre le Canada. Mais au centre Paul-Sauvé, je décidai de relever ce lapsus de Lévesque qui mettait à nu l'intolérance de l'attitude séparatiste. Bien avant mon entrée en politique, je m'attachais déjà à démontrer qu'un État doit travailler au bien de tous ses citoyens plutôt qu'à celui de tel groupe linguistique ou religieux. Et voilà qu'au dire de Lévesque, celui qui portait un nom à consonance anglaise ne pouvait pas être un vrai Québécois.

Dans mon discours de ce soir-là, je rappelai à mon auditoire que Lévesque avait souligné la partie «anglaise» de mon nom, Elliott (n'importe quel Écossais aurait protesté, en entendant cela, que le patronyme en question était plutôt écossais), et qu'à cause de cela je n'étais pas aussi québécois que les partisans décidés à voter OUI. Je fis d'abord remarquer que le Parti québécois lui-même comptait parmi ses ministres, anciens et nouveaux, trois membres du Cabinet dont le nom était tout aussi «anglais» que le mien: Robert Burns, Louis O'Neil et Pierre Marc Johnson. Je soulignai aussi que Claude Ryan de même que le regretté Daniel Johnson étaient tous deux de bons Québécois dotés de patronymes «anglais».

Puis, j'enchaînai: «Bien sûr que je porte le nom de Pierre Elliott Trudeau, Elliott étant le nom de jeune fille de ma mère, le nom que portaient les Elliott arrivés au Canada voilà plus de deux siècles. C'est aussi le nom des Elliott qui se sont installés, voilà plus de cent ans, à Saint-Gabriel de Brandon où l'on peut encore lire leurs noms gravés sur les pierres tombales du cimetière. Voilà les Elliott. Mon nom est un nom québécois mais en même temps canadien. Tel est mon nom.» Ce fut là l'étincelle de mon discours qui mit en évidence le caractère intolérant du séparatisme qu'on demandait à mon auditoire d'endosser par son vote.

Je profitai aussi de ce rallye, point culminant de notre campagne, pour faire une déclaration dont l'écho devait se faire entendre bien au-delà de la période référendaire et qui allait avoir une influence sur le débat constitutionnel à venir. Je déclarai à cette foule: «Le NON est synonyme de changement. Dès après la victoire du NON, nous passerons à l'action pour modifier la Constitution canadienne et nous n'aurons de cesse que nous n'ayons complété cette réforme. Je déclare solennellement, à l'adresse des Canadiens des autres provinces, que nous, députés du Québec, mettons nos sièges en jeu. Nous exhortons les Québécois à voter NON. Mais soyez prévenus, vous citoyens des autres provinces: nous n'admettrons pas que vous interprétiez une victoire du NON comme le signe que tout va bien de nouveau et que nous pouvons revenir au *statu quo*.»

J'avais à l'esprit la réaction de certains premiers ministres provinciaux qui m'avaient affirmé, en 1978 et 1979: «Rien ne presse, Monsieur le premier ministre.» Je craignais qu'ils ne recommencent à se traîner les pieds. Je voulais leur faire savoir qu'immédiatement après le référendum, nous allions nous mettre à l'œuvre et travailler sans arrêt jusqu'au bout. Les changements que je promettais, nous les avons tous réalisés: rapatriement de notre Constitution accompagnée d'une Charte des droits et d'une formule d'amendement.

Mais il ne manque pas de gens, la plupart du temps des séparatistes, qui ont le culot d'affirmer qu'en parlant de changement, j'avais en tête de modifier la Constitution comme l'auraient fait les apôtres du OUI, et dans le même sens qu'eux, s'ils avaient gagné le référendum. J'aurais laissé croire aux Québécois, prétendent-ils, que j'allais transférer au gouvernement du Québec toutes espèces de pouvoirs nouveaux, afin de lui conférer un statut particulier. Je me demande comment ces gens-là peuvent débiter sans rire pareilles balivernes. Depuis toujours et même dans mes écrits d'avant la politique active, je m'étais opposé à la notion même de statut particulier. J'ai toujours combattu l'idée de décentraliser davantage notre pays qui est déjà l'une des fédérations les plus décentralisées du monde politique universel. C'est donc une absurdité évidente (je pourrais employer un terme encore plus sévère) de prétendre que j'avais entrepris de gagner le référendum en m'engageant à modifier la Constitution dans la direction préconisée par ceux qui l'ont perdu. Je me battais pour mes idées, non pour celles de mes adversaires. Autrement, j'aurais voté OUI. Et bien sûr qu'à l'époque, les séparatistes le savaient fort bien. À peine quelques jours avant que je promette du changement, Lévesque lui-même se disait sans illusions. «Nous savons ce que Trudeau a en tête, quand il parle de changement, disait-il en substance. Il va centraliser encore davantage.» Je doute qu'aucun d'eux ait cru un seul instant que j'allais aller dans leur sens, si nous gagnions le référendum. Ils savaient que leur défaite serait totale. C'est seulement beaucoup plus tard qu'ils se sont mis à brandir leur argument geignard: «Il nous avait promis du changement.» Oui, j'avais promis au Québec des changements constitutionnels et c'est ce que je lui ai livré. J'ai donné au Québec, comme au reste du Canada, une nouvelle Constitution de fabrication canadienne, pourvue d'une nouvelle formule d'amendement et d'une nouvelle charte des droits et libertés.

Le 20 mai 1980, les Québécois se sont prononcés sans équivoque en faveur du Canada. Le pourcentage des NON s'établissait à 59,6 tandis que le camp du OUI ne recueillait que 40,4 p. 100 des voix. Je déclarai ce soir-là à la radio-télévision: «Je n'ai jamais été aussi fier d'être québécois et canadien.» Je jugeais important de ne pas triompher avec trop d'éclat. D'abord, je n'ai jamais eu pour style de parader, les poings en l'air, en criant: «Victoire!» Je préfère laisser les gens décider eux-mêmes si j'ai gagné ou perdu. Mais ce soir-là en particulier ne se prêtait pas du tout au triomphalisme. Je me souviens d'avoir affirmé au contraire que nous étions tous un peu perdants parce que nous nous étions battus entre nous. Cette lutte avait semé

Juillet 1980. J'ai l'honneur de rencontrer Terry Fox de passage à Ottawa au cours de son Marathon de l'Espoir. (ANC-CT)

la division dans les familles, elle avait détruit des amitiés. Pendant la campagne référendaire, mes ministres et les autres membres de notre groupe parlementaire québécois revenaient déprimés de leurs fins de semaine au Québec. Ils avaient participé à la lutte en faveur du Canada, témoins des profondes divisions que creusait le débat entre amis de longue date, entre parents et enfants ou frères et sœurs au sein d'une même famille. Ce fut une période d'émotions très intenses.

Ce soir-là, au fond de moi-même, j'éprouvais une grande joie à la pensée qu'en dépit d'une question pipée, la population du Québec s'était prononcée contre toute forme de séparation. Nous avions joué cartes sur table; nous l'avions emporté de façon concluante, sans ambiguïté. Mais en oubliant l'émotion du moment, je prenais conscience qu'il fallait bouger vite et profiter de l'impératif moral créé par la victoire référendaire pour régler le plus rapidement possible la question constitutionnelle. Dès le lendemain, j'enjoignais à Jean Chrétien de sauter à bord d'un avion et d'aller «vendre» aux provinces l'ensemble de nos propositions.

* * *

Après le référendum, une autre tâche urgente nous attendait, parallèlement à la réforme constitutionnelle: conclure, en matière énergétique, une entente avec l'Alberta. En 1973, le cartel des pays producteurs de pétrole, l'OPEP, avait brusquement augmenté, en moins d'un an, le prix mondial d'un baril de pétrole de 2,59 à 11,65 dollars américains. Cette hausse sans précédent avait ébranlé toutes et chacune des économies nationales à travers le monde. En retour, j'avais annoncé toute une série de mesures qui visaient à renforcer l'autonomie du Canada dans le domaine pétrolier, de manière à rendre notre économie moins vulnérable. Nous avions fixé pour le pétrole un prix unique, le même à travers tout le Canada, et inférieur au prix mondial. L'oléoduc interprovincial avait été prolongé de Sarnia, en Ontario, jusqu'à Montréal. Une taxe sur les exportations de pétrole empêchait les Américains de drainer vers leurs marchés les réserves pétrolières du Canada. Et nous avions mis sur pied Petro-Canada, société publique, afin d'ouvrir aux Canadiens une fenêtre sur l'industrie pétrolière que dominaient encore, à l'époque, des compagnies américaines pas toujours soucieuses de protéger nos intérêts. Cette firme devait s'employer aussi à la prospection de

Plus tard, ce sont les skieurs canadiens Steve Podborski, Ken Read et Gerry Sorenson qui me rendent visite à mon bureau. (J.-M. Carisse)

nouveaux gisements pétrolifères. L'Alberta, de loin notre principale province productrice, se montra au début très mécontente de notre politique formulée en 1973. Mais cinq ans plus tard, le prix canadien du pétrole avait graduellement rejoint le prix mondial, nous avions conclu avec Edmonton une entente sur le partage des ressources et les gouvernements fédéral, ontarien et albertain s'étaient même unis pour voler au secours du projet Syncrude destiné à l'exploitation des sables bitumineux. Tout semblait stable, de nouveau, dans le domaine énergétique, quand éclata la deuxième crise pétrolière de l'OPEP déclenchée par la révolution qui bouleversait l'Iran.

Après le départ du Shah et l'arrivée au pouvoir de l'ayatollah Khomeiny, l'industrie iranienne du pétrole cessa brusquement de fonctionner. Du jour au lendemain, le prix augmenta du double et même davantage, grimpant de 14 à 34 dollars américains le baril. Cette fois, tous les experts, aussi bien ceux de l'industrie que ceux des associations de consommateurs, rajustèrent leurs prédictions: le prix, disaient-ils, va continuer de monter en flèche jusqu'à 90 ou 100 dollars le baril. Nous faisions donc face à une situation entièrement

Été 1981. Keith Davey (à droite) me rend visite avec son ami, le populaire chroniqueur du Toronto Star *Gary Lautens, et sa famille.* (ANC-CT)

nouvelle et impossible à gérer sous l'empire des accords existants qui n'accordaient au gouvernement fédéral que 9 p. 100 des revenus du pétrole et du gaz naturel, tandis que les provinces productrices en retiraient 50,5 p. 100 et l'industrie, 40,5. J'avais la conviction que les autorités fédérales avaient besoin d'en toucher une part plus importante, pour deux raisons au moins. D'abord, nous voulions un prix pétrolier *made in Canada,* qui évoluerait vers les prix mondiaux mais ne les atteindrait pas du jour au lendemain. À cette fin, il nous fallait de l'argent pour subventionner les prix payés par les consommateurs de pétrole importé. En second lieu, si les prix avaient continué de grimper sans qu'aucun changement ne soit apporté aux ententes sur le partage des revenus, l'Alberta et les sociétés pétrolières auraient drainé vers elles de telles sommes, en provenance du reste du Canada, que nous n'aurions même pas pu maintenir nos paiements de péréquation. Même l'Ontario serait alors devenue une province «démunie».

Au cours de la campagne électorale de 1980, j'avais abordé toutes ces questions. Dans un discours prononcé à Halifax, j'avais décrit les paramètres de notre politique en matière d'énergie. J'y promettais

Enquête sur la situation pétrolière dans le Nord canadien, à bord d'un navire destiné au forage en mer de Beaufort, près de Tuktoyaktuk dans les Territoires du Nord-Ouest.

(Canapress)

un prix pétrolier *made in Canada,* justifié par l'abondance de cette ressource sur notre territoire. Nous pouvions utiliser cette richesse pour faire face à nos concurrents, tout comme ceux-ci utilisaient à leur profit les avantages naturels dont ils disposaient. Je promettais un partage honnête des revenus entre le gouvernement fédéral, les provinces productrices et l'industrie. Je promettais aussi d'élever à 50 p. 100 la propriété canadienne de l'industrie pétrolière, afin de garantir notre indépendance et notre autonomie. Un tel objectif était considéré comme modeste par tous les pays du monde.

Cependant, réaction prévisible, cette politique provoqua une levée de boucliers de la part des multinationales pétrolières et l'indignation de Peter Lougheed, premier ministre de l'Alberta. Lougheed était un homme politique remarquablement costaud qui luttait ferme pour les intérêts de sa province, ce que jamais je ne lui ai reproché. Quand Joe Clark échoua dans sa tentative pour conclure une entente

Ce fut toujours une joie, pour mes fils, de voyager dans le Nord. (ANC-CT)

Et pour moi aussi. (ANC-CT)

avec l'Alberta sur la fixation des prix, le ministre fédéral des Finances, John Crosbie (un homme habile mais un peu trop porté sur la mitraillette verbale) traita publiquement Lougheed de «Bokassa II», en référence à l'infâme empereur de la République centrafricaine. D'autres l'avaient baptisé «le sheik aux yeux bleus». Mais à mon avis, il ne faisait rien d'autre que s'acquitter de ses fonctions. Comme premier ministre provincial, ce n'était pas à lui de prendre en compte le bien du Canada tout entier. Il gardait les yeux fixés sur le bien-être des Albertains et comme politicien de l'Ouest, spécialement en Alberta, il avait de bonnes raisons historiques de considérer avec méfiance l'influence exercée sur le gouvernement fédéral par la Bay Street de Toronto et la rue Saint-Jacques de Montréal. Chaque premier ministre provincial doit se battre pour sa province. On aimerait bien que les premiers ministres se soucient en même temps de leurs provinces et de l'ensemble canadien, mais il leur revient de penser d'abord à leurs intérêts régionaux, comme il me revenait à moi de penser d'abord au pays total.

Le gouvernement canadien et les ministres qui le composent sont élus pour veiller au bien du Canada tout entier, ce qui implique parfois qu'ils doivent dire non à telle région et oui à telle autre, afin de maintenir pour tous l'égalité des chances. Dans le système fédéral, le gouvernement central joue le rôle d'équilibreur, ce qui implique l'usage des contrepoids. En présence de telle province très riche et de telle autre très pauvre, il faut à mon avis mettre en œuvre des mesures de redistribution. Et c'est au gouvernement fédéral qu'il revient d'assurer que cette distribution soit équitable.

J'ai souvent discuté de cette question avec des députés de mon propre parti qui me représentaient, par exemple, comme absolument essentiel d'encourager telle société à s'installer, disons, à Québec plutôt qu'à Terre-Neuve. Je leur répondais qu'ils avaient raison de plaider pour leur province mais qu'ils devaient aussi tenir compte du bien commun. S'ils voulaient limiter leur action aux intérêts exclusifs du Québec, il fallait qu'ils se consacrent à la politique provinciale et qu'ils se fassent élire à l'Assemblée nationale. Je ne voyais à cela aucune objection. Mais à Ottawa, il fallait prendre en compte la pauvreté de Terre-Neuve, encore plus marquée que celle du Québec. Peut-être était-il raisonnable de promouvoir aussi le développement industriel de la grande île. C'est pourquoi, vu les caractères différents de nos rôles respectifs, il a toujours existé, au sein de la Confédération, une certaine tension entre les premiers ministres provinciaux et le gouvernement fédéral. Idéalement, cette tension se révélera créatrice, mais c'est quand même une tension.

En 1980, pour faire face aux prix énergétiques qui montaient en flèche, nous disposions d'un gouvernement tout neuf pourvu d'un mandat très clair: régler les problèmes. Dans cette perspective, la question de l'énergie prenait une importance considérable. Elle avait valu à Joe Clark une cuisante défaite électorale. J'étais donc résolu à réussir, là où il avait échoué, en faisant ce qu'il fallait faire. Je n'allais pas répéter une erreur que j'avais peut-être commise auparavant en montrant trop de gentillesse dans mes rapports avec les premiers ministres provinciaux. Cette fois, j'allais leur dire: «Voici des mesures qui sont bonnes pour le pays et nous avons reçu de la population le mandat de les mettre en œuvre.» Je confiai à Marc Lalonde, un ministre énergique, aux idées claires, qui avait accompli de la bonne besogne dans plusieurs autres ministères, la tâche de conclure avec l'Alberta, comme ministre de l'Énergie, l'entente dont nous avions déjà rendu public le cadre général. En octobre 1980, nous présentions notre Politique nationale de l'énergie, à l'intérieur du budget fédéral. Nous imposions de nouvelles taxes à la source pour augmenter les revenus fédéraux. La déduction des frais d'exploration et de développement était abolie et remplacée par un programme de subventions destinées à canadianiser davantage l'industrie pétrolière. Le budget prévoyait aussi des primes à la prospection sur les terres de la Couronne. Et par la même occasion, abordant le problème par son autre extrémité et pour faire état d'un important changement d'attitude à l'égard des ressources énergétiques non renouvelables, nous annoncions toute une série de mesures nouvelles relatives aux économies d'énergie.

Le gouvernement albertain fut outré de cette politique. Lougheed ne se contenta pas de protester; il ferma quelques robinets dans les champs pétrolifères et réduisit ses livraisons de pétrole aux autres provinces. Il parut à la télévision pour annoncer que l'Alberta réduisait de 180 000 barils par jour ses fournitures de pétrole au reste du Canada. La bataille dura plus d'un an et nous causa de graves difficultés politiques. Les Albertains ornaient leurs pare-chocs de collants qui proclamaient: «Laissez les bâtards de l'Est grelotter à la noirceur», ce qui ne contribuait guère à l'unité nationale.

Au même moment, les multinationales américaines manifestaient un tel déplaisir, relativement à notre politique de propriété canadienne, que Ronald Reagan, alors président des États-Unis, souleva

Peter Lougheed, premier ministre de l'Alberta, un redoutable négociateur.
(ANC-CT/Robert Cooper)

la question auprès de moi à l'occasion d'un déjeuner. Je lui déclarai sans ambages: «Attention. Ce programme m'a valu une victoire électorale. Je ne vous dicte pas la somme de vos dépenses militaires, vous n'allez pas m'interdire d'élaborer pour le Canada une politique énergétique qui nous soit propre.» Il n'a pas insisté. Je pense qu'il nous a sentis inébranlables à ce chapitre. Après une campagne électorale victorieuse dont la politique énergétique avait été l'un des thèmes principaux, c'eût été abdiquer toute fierté canadienne que de répondre au premier signe américain de mécontentement: «Patientez une minute, nous allons vous donner satisfaction.»

Je m'efforçai d'apaiser la colère des Albertains en expliquant que nous répétions simplement ce qu'avait fait John Diefenbaker avec sa Politique nationale du pétrole, sauf que nous l'appliquions en ordre inverse. En 1960, la Commission royale Borden sur l'énergie, soucieuse de développer les ressources pétrolières de l'Ouest, avait recommandé que tout le pétrole consommé à l'est de la ligne Borden (soit, en gros, à l'est de la rivière Outaouais) soit importé de l'étranger au prix mondial. Mais tous les consommateurs à l'ouest de cette ligne, ontariens pour la plupart, devraient acheter le pétrole de l'Ouest et payer un prix d'un dollar à un dollar cinquante *plus élevé* que le prix mondial. De ce fait, pendant la quasi-totalité de la période entre 1961 et 1973, les producteurs albertains ont été subventionnés par les consommateurs des autres provinces. Ces subventions ont fortement consolidé l'industrie albertaine et créé pour cette province la prospérité dont elle a joui par la suite. Cela m'amenait à dire que notre politique faisait pendant à celle-là en orientant le partage dans la direction opposée, pour contrebalancer la montée fulgurante des prix. L'Alberta concéderait au reste du Canada un plus fort pourcentage de ses prix très élevés afin de permettre le maintien des paiements de péréquation et le versement de subventions aux consommateurs qui devaient acheter au prix mondial le pétrole de l'étranger. Cette politique me paraissait juste mais les Albertains n'aimaient pas se rappeler le temps où leur industrie avait été subventionnée. Ils étaient davantage obsédés par les paiements que leur imposait désormais notre politique, ce qui donna lieu à une dure lutte politique.

Finalement, en septembre 1981, nous avons trouvé un compromis, au terme de négociations très ardues. La part fédérale des revenus pétroliers augmenterait de 10 à 26 p. 100 environ, tandis que la part des compagnies et celle du gouvernement albertain s'établiraient toutes deux au niveau de 37 p. 100. Cependant, le gouvernement albertain faisait triompher son point de vue au sujet du gaz naturel et, dans ce secteur, nous retirions notre taxe à la source. Mais nous avions de notre côté affermi nos mesures sur la propriété canadienne dans l'industrie pétrolière, ce qui constituait une importante percée vers la mise en œuvre d'une politique énergétique authentiquement canadienne. Pour moi, cette entente représentait un triomphe pour l'esprit canadien plutôt que la victoire d'un gouvernement sur un autre. L'accord de 1981 équilibrait des intérêts concurrentiels, comme l'avait fait en 1960 la politique de Diefenbaker fondée sur la ligne Borden et la nôtre, en 1970, relative aux prix de l'énergie. C'était un compromis honnête. J'ai trinqué avec Lougheed, une coupe de champagne à la main, et nous avons déclaré d'un commun accord que l'entente était avantageuse, à la fois pour l'Alberta et pour le Canada tout entier.

Mais le défaut de notre Politique nationale de l'énergie, c'est qu'à l'instar de presque tout le monde, nous avions pris pour acquis que les prix du pétrole continueraient de grimper. Cette politique eût été un franc succès si le prix du baril avait atteint les 60 dollars, comme tout le monde s'accordait alors pour le prédire. Mais l'encre n'était

Un juste compromis bon pour l'Alberta, bon pour le Canada, et qui méritait d'être célébré par une coupe de champagne.   (ANC-CT/Robert Cooper)

pas encore sèche, après la signature de l'entente, que les prix commençaient à se stabiliser, puis bientôt à tomber. En conséquence, toute notre planification se révéla erronée; nous devions garantir des subventions aux pétrolières canadiennes et des prix réduits aux consommateurs à même des sommes que nous ne touchions pas. Cependant, pour ce qui est des principes en jeu, je n'ai pas à m'excuser de cette politique. Les condamnations véhémentes proférées par les Albertains m'affligeaient profondément et je trouvais regrettable qu'ils fissent de cette politique le bouc émissaire de tous les maux qui accablèrent par la suite leur industrie pétrolière. La rancœur fut telle qu'à un certain moment, il fallut presque ajouter les libéraux de Calgary à la liste des espèces en voie de disparition. Mais je soutiendrai toujours que nous avions eu raison de mettre à profit l'autosuffisance énergétique du Canada, dans l'intérêt du pays, en établissant nous-mêmes les prix canadiens du pétrole au lieu de laisser la manne créée par l'OPEP remplir les coffres des compagnies. Pour un gouvernement fédéral soucieux de développer la totalité du territoire et non pas une seule province, il était normal de mettre en œuvre une politique profitable à nos manufacturiers en même temps qu'aux producteurs de pétrole. Le rôle du gouvernement fédéral, c'est de permettre aux pauvres d'avoir part à la fortune des riches.

Telle était notre politique envers les personnes et envers les régions dans le domaine des ressources énergétiques. Nous sommes restés fidèles à nos convictions relatives au partage et je suis fier de cette fidélité.

* * *

Les effets de la crise pétrolière déclenchée par l'OPEP, dans la foulée de la révolution iranienne, débordèrent largement du domaine de l'énergie. Le doublement des prix pétroliers provoqua de nouveau une très forte poussée inflationniste. Le *Federal Reserve Board* des États-Unis, dirigé par son président Paul Volcker, opta pour un remède qui évoquait les coups de masse du forgeron plutôt que le travail délicat de l'horloger. Au cours du printemps et de l'été 1981, il laissa grimper les taux d'intérêt à des niveaux sans précédent, et l'économie mondiale fut contrainte de suivre, pas à pas, dans la même voie. Je me souviens qu'au sommet de Montebello, en 1981, le chancelier allemand Helmut Schmidt accusa le président Reagan de provoquer les taux d'intérêt les plus élevés de toute l'ère chrétienne. Reagan ne sut que répondre mais la protestation de Schmidt n'eut quand même aucun effet. En août de cette année-là, la Banque du Canada se vit forcée d'augmenter ses taux de 7,5 à 21 p. 100, un niveau invraisemblable. Comme on pouvait s'y attendre, les emprunteurs, incapables de faire face à de telles factures d'intérêts, se retrouvèrent fauchés comme les blés. Notre taux de chômage monta en flèche (de 7,5 en 1981 à 11 p. 100 en 1982) et le produit intérieur brut du Canada accusa un déclin, le seul qui se soit jamais produit pendant que j'étais premier ministre.

En 1981, outre ces tensions économiques, nous devions connaître le cuisant échec d'une réforme fiscale avortée. En préparant son budget, le ministre des Finances Allan MacEachen s'avisa que ses fonctionnaires désiraient depuis longtemps abolir certains abris fiscaux. Il vint m'expliquer que ces abris permettaient aux hommes d'affaires, aux entrepreneurs privés, aux artistes, aux avocats et autres agents divers de payer moins d'impôt. Les déductions en cause étaient parfaitement légales; les contribuables intéressés pouvaient s'offrir les services de comptables et d'avocats qui veillaient au grain. Mais à cause de ces abris, les travailleurs et travailleuses ordinaires payaient plus que leur part des impôts, tandis que les classes privilégiées ne payaient pas toute la leur. MacEachen m'exposa en toute

*À mon pupitre de la Chambre, avec à ma droite le
ministre des Finances Allan MacEachen.*

(ANC-CT)

franchise le contenu de son budget et m'annonça qu'il allait supprimer les abris en question. Comme nous sommes décidés, disait-il, à agir résolument dans plusieurs autres domaines, le moment est venu de montrer la même fermeté au chapitre de la fiscalité. La réaction du Cabinet ne fut pas unanime. Certains ministres s'objectèrent: «Nous avons déjà contre nous les provinces, nous devons lutter contre la Bande des Huit, dans le domaine constitutionnel. Les provinces de l'Ouest maudissent notre politique énergétique. Pouvons-nous nous permettre d'ajouter encore au nombre de nos ennemis?» Mais MacEachen reçut tout de même l'appui du Cabinet et fit de cette mesure la pièce maîtresse de son budget qui, aussitôt présenté, nous plongea dans une pagaïe infernale.

Au cours de la campagne électorale de 1980, nous avions bien parlé de réforme fiscale, mais sans trop insister. C'est pourquoi les contribuables eurent l'impression d'être pris par surprise quand ils constatèrent que nous en avions fait le thème central de notre premier budget. Aussitôt, les membres de notre caucus furent accablés de protestations. Tous ceux qui avaient profité jusqu'alors des abris fiscaux, prévenus que le temps des déductions était passé et que désormais ils allaient payer plus d'impôt, se mirent à pousser des cris d'orfraies. Et nous ne fûmes pas longs à découvrir qu'il n'existait pas d'unanimité dans notre caucus, à l'appui de ces nouvelles mesures fiscales. Honnêtement, je dois avouer que ni moi, ni MacEachen, ni personne d'autre au Conseil des ministres n'avait prévu que ce budget allait contrarier aussi gravement tant d'intérêts privés et vexer aussi profondément d'aussi nombreux secteurs de la population. La clameur fut telle que MacEachen dut retirer plusieurs de ses mesures. Bien entendu, ce retrait entama sérieusement notre crédibilité. Nous fûmes perçus comme un gouvernement incapable de présenter un budget équitable qu'il pût soutenir sans réserve. Certains ont cru que ce lapsus nous avait échappé parce que j'étais trop absorbé par le dossier constitutionnel mais c'était là une fausse interprétation. De fait, j'avais consacré à ce budget autant de temps qu'à n'importe quel autre exercice du même genre, au cours de mes divers mandats. Mais comme MacEachen et la plupart de nos collègues, je n'avais pas su mesurer correctement l'impact que ce budget-ci allait avoir sur l'opinion.

MacEachen devait pourtant connaître un succès remarquable avec son budget de l'année suivante. En 1982, il présenta en effet des mesures économiques qui comptent parmi les plus novatrices de l'époque où nous avons exercé le pouvoir. De nouveau, nous devions combattre l'inflation mais je jugeai tout de suite que nous ne pouvions pas nous infliger de nouveau le type d'altercation que nous avait valu, en 1975, l'imposition des contrôles sur les salaires et les prix. Si nous avions procédé par voie législative, nous étions assurés que notre projet de loi serait contesté en Cour suprême et qu'il se révélerait aussi litigieux que l'avait été, sept ans plus tôt, notre Commission anti-inflation. J'en ai donc conclu qu'il fallait donner l'exemple. Au lieu d'imposer les contrôles à tout le monde, nous allions nous les imposer à nous-mêmes en limitant la hausse des traitements de notre fonction publique à 6 p. 100 pour l'année en cours et 5 p. 100 l'année suivante. Nous ferions part aux provinces de ces restrictions, dans l'espoir qu'elles nous imitent de leur plein gré.

Cette démarche s'inspirait de ma foi dans la souveraineté du peuple. Nous allions démontrer que nous, comme gouvernement, pouvions donner l'exemple, sans contraindre les autres institutions à nous imiter. L'étonnant, c'est que cette fois, tout le monde finit par nous suivre. Au départ, les syndicats s'opposèrent au projet et, comme on devait s'y attendre, la fonction publique se rebiffa: «Pourquoi nous choisit-on comme victimes alors que personne d'autre n'écope?» Plusieurs premiers ministres firent

Flanqué de deux de mes plus fidèles collaborateurs. À gauche, Michael Pitfield, secrétaire du Conseil privé; à droite, Jim Coutts, mon secrétaire principal à l'air trompeur de chérubin. (Canapress)

part aux médias de leur scepticisme; ils doutaient du succès. Et pour être juste, il faut dire qu'à peu près personne n'y croyait. Mais nous avons tenu le coup, persuadés d'avoir raison. Nous avons ouvert la voie et les provinces s'y sont engagées à notre suite, l'une après l'autre. Après quoi nous nous sommes tournés vers le milieu des affaires: «Si le gouvernement peut limiter les augmentations de salaires, pourquoi n'en faites-vous pas autant?» Résultat: nous nous étions épargné beaucoup d'ennuis et de confrontations, réduisant quand même l'inflation de 10,8 p. 100 en 1982 à 5,8 en 1983 et à 4,4 en 1984. Notre programme des Six et Cinq pour cent prouvait une fois de plus qu'on attrape plus de mouches avec du miel qu'avec du vinaigre.

* * *

Entre-temps, nous avions continué de travailler à la réforme constitutionnelle. Tout de suite après la tenue du référendum québécois et conformément à ma consigne, Jean Chrétien était «monté à bord d'un avion» pour survoler le pays tout entier. Il avait rencontré tous les premiers ministres provinciaux, à l'exception de René Lévesque qui avait refusé de le recevoir. En deux jours et demi de voyage, il avait contacté tous les autres premiers ministres et leur avait livré à tous le même message, à savoir qu'il fallait saisir l'occasion et procéder avec diligence à la rénovation constitutionnelle. Dans le climat de soulagement post-référendaire, la première réaction fut favorable. Sur cette lancée, Chrétien, ses homologues provinciaux et les fonctionnaires compétents se réunirent à plusieurs reprises, au cours de l'été, pour travailler à la formulation d'un ambitieux ensemble de propositions pertinentes. Mais dès le départ, il devint évident qu'il ne serait pas facile d'obtenir l'accord des premiers ministres.

Le 7 juin 1980, je réunissais ces derniers au 24 de la rue Sussex, pour une journée entière d'échanges, en privé. Mes invités, particulièrement Peter Lougheed (Alberta) et Allan Blakeney (Saskatchewan), insistèrent pour revenir à l'ordre du jour qui était resté sur la table avant notre défaite de 1979. Cette insistance était à prévoir puisque l'ordre du jour en question contenait l'offre que je leur avais faite et dont j'avais déclaré qu'elle équivalait presque à leur «abandonner la boutique». Mais cette offre, ils l'avaient alors refusée et désormais, nous étions de retour avec notre majorité confortable, ce qui créait une situation très différente. Je leur répliquai donc que le monde avait changé et qu'ils devaient s'adapter à la nouvelle conjoncture. Je négociais avec ces premiers ministres, sans interruption ou presque, depuis 1968. J'avais appris, au long des années, qu'en réponse à mon insistance pour déplacer notre Constitution du Royaume-Uni vers le Canada, ils exigeaient infailliblement le transfert vers les provinces d'un nombre sans cesse croissant de pouvoirs fédéraux. J'en avais conclu qu'on ne réussirait jamais à rapatrier la Constitution, un processus engagé depuis 1927, à moins de faire échec à ce chantage des provinces. De plus, j'étais persuadé que n'importe quel observateur honnête et bien au fait des échanges fédéraux-provinciaux devrait reconnaître avec moi que jamais le peuple canadien ne deviendrait le maître de sa Constitution, aussi longtemps qu'on n'aurait pas rompu ce lien entre le rapatriement et le partage des pouvoirs.

Je proposai donc d'aborder les négociations constitutionnelles en deux phases. La première consisterait à définir ce que nous destinions à la population, c'est-à-dire le rapatriement assorti d'une Charte des droits. En second lieu, nous tenterions de répondre aux attentes des politiciens en négociant le partage des pouvoirs entre le gouvernement fédéral et les gouvernements provinciaux. Nous étions disposés à décentraliser l'autorité dans certains secteurs mais en retour, le gouvernement fédéral voudrait consolider le marché commun canadien, en faisant disparaître toutes les barrières provinciales qui gênaient le libre mouvement des biens et des personnes. Il ne serait pas question de décentraliser sans conditions. Les concessions devraient être réciproques et nous ne tolérerions pas que le rapatriement serve d'otage aux provinces pour obtenir de nouveaux pouvoirs. Nous proposions enfin de tenir, au mois de septembre suivant, une conférence fédérale-provinciale en bonne et due forme pour s'attaquer au problème.

Comme je l'avais prévu, les premiers ministres ne firent pas à ces propositions un accueil très enthousiaste. Mais j'étais fermement décidé à maintenir la pression et je m'assurai qu'au niveau ministériel, le travail constructif déjà amorcé se poursuivrait jusqu'à l'automne, sans désemparer. Toutefois, nous ne nous faisions guère d'illusions sur la position qu'en dernière analyse le gouvernement Lévesque allait adopter. Chrétien m'avait parlé, cet été-là, d'une conversation qu'il avait eue avec Claude Charron, un ministre important du Parti québécois et très proche de René Lévesque, qu'il avait croisé à Vancouver. Au niveau ministériel, les négociations avaient fait des progrès encourageants et Chrétien confia à Charron qu'une entente était en train de prendre forme, qui servirait bien les intérêts du Québec. «Écoute, Jean, avait répliqué Charron, tu perds ton temps. Nous sommes des souverainistes. Rénover les institutions canadiennes, ça ne nous intéresse pas. L'indépendance, c'est le premier article de notre programme et nous allons nous y tenir. Nous ne pouvons signer rien d'autre. Nous ne signerons jamais.»

Le moment venu, en septembre, de tenir avec les premiers ministres la conférence fédérale-provinciale annoncée, Chrétien et ses homologues provinciaux avaient réalisé de grands progrès dans l'élaboration d'une proposition d'ensemble. Mais leurs patrons refusaient d'y souscrire. Chrétien m'avait prévenu: «Les premiers ministres ont jeté à la poubelle la plus grande partie de notre travail. Ils veulent repartir à zéro. Ça ne s'annonce pas très bien.» Au dîner offert

Le président Reagan visite Ottawa

Accueil du président Ronald Reagan, en mars 1981.   (ANC-CT)

Le président Reagan adresse la parole à la Chambre, typiquement assisté de ses fiches aide-mémoire.
(ANC-CT)

Discussions officielles entre l'équipe canadienne et, du côté américain, le président Reagan secondé par Alexander Haig et Lawrence Eagleburger.   (ANC-CT)

Dans la loge royale du Centre national des arts avec le président et Mme Reagan.
(ANC-CT)

Au 24, promenade Sussex. Le président Reagan n'était pas l'homme des discussions politiques de fond mais il était sociable, sympathique, et mes enfants l'ont trouvé amusant.
(ANC-CT)

par le gouverneur général Ed Schreyer, le dimanche soir 7 septembre, pour inaugurer la conférence, je rencontrai dix premiers ministres dont l'humeur était déjà aigrie. Elle continua de se gâter, dans les heures qui suivirent.

Comme première manœuvre, les provinciaux proposèrent d'aborder dans un premier temps les questions de forme. «À notre avis, me dirent-ils, vous devriez inviter l'un de nous à coprésider la conférence.» Cette suggestion eut pour effet de me foutre en rogne. «Très bien, ai-je répliqué. Répétez cette proposition demain, devant les caméras de la télévision, et je vais vous répondre. Quel serait, croyez-vous, le choix de la population canadienne pour cette coprésidence? Peut-être M. Lévesque qui sort tout juste de sa tentative pour démembrer le pays? Ou bien le premier ministre de Terre-Neuve, M. Peckford, dont la vision du Canada, de son propre aveu, se situe plus près de celle de M. Lévesque que de la mienne? De tout temps, la tradition a voulu que le premier ministre du Canada préside les conférences fédérales-provinciales. N'essayez pas de me déroger à cette coutume bien établie. Je suis prêt à me battre sur cette question. Pour la télévision, demain, ça fera un beau débat.» Il va sans dire que mes interlocuteurs ont tout de suite laissé tomber. Mais le dîner n'en finissait plus et nous avons continué d'échanger des aménités de ce genre. Je finis par prier le gouverneur de faire servir le dessert sans tarder pour me permettre de rentrer à la maison où du travail m'attendait.

Ce même soir, les fonctionnaires québécois s'affairaient à distribuer dans les différentes délégations un mémoire fédéral sur la stratégie que nous allions suivre. Le document secret avait fait l'objet d'une fuite. Un fonctionnaire fédéral de sympathie séparatiste l'avait refilé aux Québécois. Ce mémoire devait exacerber le climat d'antagonisme qui régnait déjà dans la conférence. Le lendemain, les premiers ministres concluaient entre eux ce qui devint le «consensus du Château». Ils avaient pris ensemble le petit déjeuner à l'hôtel Château Laurier pour étudier un long document préparé par la délégation du Québec. Les auteurs proposaient d'exiger le transfert vers les provinces de dix pouvoirs fédéraux, en échange de leur participation au débat sur le rapatriement, et de douze pouvoirs additionnels avant de procéder au rapatriement lui-même. Quand les premiers ministres m'ont présenté ce document, j'en ai lu deux pages à peine et j'ai fait entendre un grognement bien sonore avant de leur déclarer: «Bien. Il est désormais très clair que nous ne pourrons jamais nous entendre. C'est vous moquer de moi que de repartir ainsi à zéro. Mais je vous préviens, Messieurs, comme je l'ai fait à plusieurs reprises depuis 1976: rien ne nous empêche de présenter une résolution à la Chambre des Communes pour rapatrier la Constitution et s'il le faut, nous agirons de manière unilatérale. Je vous annonce donc que nous allons agir seuls. Nous allons voter une résolution et nous rendre à Londres, sans même nous faire accompagner par aucun d'entre vous.»

«Si vous agissez ainsi, vous allez démembrer le pays», m'objecta le Manitobain Sterling Lyon. Ma réponse était toute prête: «Si le pays se déchire parce que nous récupérons notre Constitution après cent quinze ans de Confédération et plus de cinquante ans de discussions stériles, et parce que nous voulons une Charte des droits pour le Canada, alors que la plupart d'entre vous possédez déjà des chartes provinciales, le pays mérite vraiment d'être démembré.» Cette opinion catégorique, je la professe encore aujourd'hui. Si, cent quinze ans après notre émancipation de la tutelle coloniale, la volonté de réaliser notre indépendance constitutionnelle n'avait pas existé chez nous, cela aurait voulu dire qu'il n'existait pas non plus de volonté nationale, ni un pays digne de ce nom.

Le 17 septembre, je tins une réunion avec mon caucus pour informer les députés et les sénateurs libéraux que tout le travail de l'été était flambé, puisque les neuf premiers ministres anglophones venaient d'endosser une liste d'exigences dressée par le Québec. Le caucus se montra aussi exaspéré que je l'étais moi-même. Nous étions tous gonflés à bloc, après notre double victoire électorale et référendaire. La réaction fut unanime: «Ah oui? Si c'est comme ça, allons-y tout seuls! Nous ne pouvons pas les attendre indéfiniment. Nous sommes un gouvernement d'action; eh bien! agissons.» Pour m'assurer qu'ils avaient bien compris dans quelle aventure nous nous engagions, je les avertis que le rapatriement unilatéral était une entreprise risquée qui déclencherait une lutte très dure. J'avais expliqué notre position en matière constitutionnelle à la première ministre britannique, Margaret Thatcher, en juin 1980. Elle m'avait répondu que dans l'hypothèse où le Parlement du Canada réclamerait sa Constitution, le Parlement britannique ne pourrait rien faire d'autre que d'accéder à cette requête. Mais j'avais prévenu Margaret Thatcher, comme je prévenais maintenant le caucus, que de nombreux premiers ministres provinciaux et de nombreux autochtones canadiens se présenteraient sans doute au 10 Downing Street pour condamner notre entreprise.

Cancun, un spicilège

Il ne s'agit pas d'un jour ordinaire passé à la plage (page suivante). À la conférence de Cancun, Mexique, en 1981, chefs d'État et de gouvernement s'assemblent pour une photo de groupe, affichant des tenues assez peu officielles. On voit, sur les autres photos, des leaders du monde entier, au travail ou... en récréation.

(ANC-CT)

Avec les premiers ministres et le gouverneur général Ed Schreyer, le 7 septembre 1980. Cette photo fut prise avant un dîner spectaculairement raté.

(ANC-CT/John Evans)

J'expliquai aussi qu'en étendant l'autorité de la Charte à de nouveaux secteurs, nous aggraverions d'autant notre différend avec les premiers ministres. Quelques-uns d'entre eux croyaient dur comme fer au système parlementaire britannique selon lequel la législature doit toujours avoir le dernier mot sur tous les sujets. Le principe d'une charte permet au contraire que les tribunaux fassent respecter certains droits fondamentaux et qu'aucune législature ne puisse les abolir. À cela, je répondais que le système britannique pouvait se révéler efficace en Grande-Bretagne mais que le Canada n'était pas un État unitaire comme le Royaume-Uni et que nous comptions dans notre population des groupes minoritaires très nombreux. Mais la question se posait alors: était-il sage d'exiger unilatéralement de la Grande-Bretagne une charte complète? Bien entendu, il fallait protéger notre Loi sur les langues officielles et les autres éléments qui avaient fait l'objet d'une préentente, à Victoria, en 1971. Mais corollairement au nombre des droits protégés, le nombre des empiètements sur la suprématie parlementaire augmenterait aussi, forçant les législatures provinciales et le Parlement à modifier leurs lois en conséquence.

J'avançais prudemment sur ce terrain, car je ne voulais pas risquer d'aller trop loin et de laisser derrière les membres du caucus. Mais ce dernier fut presque unanime à réclamer une charte complète. J'entendais des propos comme ceux-ci: «Vous faites grand cas des droits linguistiques mais nous, hors du Québec, nous tenons davantage aux libertés civiles en général. C'est donc une charte complète qu'il faut obtenir.» Un député francophone de la Gatineau se leva pour proclamer: «Allons-y en Cadillac. Nous n'avons pas mené ce long combat pour nous contenter en fin de compte de quelques bribes.» Nous nous préparions pour la grande bataille de notre carrière; nous en connaissions les enjeux; nous mesurions nos chances de succès. J'avais mis tout le monde en garde: si nous perdions cette bataille, peut-être perdrions-nous aussi le pouvoir et peut-être pour longtemps. Mais je reçus instruction du caucus de viser l'objectif le plus ambitieux, la Cadillac, de rester libéral jusqu'au bout et de ne pas laisser l'opportunisme atténuer nos convictions. Je répondis au caucus que j'étais ravi de cette consigne.

Le lendemain de cette rencontre avec un caucus plein de fougue, les ministres manifestèrent la même exubérance à la réunion du Cabinet. De fait, certains ministres auraient voulu que nous allions plus loin encore, jusqu'à nous assurer les pouvoirs économiques supplémentaires dont le fédéral aurait besoin pour affirmer le marché commun à l'intérieur du Canada. Mais à cela, je m'objectai. Je ne voulais pas profiter de cette occasion pour transférer des pouvoirs provinciaux vers la juridiction fédérale. Nous pouvons, disais-je, par le truchement de la Charte, retirer des pouvoirs aux provinces comme au fédéral pour assurer la protection des citoyens mais nous ne pouvons pas modifier l'équilibre des pouvoirs entre le gouvernement fédéral et les gouvernements provinciaux. La seconde phase de la réforme, que nous aborderons ensuite, nous offrira l'occasion de négocier, dans un climat d'échange plus favorable, le partage des pouvoirs; l'heure des politiciens et de leurs attentes sera alors venue. Mais profiter, pour modifier l'équilibre des pouvoirs, d'une opération consacrée aux droits personnels du citoyen, ça ne serait pas honnête.

La question cruciale, au Conseil des ministres, fut de savoir si, oui ou non, nous devions enchâsser la Charte des droits dans la Constitution. Mais à l'instar du caucus, le Cabinet fut d'avis que le droit à l'éducation en anglais et en français, pour les minorités de langues officielles, devait être ancré solidement dans la Constitution.

Puis, une fois décidés à imposer le droit des minorités en matière d'enseignement, la logique nous obligeait à imposer le paquet entier. Ainsi, la Charte qui résulta des discussions en Conseil fut une version amplifiée de la Charte embryonnaire acceptée longtemps auparavant par la conférence de Victoria, en 1971.

Le 2 octobre 1980, j'annonçai à la télévision nationale les conclusions de nos débats. Ma proposition initiale de 1976 devenait réalité. Nous avions décidé de nous présenter à Londres, seuls s'il le fallait, pour une ultime démarche relative à la Constitution. Peu de temps après mon allocution télévisée, les premiers ministres de l'Ontario et du Nouveau-Brunswick annoncèrent qu'ils appuyaient ce rapatriement et tout le contenu de notre proposition. Bien que tous deux conservateurs, William Davis et Richard Hatfield allaient nous soutenir dans cette entreprise, contre vents et marées, jusqu'à la toute fin. Davis allait jouer plus tard un rôle d'une importance particulière en me persuadant d'accepter le compromis final de novembre 1981. Le leader fédéral du NPD fut lui aussi un allié important. Je l'avais mis au fait de nos décisions avant d'en faire l'annonce à la télévision. Broadbent déclara bientôt: «Mon parti et moi-même appuyons l'action unilatérale du gouvernement.» Pour obtenir ce soutien du NPD, j'avais accepté certains amendements au projet de loi sur la Constitution. Ces changements augmentaient certains pouvoirs provinciaux relatifs aux richesses naturelles et revêtaient pour la Saskatchewan une importance particulière. Broadbent espérait que cette concession lui permettrait de persuader le premier ministre néo-démocrate de cette province, Allan Blakeney, d'approuver notre projet. Mais il ne devait pas y réussir. Cependant, l'importance de cette concession est facile à saisir si l'on observe qu'au total, le seul effet de l'opération rapatriement sur le partage des pouvoirs se résume à cet affermissement de l'autorité provinciale dans le domaine des richesses naturelles. Voilà qui fait justice de tous les discours où l'on nous accuse d'avoir profité du rapatriement pour accaparer des pouvoirs provinciaux au bénéfice du gouvernement fédéral. Le Québec et les autres provinces se voyaient offrir ainsi une juridiction raffermie, cadeau dont les premiers ministres se sont bien gardés de nous remercier publiquement!

Bien entendu, les huit gouvernements provinciaux qui s'opposaient à notre projet ne sont pas restés inactifs. En premier lieu, ils ont multiplié les démarches à Londres pour voir s'ils ne pourraient pas convaincre le Parlement britannique de reprendre son ancienne

Richard Hatfield, premier ministre du Nouveau-Brunswick, a toujours appuyé la position fédérale dans le débat constitutionnel. (ANC-CT)

attitude colonialiste, en substituant son jugement à celui d'un gouvernement canadien dûment élu. Dans ce domaine, le Québec se hâta de prendre les devants. Son agent général à Londres, Gilles Loiselle, assisté d'un chef cuisinier grassement payé et d'une cave à vins richement garnie, servit à boire et à manger, au cours de cette période, à tous les parlementaires britanniques en quête de repas gratuits. Mais le lobby des provinces n'eut pas le champ libre. Jean Wadds, une conservatrice dont Joe Clark avait fait notre haut-commissaire à Londres et que j'avais moi-même confirmée dans ce poste, réussit à contrer très efficacement la campagne provinciale. Je répète souvent que nous devons à trois femmes le succès de notre réforme constitutionnelle: la reine, qui s'est montrée favorable à cette entreprise, Margaret Thatcher, qui s'est engagée à mettre en œuvre toutes les recommandations de notre Parlement, et Jean Wadds, qui a si bien représenté, à Londres, les intérêts du Canada.

Dans un second assaut, les premiers ministres décidèrent de nous traduire devant les tribunaux. Le 14 octobre 1980, douze jours exactement après ma présentation télévisée du projet de rapatriement, les premiers ministres dissidents se réunissaient à Toronto. À l'issue de leur rencontre, ils annonçaient qu'ils allaient combattre en cour la résolution présentée au Parlement. Ils prirent donc action à

La reine était favorable à ma tentative de réforme constitutionnelle. M'ont toujours impressionné, non seulement la constante distinction de ses attitudes publiques mais aussi la sagesse dont elle faisait preuve, en privé, dans la conversation.

(ANC-CT)

cette fin devant les tribunaux du Manitoba, de Terre-Neuve et du Québec. Peu de temps après, les cours du Manitoba et du Québec décidaient que notre projet de loi sur le rapatriement était conforme à la Constitution. Mais le 31 mars 1981, la Cour suprême de Terre-Neuve jugea notre résolution illégale, ouvrant ainsi la voie à un appel devant la Cour suprême du Canada. Tandis que ces luttes juridiques se déroulaient dans les tribunaux, nous étions aux prises, à la Chambre des communes, avec l'opposition conservatrice. Une semaine avant la décision du tribunal terre-neuvien, les tories avaient inauguré une manœuvre obstructionniste pour empêcher l'adoption du projet de loi sur la Constitution. En décidant contre nous, la cour de Terre-Neuve les confirma dans leur attitude. Mais le 8 avril 1981, pour mettre fin à cette obstruction systématique, nous acceptions un compromis parlementaire qui consistait à retarder le vote final sur notre résolution jusqu'au moment où le jugement de la Cour suprême serait connu. D'avril à septembre, nous fûmes ainsi condamnés à l'inaction.

La Conférence du Commonwealth tenue à Melbourne, Australie, en octobre 1981, tenait du grand spectacle, comme en fait foi la photo de la page 285.

(ANC-CT)

Dans la troisième phase de leur offensive, les premiers ministres tentèrent de gagner l'opinion publique à leur cause, en mettant au point une formule de rechange bien à eux. Le 16 avril 1981, ceux qu'on appelait la Bande des Huit, formée des premiers ministres de toutes les provinces sauf l'Ontario et le Nouveau-Brunswick, firent connaître leur position. Elle préconisait le rapatriement, la formule d'amendement albertaine (qui prévoyait la pleine compensation fiscale pour toute province qui se tiendrait à l'écart d'un amendement constitutionnel) et le droit de déléguer l'autorité législative, du Parlement fédéral vers les législatures provinciales et inversement. La Charte des droits n'était même pas mentionnée! Mais le principal sujet d'étonnement, c'est que Lévesque acceptait ainsi la formule d'amendement de l'Alberta, abandonnant ainsi la revendication traditionnelle du Québec touchant le droit de veto relatif à toute modification de la Constitution. Bref, le Québec se déclarait une province comme les autres! De toute évidence, Lévesque jugeait le maintien de son alliance tactique avec les provinces anglophones plus important que le contenu de sa position constitutionnelle. Les huit premiers ministres étaient si contents d'eux-mêmes et de leur plan qu'ils en publièrent les termes dans des pages entières de quotidiens, à travers tout le pays. Et le texte était orné de leurs signatures. Ce qui nous permit de rire un peu en apercevant la signature de Lévesque, griffonnée en travers de la page, sous l'égide d'un drapeau canadien à large feuille d'érable.

Or, cette proclamation de la Bande des Huit, en avril 1981, clarifia la position de René Lévesque jusqu'à la rendre parfaitement limpide: il voulait à tout prix empêcher le rapatriement, point final. Il venait tout juste de remporter une victoire électorale contre Claude Ryan, quelques jours auparavant; il débordait sans doute de confiance en l'avenir. En échangeant l'exigence d'un veto (qu'il tenterait par la suite de recouvrer) contre la formule albertaine d'amendement, il avait accepté le principe de l'égalité des provinces entre elles. Très important. Depuis Jean Lesage, les nationalistes québécois avaient toujours préconisé le statut particulier, la théorie des deux nations et la souveraineté-association. Ces nationalistes avaient toujours réagi avec horreur à la notion du Québec, «province comme les autres». L'idée même soulevait leur indignation. Or, non seulement Lévesque acceptait ce concept mais il avait affirmé avec une insistance particulière, dans son communiqué de presse, que toutes les provinces étaient égales entre elles. J'acquis alors la certitude que Lévesque ne souscrirait jamais à aucune entente négociée. Il utilisait la Bande des Huit dans le seul but de nous paralyser; et sans doute croyait-il fermement qu'il allait y réussir.

J'étais en route pour l'Australie, où se tenait cette année-là à Melbourne la conférence du Commonwealth, quand la Cour suprême rendit finalement sa décision. Une nette majorité de sept juges sur neuf déclaraient légal notre projet de rapatrier la Constitution sans le consentement des provinces. Mais la Cour ajoutait, dans un autre jugement soutenu par six juges et contesté par trois (le juge en chef Bora Laskin s'étant déclaré dissident), qu'en dépit de sa conformité à la loi, notre entreprise violait la convention existante. Ayant ainsi évoqué l'existence d'une convention, il eût fallu que la Cour se chargeât de nous dire en quoi elle consistait. Mais la seule exigence de cette convention, d'après les juges majoritaires, c'est qu'il fallait, pour valider une initiative fédérale en matière constitutionnelle, l'accord d'un nombre substantiel de provinces. Toutefois, la décision ne précisait pas le sens de l'épithète «substantiel»; il s'agissait donc d'un nombre indéfini, situé entre les chiffres deux et dix. Quelle bizarre convention, pensai-je!

À mon avis, ce jugement était défectueux. Je crois que les dissidents, qui avaient à leur tête le juge en chef Bora Laskin, avaient raison

(ANC-CT)

de souligner: «C'est là une question de loi et nous ne pouvons pas évoquer ici les conventions qui sont des ententes conclues entre politiciens.» Toutefois, pendant tout le temps où j'ai exercé le pouvoir, jamais je ne me suis permis de critiquer les juges de la Cour suprême. Je me contentais de dire: «Voilà le jugement. Il faut faire avec.» Mais en privé, rien ne m'obligeait à estimer juste tel ou tel jugement ni à tomber d'accord sur le contenu de tel autre.

Nous faisions escale à Séoul, en Corée du Sud, quand nous parvint la décision de la Cour suprême. Ma réaction au texte fut double. En tant qu'avocat, professeur de droit public et ex-ministre de la Justice, je conclus que si la Cour tenait pour légale l'entreprise où nous étions engagés, il fallait poursuivre et compléter l'opération. Mais l'homme politique, en moi, s'inquiéta de l'opinion publique. Nous suivrait-elle ou bien aurait-elle l'impression que je jouais les casse-cou?

Nous aurions peut-être l'air de braver le jugement de la Cour si nous décidions de poursuivre dans une voie qu'une majorité de juges qualifiait de contraire à la convention. Autre question: comment serions-nous reçus à Londres si nous persévérions dans notre démarche unilatérale après un tel jugement, dont nos adversaires assuraient la diffusion dans tous les recoins de Westminster? Enfin, je savais que les deux premiers ministres qui nous soutenaient, Davis et Hatfield, ne se sentiraient plus confortables à nos côtés si nous poursuivions seuls, unilatéralement, en pareilles circonstances. Ou bien ils nous suivraient à contrecœur, ou bien ils se croiraient obligés de rejoindre les autres premiers ministres dans la Bande des Huit. Je décidai donc de faire une dernière tentative. En novembre, je présiderais une autre conférence fédérale-provinciale, la dernière, dans un ultime effort pour conclure une entente avec un nombre «substantiel» de provinces.

Aussi longtemps que l'alliance restait solide, à l'intérieur de la Bande des Huit, je gardais peu d'espoir d'arriver à un accord. Je savais que Lévesque ne se rallierait jamais. Mais il importait qu'on nous voie faire l'effort. Et si nous tentions en vain cette dernière chance, j'étais déterminé à me rendre quand même à Londres, à y faire valoir que nous avions épuisé, sans succès, tous les moyens à notre disposition pour conclure une entente. Nous ferions ensuite état de la légalité de notre entreprise et nous exigerions des Britanniques qu'ils se rendent aux vœux du Parlement canadien. Si le Parlement britannique se dérobait, il nous resterait l'option d'une démonstration massive de volonté nationale, qui supposerait de notre part une déclaration unilatérale d'indépendance et la rupture de tous nos liens constitutionnels avec le Royaume-Uni. Le soir même de mon retour, après la conférence de Melbourne, je chargeai mon secrétaire principal, Tom Axworthy, de voir aux préparatifs d'un éventuel référendum ou d'une élection générale en 1982. Si nous devions en venir à une épreuve de force, il fallait permettre à la population de manifester publiquement qu'elle nous soutenait dans notre entreprise en faveur des droits du peuple.

Au début de la dernière conférence constitutionnelle, le lundi 2 novembre, je savais que les Huit avaient fait le plein d'assurance, peut-être même de suffisance, grâce à la décision de la Cour suprême. Pour ma part, je voulais que la conférence débouche sur l'un ou l'autre des deux résultats suivants: ou bien nous arrivions à persuader l'opinion canadienne que la position des Huit était complètement

Sombre époque: à ce moment-là, le Canada se faisait battre même au hockey! On me voit ici, en 1981, présenter la coupe Canada à l'équipe soviétique, avec l'aide d'Alan Eagleson de Hockey Canada. (ANC-CT)

déraisonnable, ce qui nous permettait de poursuivre seuls notre démarche en toute conformité avec la loi, sinon avec la convention; ou bien je réussissais à rompre la solidarité qui tenait les Huit ensemble, pour me rendre ensuite à Londres avec un nombre substantiel d'appuis provinciaux, c'est-à-dire le soutien d'entre cinq et neuf premiers ministres. L'objectif de Lévesque, c'était de maintenir la cohésion intacte, au sein de la Bande des Huit, tandis que je visais à diviser cette opposition, en cédant sur certains points, dans l'espoir de rallier à notre façon de voir quelques-uns des opposants.

C'est dans cet esprit que nous avons entrepris les négociations. Au cours de la première journée, nous n'avons presque rien fait d'autre que d'énoncer de nouveau les positions que nous allions tenir. Le premier ministre manitobain, Sterling Lyon, ouvrit le débat en affirmant: «Nous avons déjà conclu entre nous un accord. Vous n'avez qu'à souscrire aux propositions qu'il contient.» Je répliquai que le gouvernement fédéral était disposé à faire preuve de souplesse quand il s'agirait des termes de la Charte et du calendrier de sa mise en œuvre mais que jamais nous ne renoncerions à la Charte elle-même. Et nous avons passé deux jours à débattre une fois de plus ce sujet depuis très longtemps épuisé.

Mais le mercredi 4 novembre, nous devions réussir à diviser la Bande des Huit. Il ne nous restait plus grand temps. Lévesque avait fait savoir qu'il quitterait la conférence à midi, le jour même, et la teneur des discussions jusqu'à ce moment-là indiquait clairement que les deux camps restaient fermement retranchés dans leurs positions respectives. Je jugeai le moment venu d'adopter une position de rechange que j'avais déjà élaborée dans un tout autre contexte. Je m'étais dit qu'au cas ou nous devrions nous rendre seuls à Londres et si les Britanniques nous faisaient des difficultés, je pourrais leur dire: «Autorisez-nous à simplement rapatrier la Constitution dans son état actuel. Vous ne pouvez pas nous refuser cela. Après quoi nous nous donnerons deux ans pour négocier une formule d'amendement et une Charte des droits. Et si nous n'arrivons pas encore à nous entendre, à l'intérieur de ce délai, nous soumettrons les deux questions au peuple canadien, par référendum.» Je décidai donc ce jour-là de soumettre la même idée aux premiers ministres.

Après la pause café, je me tournai vers Lévesque et lui proposai, en rapport avec sa menace de quitter la conférence une heure plus tard: «Plutôt que de nous quitter dans une atmosphère de désordre et de confusion et d'aller poursuivre notre querelle à la porte du Parlement britannique, pourquoi ne pas procéder d'abord au rapatriement pur et simple, à quoi personne ne peut s'objecter, puis nous accorder deux ans pour régler les problèmes de la Charte et de la formule d'amendement? Et si nous n'arrivons toujours pas à nous entendre, nous pourrons trancher la question par voie référendaire. Je suis certain qu'un démocrate comme toi ne peut pas s'opposer à la tenue d'un référendum?» Lévesque bondit sur l'appât. Oubliant, je crois, son appartenance à la Bande des Huit et n'écoutant que son instinct, il me dit: «Oui. Très bien. Ça me convient parfaitement.» Il a cru, je pense, trouver là l'occasion, l'occasion rêvée de venger sa défaite de 1980 car il a ajouté: «J'aimerais bien mener un combat contre ton idée de Charte des droits.» Et je suppose qu'il comptait bien nous battre, au Québec, sur ce terrain-là. Mais je comptais bien moi-même l'emporter dans une lutte sur le thème des droits, y compris les droits linguistiques. Ma proposition plut donc à Lévesque, assez pour qu'il décide de retarder son départ. Je saisis l'occasion pour déclarer aux autres premiers ministres, particulièrement ceux de la Bande des Huit: «C'est une grande victoire. Subitement, voici une alliance Québec-Ottawa. Elle vous étonne, Messieurs? Tant pis pour vous.» Je venais de lâcher le chat parmi les pigeons et j'ajournai la séance pour le repas du midi. En quittant la salle, j'annonçai à la presse la naissance d'un axe Québec-Ottawa et m'en fus dîner, assez content de mon coup.

Bien entendu, les sept autres premiers ministres de la Bande des Huit étaient furieux contre Lévesque. Lui qui n'avait cessé d'exhorter ses partenaires à maintenir un front uni, seul moyen, disait-il, de priver Trudeau de l'indispensable «nombre substantiel» d'appuis provinciaux, le premier, il trahissait maintenant l'alliance. Il devait bientôt prendre conscience de son erreur. Il raconte dans ses Mémoires que ma manœuvre «enfonça un dernier clou dans le cercueil du front commun». Les autres premiers ministres étouffaient de rage en se rendant compte que mon plan ne leur laissait plus qu'un seul moyen de me barrer la route: faire campagne avec Lévesque contre l'idée d'une charte des droits. Plusieurs de ces premiers ministres avaient dans leur juridiction de telles chartes et le référendum les aurait contraints de se battre aux côtés d'un collègue qui préconisait l'indépendance du Québec. Je ne crois pas qu'ils aient éprouvé beaucoup d'attrait pour un tel référendum. La réaction des autres premiers ministres et celle de ses propres fonctionnaires firent comprendre à Lévesque qu'il était tombé dans un piège. Après le repas, il tenta de s'en tirer en expliquant qu'il n'avait pas bien saisi la proposition et qu'il n'était plus d'accord avec moi sur la tenue d'un référendum.

Quand le Québec fut revenu sur sa décision, j'eus bien peur que cela ne mette fin aux négociations. Je craignais que les autres premiers ministres ne saluent le retour de Lévesque en reformant le front commun et que nous n'ayons jamais l'appui d'un nombre substantiel de provinces. Ce que nous ne savions pas, c'est que Lévesque (qui, d'après ses Mémoires, se méfiait déjà de certains alliés, tels le Saskatchewanais Allan Blakeney et Bill Bennett, premier ministre de la Colombie-Britannique) venait de détruire complètement sa crédibilité aux yeux de ses sept collègues. Il était déjà trop tard pour qu'il pût se reprendre. La solidarité de la Bande des Huit n'existait plus. Les premiers ministres se rendaient compte enfin que leur partenaire ne négocierait jamais sérieusement parce qu'il poursuivait un seul objectif: la démolition du pays. Il allait plus tard, dans ses Mémoires, critiquer les autres membres de la Bande «encore attachés à la notion "d'unité nationale" qui, pour tout Canadien anglais, a finalement préséance sur l'autonomie provinciale». Ignorant de leurs pensées et nous croyant repartis à zéro dans les négociations, je me disposais à ajourner la conférence en annonçant que nous allions procéder seuls, unilatéralement. C'est alors que Jean Chrétien me souffla: «Pouvez-vous nous accorder encore un délai?» Je répondis que c'était beaucoup me demander, que l'impatience était en train de me gagner. Mais j'acceptai tout de même d'ajourner au lendemain matin.

Au cours de l'après-midi, Jean Chrétien se joignit à Roy Romanow, alors procureur général de la Saskatchewan, et à Roy McMurtry, son homologue de l'Ontario. Romanow et Chrétien avaient coprésidé, pendant tout l'été 1980, les rencontres des représentants fédéraux et provinciaux qui composaient le Comité constitutionnel permanent des ministres. Ils avaient appris à se connaître et à travailler ensemble. Dans une petite cuisine attenante aux locaux de la délégation fédérale, Chrétien, Romanow et McMurtry commencèrent d'assembler les éléments d'un compromis. Ils envisageaient d'échanger l'acceptation par les provinces de la Charte des droits, assortie toutefois d'une clause «nonobstant» qui permette aux législatures de passer outre, contre l'acceptation par le gouvernement fédéral de la formule d'amendement albertaine mais sans compensation fiscale pour les provinces qui refuseraient une modification quelconque de la Constitution.

J'invitai au 24 de la rue Sussex un certain nombre de ministres et de fonctionnaires pour prendre connaissance des propositions négociées par Chrétien. Ce dernier nous fit rapport qu'une entente était peut-être possible si nous acceptions la formule d'amendement de l'Alberta plutôt que celle de Victoria (qui donnait au Québec un droit de veto) et si nous consentions à diluer un peu la Charte des droits. Ma première réaction en fut une de refus cassant: non à la formule d'amendement albertaine que je redoutais comme la peste et pas question d'affaiblir la Charte. Mais Chrétien continua d'argumenter en faveur de sa proposition, ce qui provoqua une furieuse discussion. Plusieurs ministres refusaient d'atténuer la portée de la Charte, préférant les risques d'un référendum ou d'une élection générale. D'autres étaient opposés à la formule d'amendement de l'Alberta, d'une part parce qu'elle n'accordait pas au Québec son droit de veto et d'autre part parce qu'elle éliminait le recours au référendum, élément central de notre foi dans la souveraineté populaire.

Pour ma part, je penchais nettement du côté des durs. La clause nonobstant offensait mon sens de l'équité: il me semblait injuste qu'une province pût suspendre l'application de certaines clauses de

Le premier ministre de l'Ontario, William Davis, un allié solide pendant les négociations constitutionnelles. Ses conseils m'ont aidé à accepter un compromis.
(ANC-CT)

la Charte, même si cette suspension devait être temporaire et même en dépit des obstacles de procédure que la législature devrait franchir. Nous avions bonifié de façon importante la première version de la Charte, rédigée en 1980. Après que nous ayons invité la population à commenter ce premier texte, elle avait répondu massivement: neuf cent quatorze individus et deux cent quatre-vingt-quatorze groupes avaient comparu devant le Comité conjoint spécial sur la Constitution. Il en était résulté de nombreux changements et additions diverses, tels la protection des droits des handicapés physiques et mentaux, l'affirmation des droits des aborigènes, la reconnaissance des Métis comme peuple aborigène, et le renforcement des tribunaux. Une famille d'opinion s'était créée puis mobilisée en faveur de la Charte, ce qui était parfaitement normal.

Je voyais dans la Charte l'expression d'une idée à laquelle je tenais depuis longtemps, à savoir que le sujet de la loi doit être la personne humaine. La loi doit permettre à l'individu de se réaliser le plus pleinement possible. La personne possède donc certains droits fondamentaux qu'aucun gouvernement ne peut lui retirer. Il m'importait grandement, d'un point de vue philosophique à mon sens fondamental, d'assurer le maintien de la Charte dans son intégrité. De plus, la Charte établissait un système de valeurs comme la liberté, l'égalité et le droit d'association, dont citoyennes et citoyens pourraient profiter, d'un bout à l'autre du pays. Nos écrivains et nos poètes n'ont jamais renoncé à définir la personnalité canadienne. Mon vieil ami Blair Fraser publia même, entre 1950 et 1960, un ouvrage intitulé: *The Search for Identity.* D'instinct, les Canadiens ont toujours eu tendance à s'identifier comme Canadiens français, anglais, ukrainiens ou simplement néo-Canadiens. Mais qu'est-ce au juste que le Canada de tout ce monde? Grâce à la Charte, nous pouvons désormais le définir comme une société dont tous les membres sont égaux au regard de la loi et partagent des valeurs fondamentales basées sur la liberté. Cette quête d'une personnalité canadienne, aussi bien que mes convictions philosophiques, explique mon insistance à promouvoir l'adoption d'une charte des droits. Ces convictions m'inspiraient peu de sympathie pour l'exigence des provinces qui voulaient un moyen (cette disposition au nom mielleux de «clause nonobstant») de violer les principes de la Charte. Mais au moment même où je m'apprêtais à dire que je refusais de faire pareilles concessions, la sonnerie du téléphone se fit entendre et, au bout de la ligne, la voix de Bill Davis, premier ministre de l'Ontario.

Bill Davis avait la réputation de tourner longtemps autour du pot mais il pouvait aussi être très direct. Cette fois-ci, il aborda carrément le sujet. «Je crois que nos gens ont fait du bon travail. Qu'en pensez-vous, Pierre?» Je répondis que je n'aimais pas la proposition mise de l'avant, qu'elle exigeait de nous trop de concessions. «Mais voyez-vous, me dit-il, je viens d'en discuter avec Hatfield et d'après lui...» Je l'interrompis pour l'inviter à venir en discuter mais Davis s'objecta: «Non, Pierre. À notre avis, cette solution de compromis est la bonne et nous devons vous le dire. Nous ne croyons pas utile de poursuivre cette lutte jusqu'au bout. Si vous n'êtes pas prêt à signer un compromis comme celui-là, ne comptez plus sur nous pour vous appuyer à Londres, comme nous l'avons fait jusqu'à présent. Demain, nous pourrons encore discuter de certains détails mais dans ses grandes lignes, ce compromis nous convient.» Plutôt assagi, je revins à ma réunion, fis rapport des propos de Davis et conclus: «Je crois qu'il vaut mieux accepter ce compromis, même s'il me répugne, car autrement, nous devrions nous présenter tout seuls devant le Parlement de Londres.»

À la séance de clôture de la conférence constitutionnelle, l'amertume se lit sur le visage de René Lévesque.
(Canapress)

Quelques-uns de mes associés opinèrent qu'il fallait malgré tout partir seuls pour la capitale britannique, ce qui ne manquait pas de panache. Mais on m'avait informé qu'un mouvement d'opposition se dessinait, à la Chambre des Lords. De plus, Margaret Thatcher m'avait fait savoir qu'au moment où elle m'avait promis d'entendre notre requête relative au rapatriement, elle n'avait pas clairement saisi qu'il serait question d'une charte. Tout cela me portait à croire que si nous nous présentions tout seuls, les Britanniques feraient peut-être traîner les choses en longueur, au risque d'embrouiller la situation et de la rendre incontrôlable. Nous aurions peut-être gagné mais peut-être aussi n'aurions-nous rien obtenu. À cette époque, j'avais acquis suffisamment d'expérience politicienne pour savoir que parfois, il vaut mieux opter pour une solution imparfaite. Chrétien et ses deux collègues provinciaux avaient tracé le cadre d'une proposition qui répondait à l'essentiel de nos exigences. Je décidai finalement de me rallier et je déclarai à mes ministres: «D'accord. J'autorise Chrétien à négocier une entente à partir de ces données. Mais le marché a besoin d'être un bon marché!» En le reconduisant vers la porte, j'ajoutai pour Chrétien: «Jean, si tu rallies à ta solution sept provinces représentant 50 p. 100 de la population, il se peut que je l'accepte.» Et j'allai me mettre au lit.

C'est le téléphone qui me réveilla le lendemain, vers sept heures. Chrétien me proposait de déjeuner avec lui; toutes les provinces, à l'exception du Québec, acceptaient sa proposition. À la reprise des travaux, deux heures plus tard, le 5 novembre 1981, j'invitai Brian Peckford, premier ministre de Terre-Neuve (qui ne saisit pas, je crois, l'ironie de ma démarche), à lire à voix haute les termes de l'entente puisque, de son propre aveu, c'est lui qui se situait le plus près de René Lévesque par sa conception du Canada.

Puis, je me tournai vers Lévesque: «Allez, lui dis-je, un geste! Étonne-moi. Tu as perdu cette manche mais fais un grand geste, maintenant. Rallie-toi et nous allons prendre cette décision à l'unanimité.» Il s'abandonna alors à ses émotions. Il allait plus tard décrire ce moment comme «le jour de la colère et de la honte… joué par Trudeau et trahi par les autres…» Bref, il ne montra pas grand intérêt pour mon ultime appel. À midi, nous étions neuf pour signer l'accord, porter quelques toasts et ajourner la conférence.

Je devais le même jour me rendre à Philadelphie pour y donner une causerie dont la date était fixée depuis longtemps, avant même qu'on eût l'idée de convoquer la conférence qui venait de se terminer. Je rappelai à mon auditoire américain que deux siècles auparavant, dans la ville où nous nous trouvions, les États-Unis avaient déclaré leur indépendance et rédigé leur Constitution. Et je leur annonçai qu'au Canada, le matin même, nous avions fait la même chose.

Je me souviens qu'on m'ait rapporté plus tard cette affirmation de Lévesque: «Trudeau m'a fourré.» Mais la vérité, c'est que Lévesque lui-même était un grand joueur. Il avait pris des risques énormes. Et il avait perdu. Brodant sur les faits, les nationalistes ont inventé plus tard un mythe à leur convenance, à savoir que Lévesque avait été exclu au cours d'une «nuit des longs couteaux». Mais il est bien évident que Lévesque s'est exclu lui-même, d'abord en se séparant de la Bande des Huit, ensuite en quittant la capitale pour rentrer à son hôtel de Hull et y passer la nuit. Je n'ai jamais su si lui-même et sa délégation avaient consacré cette nuit-là à célébrer la tournure des événements, à dormir dessus ou bien à regretter d'avoir rompu la solidarité qu'ils avaient eux-mêmes bâtie. Mais de toute évidence, ils n'ont pas couru les corridors ni abusé du téléphone à la recherche d'une solution, comme le firent leurs anciens partenaires. Ils ont préféré quitter la scène plutôt que de souscrire à un compromis. Lévesque n'était pas intéressé, en tant que séparatiste, à bonifier la Constitution. Les autres premiers ministres prenaient enfin conscience de ce que je savais depuis longtemps; deux visions du Canada s'affrontaient, totalement opposées l'une à l'autre, et Lévesque se bagarrait pour celle qu'il avait choisie.

Il avait d'abord tenté, par son référendum, de détruire la nôtre, mais en vain. Puis, en bâtissant le consensus du Château, il avait voulu barrer la route au processus de négociation, en septembre 1981, en vain. Il s'était ensuite adressé aux tribunaux, plaidant que notre résolution unilatérale était contraire à la loi, toujours en vain. Il avait enfin utilisé la Bande des Huit pour empêcher notre vision de l'emporter sur la sienne. Mais après cet ultime échec, il ne lui restait plus, comme dernier recours, qu'à rentrer chez lui et à faire voter par l'Assemblée nationale une condamnation de l'entente. Le vote fut de soixante-dix contre trente-huit. Mais cette dernière tentative pour discréditer l'entente aboutit elle-même à un échec, car soixante-dix des soixante-quinze députés élus aux Communes par la population québécoise votèrent en faveur de notre résolution constitutionnelle, lors du dernier scrutin sur ce projet de loi. Si vous ajoutez le nombre des législateurs de l'Assemblée nationale qui ont refusé de désapprouver l'entente au nombre des élus québécois qui l'ont approuvée aux Communes, vous constatez qu'une moyenne pondérée de 65 p. 100 des députés élus au Québec ont approuvé l'entente sur le rapatriement. On peut certes contester cette analyse arithmétique en prétendant que seul le gouvernement du Québec peut parler pour les Québécois. Mais cette prétention constitue la définition même du séparatisme. Si vous croyez au Canada, vous croyez aussi que l'Assemblée nationale du Québec *et* le Parlement canadien avec ses députés québécois parlent pour le Québec.

Le rapatriement fut donc effectué conformément à la formule d'amendement telle que définie par la Cour suprême. Pour autant qu'on ajoute foi aux résultats des sondages, une majorité de Québécois approuvait les termes de l'entente. En mars 1982, un sondage CROP indiquait en effet que 48 p. 100 de la population québécoise blâmait le gouvernement Lévesque pour son refus de signer l'accord constitutionnel, alors que seulement 32 p. 100 souscrivaient à son attitude. Et en juin 1982, 49 p. 100 des Québécois considéraient la loi constitutionnelle comme «une bonne chose» et 16 p. 100 seulement en désapprouvaient la teneur. Les séparatistes étaient battus à tous les chapitres. Il est donc farfelu de prétendre que l'opération a été combinée à l'encontre de la volonté populaire québécoise.

Mai 1982, à l'Université Saint-François-Xavier. J'y reçois un doctorat honorifique en droit et j'y rencontre des concitoyens montréalais.

(ANC-CT)

* * *

La Loi sur la Constitution fut proclamée le 17 avril 1982. Ce n'était pas une loi parfaite. J'aurais de loin préféré, pour ma part, qu'elle ne fût pas grevée d'une clause nonobstant qui limitait l'application de la Charte. Mais j'aimais mieux quand même avoir une charte assortie d'une clause nonobstant que pas de charte du tout. Je déplorais l'élimination de la clause référendaire et j'eusse préféré la formule d'amendement de Victoria qui accordait au Québec un droit de veto. Mais comment aurions-nous pu insister pour maintenir ce droit de veto que le premier ministre du Québec lui-même avait bazardé, en avril 1981, pour s'allier à la Bande des Huit? Au total, l'entente enchâssait presque toutes les valeurs que je n'avais cessé de défendre depuis mon premier article à *Cité libre,* en juillet 1950. Et surtout, la loi privait les provinces de leur moyen de chantage favori: exiger de plus en plus de nouveaux pouvoirs en échange d'un accord sur le rapatriement.

Je savais que cette loi ne mettrait pas fin aux controverses constitutionnelles. Dans un État fédéral, le débat sur le partage des pouvoirs n'est jamais terminé. Mais depuis 1982 et désormais, ce débat peut se dérouler dans un combat égal entre le fédéral et les provinces.

L'entente de 1982 répondait aux attentes populaires en remettant la Constitution entre les mains des citoyennes et des citoyens canadiens, en définissant la façon de la modifier, en protégeant les droits et libertés par la Charte. Les hommes politiques à venir pourraient désormais centrer leur attention sur les besoins concrets de la population. Pour la première fois depuis la première tentative réformiste, en 1927, les Canadiens pouvaient s'offrir le luxe d'une ère de paix, en matière constitutionnelle. Cette ère pourrait durer des années, si telle était la volonté du peuple; on pouvait refermer la boîte de Pandore. Qui aurait pu prédire qu'un nouveau gouvernement commettrait l'erreur de la rouvrir, à peine deux ans plus tard? Mais cette pensée ne m'effleura même pas, le 17 avril 1982, quand la reine arriva sur la colline parlementaire pour signer la Loi constitutionnelle. La journée avait débuté sous un chaud soleil de printemps. Elle se termina sous un violent orage. Était-ce là le présage d'événements à venir?

* * *

La dernière entreprise majeure de toutes mes années comme premier ministre fut une initiative en faveur de la paix. Depuis le début des années 80, à compter de l'invasion soviétique en Afghanistan, puis de l'arrivée au pouvoir de l'administration Reagan aux États-Unis, la guerre froide atteignait son plus haut point d'intensité depuis la crise des missiles à Cuba, en 1962. Comme je l'ai déjà noté, le président Ronald Reagan était un extraordinaire raconteur et un homme jovial. Deux convictions dominaient sa pensée: une foi profonde dans le système des marchés libres et ce qu'il faut bien appeler son anti-communisme obsessionnel. Dans une large mesure, sa vision du monde restait anecdotique.

Je me souviens par exemple de notre première rencontre avec le président français François Mitterrand, lors du Sommet des Sept que je présidai, à Montebello, en 1981. Il y a avait là un groupe impressionnant qui comprenait Thatcher, Mitterrand et Schmidt. Nous discutions des relations Est-Ouest et Mitterrand venait d'évoquer certaines mesures susceptibles d'améliorer nos rapports avec l'Union soviétique. Reagan en profita pour se lancer dans le récit d'une anecdote qui remontait à sa présidence du syndicat des comédiens de Hollywood (*Actors Equity*), dans les années 40. L'histoire mettait en scène un prêtre qui, selon certains, avait subi son entraînement à Moscou, comme agent du KGB, pour venir ensuite semer la discorde parmi

Avril 1982: la Constitution du Canada enfin chez elle

Un grand moment de fierté pour tous les Canadiens: la reine, assistée de Michael Kirby (à droite) et de Michael Pitfield, signe notre nouvelle Constitution sous l'œil approbateur de Gerald Regan (à gauche).

Je signe à mon tour.   *(ANC-CT/Robert Cooper)*

Digne conclusion d'une visite royale: un spectacle au Centre national des Arts en présence de la reine et du duc d'Édimbourg. (ANC-CT)

les membres du syndicat américain. Après la réunion, Mitterrand me prit à part pour me demander: «Sur quelle planète cet homme vit-il? Est-ce qu'il croit vraiment que les Soviets feraient venir un prêtre américain s'entraîner à Moscou pour le retourner ensuite aux États-Unis et en faire le porte-parole de l'*Actors Equity*?» Je crois être honnête en disant que Reagan pouvait être un interlocuteur agréable dans une conversation mondaine mais qu'il n'était pas l'homme des discussions politiques sérieuses.

En 1983, à cause pour une part de l'attitude rigidement anti-soviétique de Reagan et de son âme sœur en idéologie Margaret Thatcher, la guerre froide entrait dans l'une des pires phases de son histoire. Plusieurs tendances de mauvais augure atteignaient alors leur point culminant. Les Soviets s'étaient retirés de toutes les négo-ciations relatives au désarmement. Aucune rencontre au sommet n'était prévue entre les chefs d'État soviétique et américain. Comme le disait Lord Carrington, ex-ministre britannique des Affaires étran-gères, les leaders des deux super-puissances mondiales pratiquaient la diplomatie du mégaphone qui consistait à se hurler des injures d'un bout à l'autre de la planète. On commençait à craindre que ces tensions n'échappent éventuellement à tout contrôle, qu'elles n'aillent en s'aggravant jusqu'à la guerre nucléaire. Et la conjoncture justifiait cette crainte.

J'éprouve depuis toujours une sainte horreur des armes nucléai-res. Dès les années 50 et 60, je publiais dans *Cité libre* des articles sur la stupide abomination que serait une guerre atomique. Comme étudiant d'abord, ensuite comme professeur, j'ai participé à des manifestations contre ce type de guerre. Plusieurs années plus tard, j'ai visité le site de Hiroshima. Pour ma part, j'ai toujours cru qu'on ne pouvait pas ga-gner une guerre nucléaire et que, par conséquent, on ne devait pas la faire. Mon aversion pour les armes nucléaires a retardé de deux ans mon entrée en politique active, parce que le Parti libéral changea de cap brusquement en 1963 et songea à pourvoir d'ogives divers systè-mes canadiens d'armement. Quand je devins premier ministre, en 1968, le Canada possédait des armes nucléaires intégrées à quatre de nos systèmes, en vertu d'une entente canado-américaine dite «à dou-ble clef». Comme premier ministre, j'avais pour un de mes objectifs de nous débarrasser de ces armes. J'y ai mis du temps mais quand j'ai quitté mon poste, en 1984, le Canada possédait de nouveau un système de défense complètement dépourvu d'éléments nucléaires.

L'explosion déclenchée par l'Inde en 1974, au moyen de la technologie du réacteur Candu que lui avait offert le Canada, avait brusquement réveillé mes inquiétudes relatives à la prolifération des armes nucléaires. J'avais réagi, non seulement par des mesures spécifiques pour pénaliser l'Inde (au grand dam d'Indira Gandhi) et restreindre nos exportations dans ce domaine, mais aussi par un discours aux Nations unies où je préconisais une «stratégie de l'asphyxie». J'y proposais de mettre fin aux travaux de laboratoires pendant que nous travaillerions à réduire les stocks de ces armes. Je soulignai devant les Nations unies que le Canada n'était «pas seulement le premier pays à renoncer aux armes nucléaires alors qu'il était capable de les produire, mais que nous étions aussi le premier pays à éliminer de son système de défense les armes nucléaires qu'il possédait déjà».

Pour «couper l'oxygène» à la course aux armements, je proposai l'interdiction complète des essais nucléaires, une entente pour mettre fin aux essais en vol de tous les nouveaux missiles stratégiques, un accord interdisant la production de tout matériel nucléaire destiné aux armements et enfin une entente qui limite d'abord et réduise ensuite progressivement les dépenses destinées à tout nouveau système stratégique d'armement nucléaire. Ce discours fut bien reçu aux Nations unies mais avec beaucoup moins d'enthousiasme à Washington, quelques jours plus tard, quand je répétai le même message aux alliés de l'OTAN qui y tenaient leur sommet. À ce moment-là, l'OTAN était en train d'élaborer sa stratégie à deux voies (*two track strategy*) qui donna lieu à d'énormes manifestations, en Europe et au Canada. Essentiellement, cette politique consistait d'une part à rechercher activement des ouvertures de paix mais en même temps à répondre, arme pour arme et fusil pour fusil, à tout nouvel armement déployé par l'URSS. En pratique, cela voulait dire que les Européens étaient disposés à accueillir sur leur sol un nouveau missile américain capable de faire échec au puissant SS-20 soviétique. Il résulta de cette décision une requête adressée au Canada; l'OTAN nous demandait d'accueillir au-dessus de notre territoire, dont le sol présente des analogies avec celui de l'URSS, les essais en vol du missile Cruise.

L'idée ne me plaisait vraiment pas mais l'argumentation de l'Allemand Helmut Schmidt finit par me convaincre. «Pierre, me dit-il, tu fais partie de l'OTAN, tu es membre du club. Tu as réduit le nombre des troupes canadiennes postées en Europe et le budget militaire du Canada. Bon. Mais si tu fais partie du club, il faut que tu l'aides. L'OTAN a décidé de déployer un nouveau missile. Tu ne sais pas ce que les pacifistes allemands vont faire pleuvoir sur ma tête à cause de cette décision! À toi, on demande seulement de tester au-dessus de ton territoire un missile qui ne sera même pas armé. C'est vraiment le moins que tu puisses faire.» Je savais que ces tests nous causeraient un tas de problèmes politiques mais je savais aussi que le Cruise n'était pas un missile de premier assaut; il lui faut deux ou trois heures pour atteindre sa cible. On ne déclenche pas une guerre nucléaire en donnant à l'ennemi un préavis de trois heures. D'une certaine manière, le développement du Cruise contredisait la straté-gie que j'avais proposée en 1978 mais d'autre part il était devenu évi-dent que ni l'une ni l'autre des deux super-puissances n'adhérait au principe de «l'asphyxie», particulièrement pas les Soviétiques qui ve-naient de déployer en Europe leurs missiles SS-20.

La décision à prendre me causait de l'anxiété. Je demandai au comité ministériel des Affaires extérieures et de la Défense d'étudier la requête américaine relative aux essais. Sa réponse fut positive: nous devions accepter. Je fis alors une démarche que je me permet-tais très rarement: je renvoyai la question au même comité en lui de-mandant de revoir la question et d'en examiner spécialement les as-pects politiques. La recommandation qui me revint fut la même que la première fois. La question fut donc posée à tout le Conseil des mi-nistres et donna lieu à des discussions très animées. Finalement, en 1983, nous décidâmes de permettre aux Américains de tester leur missile Cruise au-dessus du territoire canadien. Ce débat et la dété-rioration générale des relations Est-Ouest eurent pour effet de cen-trer encore davantage mon attention sur la menace nucléaire.

Durant l'été de la même année, je réfléchis longuement à ce que j'avais accompli depuis que j'exerçais le pouvoir. La liste comprenait la réalisation d'un bon nombre des objectifs que j'avais en tête en ac-cédant au poste de premier ministre. Mais je n'avais consacré ni beaucoup de temps ni beaucoup d'énergie au service de la paix. J'avais certes dénucléarisé les forces armées canadiennes mais je n'avais pas contribué beaucoup à éloigner la menace nucléaire qui pesait sur le monde. Je demandai à mon personnel de convier en mon nom à quelques déjeuners et dîners plusieurs experts et activis-tes tels Paul Warnke, ex-conseiller en matière de sécurité des prési-dents Johnson et Carter, Robert MacNamara, secrétaire américain de la Défense dans les années 60 et Helen Caldicott, un médecin australien qui était devenue, pour la cause de la paix, l'une des voix les plus éloquentes et les plus écoutées. Tous et chacun de ces interlocuteurs m'exhortèrent à faire quelque chose, n'importe quoi disaient-ils, pour tenter d'éloigner la crise qui nous menaçait.

Ce qui m'incita le plus fortement à passer aux actes, c'est la pensée de tous les amiraux, généraux et politiciens à la retraite que j'avais croisés au cours des ans et qui s'étaient décidés à plaider pour la paix mais seulement *après* avoir quitté leurs postes. Je me disais à moi-même que je n'allais pas les imiter. La paix était l'un de mes soucis avant mon entrée en politique et je n'allais pas attendre la retraite pour prendre la parole et tenter de changer, si peu que ce soit, le cours des choses. J'avais déjà conclu dans ce sens lorsqu'un autre événement vint ajouter au sentiment d'urgence que j'éprouvais déjà. Le 1er septembre 1983, un avion de chasse soviétique abattait un avion de ligne coréen qui s'était écarté de son itinéraire normal pour survoler, deux heures durant, l'espace aérien de l'URSS. Les deux cent soixante-neuf passagers de l'avion, dont dix Canadiens, y trouvèrent la mort. Au milieu des dénonciations hystériques et des tensions croissantes qui suivirent, je décidai que le Canada ferait tout en son pouvoir pour tenter de modifier la tournure des événements. À tout le moins, il fallait que les deux super-puissances renouent le dialogue.

Je choisis quelques fonctionnaires de mon bureau, des Affaires extérieures et de la Défense pour former un groupe de travail chargé de réunir un ensemble de propositions relatives à la paix. Au terme d'un long débat, nous réduisîmes de vingt-six à cinq les idées à mettre de l'avant: rétablir le dialogue entre l'Est et l'Ouest, à partir de la conférence sur le désarmement qui devait se tenir à Stockholm; préconiser le renforcement du traité de non-prolifération; mettre l'accent sur la réduction des forces classiques en Europe; tenir une conférence sur le désarmement, avec les cinq puissances nucléaires comme participants; interdire l'usage en haute altitude des missiles anti-satellites.

Aux Affaires extérieures, plusieurs hauts fonctionnaires cachaient mal leur scepticisme, ce qui ne m'empêcha pas de foncer quand même et d'annoncer mon initiative de paix dont j'exposai les grandes lignes dans un discours prononcé le 27 octobre à l'Université de Guelph. Je déclarai à mon auditoire, et du même coup au monde entier, par le truchement des médias, que mes efforts viseraient à provoquer «un sursaut d'énergie politique» dans le but de

En récréation, ici et ailleurs

Tout homme politique reconnaîtra cette sensation! Célébration du 1er juillet à Ottawa. (ANC-CT)

Visite officielle aux îles Fidji, en 1981. Les traditions locales de danse folklorique m'ont vivement intéressé. (ANC-CT)

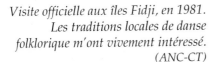

En Thaïlande, le canotage se présente différemment. (ANC-CT)

Avec mes trois fils et quelques amis au **Wonderland** *canadien de Toronto.* (ANC-CT)

Lors d'une réception au 24 Sussex, flanqué des historiens Bill Kilbourn (à gauche) et Ramsay Cook (à droite) et d'autres amis de longue date.

(ANC-CT)

renverser «les tendances qui nous entraînaient vers une crise». J'annonçai que j'allais visiter toutes les capitales disposées à me recevoir, à commencer par les alliés de l'OTAN. Au début de novembre 1983, j'inaugurai la série de mes visites en Europe occidentale; à la fin du même mois, j'étais en Inde et en Chine; en décembre, aux États-Unis; en janvier 1984, je visitais l'Allemagne de l'Est, la Tchécoslovaquie et la Roumanie. Et pour finir, en février, je me rendais en URSS.

Margaret Thatcher, ma vieille partenaire d'escrime idéologique, m'étonna. Au départ, je ne devais pas m'arrêter en Grande-Bretagne, car je venais de discuter longuement (et sans ménagement de part et d'autre) avec la première ministre, lors d'une visite qu'elle nous avait faite en septembre. Poursuivre ces discussions me paraissait futile. Au plan idéologique, des kilomètres nous séparaient. Je crois bien qu'à son avis, mes opinions manquaient désespérément de fermeté. Quant à moi, je trouvais que sa foi dans les miracles du marché libre manquait un peu de réalisme. Quant à son style dans les débats, il me paraissait impérieux et peu susceptible de favoriser des échanges féconds. Mais vers la fin de ma virée européenne, je reçus d'elle un message dans lequel, sur un ton qui manifestait son agacement, elle me demandait pourquoi je n'avais pas inclus Londres dans mon itinéraire. À l'évidence, je commençais à mobiliser des appuis ou du moins à attirer l'attention, puisqu'un leader d'importance mondiale comme Mme Thatcher tenait à ce qu'au moins on sût qu'elle était invitée à discuter de l'initiative canadienne.

Quand j'arrivai à la Maison-Blanche, en décembre, pour rendre visite à Reagan, j'avais visité déjà plusieurs pays, dont la Chine, et participé à la conférence du Commonwealth qui s'était réunie à la Nouvelle Delhi. Je crois que Reagan s'attendait à ce que j'attaque son célèbre projet *Star Wars* (Guerres des étoiles) mais j'avais en tête une tout autre tactique. Je voulais faire appel à la bonne nature de Reagan plutôt que de le critiquer. Je commençai par reconnaître qu'il n'avait pas été l'initiateur de la guerre froide; il l'avait héritée de ses prédécesseurs. J'enchaînai en le rassurant: je n'allais pas lui reprocher quoi que ce soit ni réclamer de lui qu'il change radicalement d'attitude. «Mais vous êtes un communicateur hors pair, ajoutai-je, et vous ne cessez de répéter que vous croyez à la paix. Ce que je vous demande, c'est de vous joindre à moi et aux autres chefs politiques qui croient à la paix, de mettre vos talents au service de cette cause.» J'essayais ainsi de faire comprendre à Reagan qu'il fallait manifester une volonté politique. Je ne saurais dire honnêtement qu'il s'est rallié à mon point de vue. Mais comme je quittais la Maison-Blanche, il m'a souhaité «*Godspeed*». On peut certes y voir un simple effet du hasard mais peu après la fin de ma mission, la rhétorique de la guerre froide est devenue beaucoup plus conciliatrice, chez les chefs politiques occidentaux en général et très particulièrement chez Ronald Reagan.

Dans un discours à la Chambre, le 9 février 1984, je dressai le bilan de mon initiative de paix. De quels succès et de quels échecs pouvais-je faire état? Les membres de l'OTAN avaient accepté de déléguer leurs ministres des Affaires étrangères à la conférence de Stockholm sur le désarmement. Mais l'Inde avait rejeté les propositions relatives à la non-prolifération et le Royaume-Uni refusait l'idée d'une conférence à cinq. Ce qui toutefois importait davantage que l'accord ou le désaccord sur mes propositions spécifiques, c'est qu'en visitant autant de capitales, dans les deux camps de la guerre froide, j'avais pu établir quelques principes clés d'un lien commun entre l'Est et l'Ouest. Nous avions mis le mégaphone au rancart; nous conversions plutôt que de hurler.

Un an et quelques mois plus tard, Mikhaïl Gorbatchev devenait le maître incontesté de l'Union soviétique et tournait une page d'histoire, dans le bon sens. En 1985, à Genève, Gorbatchev et Reagan inauguraient une nouvelle ère, lors de leur rencontre au sommet. Ils s'entendaient sur quelques-uns des principes que j'avais préconisés au cours de mon initiative, y compris le fait fondamental que nul ne pourra jamais gagner une guerre nucléaire, ce qui condamne l'idée même de déclencher jamais un conflit de cette nature.

Les sceptiques ne manquaient pas pour mettre en doute le bien-fondé de ma mission de paix. Certains Canadiens craignaient le ridicule qui pourrait rejaillir sur notre pays s'il quittait les sentiers battus de son action traditionnelle pour aborder de nouveaux problèmes. Des fonctionnaires américains et certains diplomates des États-Unis en poste dans des capitales étrangères ne nous ménageaient pas leurs sarcasmes. Comment? Le Canada se mêlait de donner des conseils aux deux super-grands? Mais leurs moqueries ne changent rien au fait suivant: à l'automne de 1983, aucune puissance occidentale, à l'exception du Canada, n'était engagée dans la recherche active d'une solution au problème de la paix mondiale. Or, à l'automne de 1984, plusieurs nouvelles idées avaient pris forme et circulaient dans les milieux diplomatiques. Nous avions visé haut et loin mais nous n'avions pas raté la cible. En ce terrible automne 1983, le gouvernement canadien fut le premier à se rendre compte que le temps était

Visites aux chefs d'État

Au début de mon tour du
monde pour la paix, le président
François Mitterrand me reçoit
avec tout le décorum de l'Élysée.
Lors d'une visite précédente à
Paris, un annonceur de la télé
m'avait félicité «de si bien
parler notre langue».

(ANC-CT)

Avec Helmut Kohl et mon
fils Justin.
(ANC-CT)

Visite au leader de l'Allemagne
de l'Est, Erich Honecker.
(ANC-CT)

*Aux Philippines, je
rencontre le président
Ferdinand Marcos et sa
femme Imelda, alors au
sommet de leur
puissance.*

(ANC-CT)

*À la tribune des Nations
unies.*

(ANC-CT)

*Au Canada, visite du vice-président George Bush qui semble émerveillé par la ville
d'Ottawa au temps des tulipes.*

(ANC-CT)

Avant que je quitte les affaires, un nouvel homme politique du nom de Mikhaïl Gorbatchev apparut sur la scène, en URSS, et nous rendit visite à Ottawa. Il me fit une impression très favorable mais on ignorait encore l'impact que son action aurait plus tard sur le monde. (ANC-CT)

venu de parler haut et fort. Les sceptiques avaient tort. Notre espoir de mettre fin à la guerre froide avait plus de poids que leurs frayeurs. Je crois que le propos suivant, extrait de mon discours du 9 février devant la Chambre des communes, pourrait servir d'épitaphe, non seulement à ma mission de paix mais aussi à toute la politique étrangère que nous avons menée, de 1968 à 1984: «On peut dire du Canada et des Canadiens qu'ils ont pris conscience de la crise. Nous avons agi; nous avons pris des risques; nous sommes restés fidèles à nos amis, francs et ouverts avec nos adversaires; nous nous sommes montrés dignes des idéaux qui sont les nôtres; nous avons fait notre part pour dissiper l'ombre de la guerre.»

* * *

Un bilan, même rapide, de la situation canadienne, à l'hiver de 1984, révélait de profonds changements. Au Québec, le gouvernement du Parti québécois se désagrégeait. Lévesque avait perdu six ou huit de ses principaux ministres; il ne prêchait plus la sécession. Après une dure passe en 1982, notre économie avait retrouvé son rythme de croissance. Notre Constitution se trouvait désormais sous l'autorité exclusive du peuple canadien. Et ce qu'on appelait le *French Power* avait trouvé sa niche dans la capitale. À cause de tout cela, les longues heures d'avion qu'exigea ma mission de paix me firent prendre conscience que l'idée de la retraite commençait de me trotter dans la tête.

Au soir du 28 février 1984, les rues d'Ottawa m'accueillirent pour une autre grande marche dans la neige. Par une soirée semblable et foulant la même neige, seize ans plus tôt, je m'étais posé l'angoissante question de ma candidature à la chefferie du Parti libéral. La décision à prendre en 1984 ne présentait pas les mêmes difficultés. Mes trois fils abordaient l'adolescence et je sentais le besoin de passer plus de temps auprès d'eux. Depuis leur naissance, ils avaient vécu la vie des enfants d'un premier ministre, à l'écart des autres, entourés de gardes du corps et de mille autres précautions contraignantes. Je tenais à ce qu'ils vivent à Montréal une adolescence de garçons ordinaires, complètement libérés des servitudes de la vie publique. Je ne savais pas non plus si j'avais encore l'énergie nécessaire pour m'engager dans l'aventure exténuante d'une septième campagne électorale.

Mais ce qui importait davantage que toute autre considération, c'est que j'avais accompli en politique ce pourquoi j'y étais entré. J'étais venu à Ottawa combattre pour l'édification d'une société plus juste, à l'extérieur comme à l'intérieur du Canada. J'avais consacré à cette tâche toutes mes énergies. Je n'avais plus grand-chose à offrir. Je croyais le moment venu de céder la place à quelqu'un d'autre. Le philosophe George Santayana donne du bonheur la définition suivante: «savoir prendre la mesure de ses capacités».

Ce soir-là, j'ai mesuré les miennes et conclu qu'il était temps de rentrer à la maison.

Chapitre V

ET LA VIE CONTINUE...

Aucun symptôme de «manque» n'a suivi mon retrait de la politique. Je garde de la vie publique d'excellents souvenirs mais je n'éprouve aucun regret de l'avoir quittée. Je mène aujourd'hui une vie qui fait mon bonheur. Je travaille, je voyage, je prends plaisir à la compagnie de mes enfants, je rencontre des gens intéressants, je cède à ma passion pour la vie au grand air, dans la nature. Je continue de faire du ski chaque fois que j'ai un week-end libre au cours de l'hiver, il m'arrive encore de partir en canot et je pratique toujours la plongée sous-marine, une ou deux fois au moins chaque année.

Je l'ai déjà noté, si j'ai quitté la politique, c'était d'abord et avant tout pour avoir plus de temps à partager avec mes trois fils qui arrivaient alors à l'adolescence. Et c'est exactement ce que j'ai fait. Nous avons consacré plusieurs étés à voyager ensemble. Nous avons passé en France une saison merveilleuse à explorer ce pays, soucieux d'absorber la culture ambiante. Un autre été, c'est l'Angleterre et l'Irlande que nous avons parcourues, à bord d'une voiture de location. Nous déplaçant dans tous les azimuts, nous avons fini par aboutir en Écosse où nous avons repéré le territoire de nos ancêtres Elliott, une rude tribu de frontaliers (*Borderers*), des Écossais qui vivaient dans le voisinage de la frontière anglaise. Les habitants de cette région pratiquaient dans les deux sens (Écossais en Angleterre et Anglais en Écosse) le pillage des troupeaux. Au cœur de l'ancien territoire Elliott, nous avons visité le domaine du Chef, puis l'historique château de l'Ermitage d'où l'on aperçoit les coteaux arides qui se bousculent vers l'horizon, où les cris des oiseaux se perdent dans les landes. Il est facile de comprendre comment ce paysage sévère a pu produire des femmes et des hommes vigoureux et résistants, capables de prospérer dans les conditions difficiles de l'émigration.

Un troisième été, nous l'avons consacré à la Chine, parcourue du nord au sud, à pied, à vélo ou en train. Nous avons escaladé deux des trois montagnes sacrées du pays, témoins de la ferveur religieuse qui animait les pèlerins, profitant aussi des vues extraordinaires que nous offrait l'altitude. Il est bien connu que les moines ont toujours construit leurs monastères dans des sites qui ouvrent sur des panoramas à vous couper le souffle. Un autre été encore nous trouva en Asie du Sud-Est, un autre enfin en Sibérie et au Japon.

Je me suis également permis d'intéressants voyages en solitaire, libre enfin des contraintes et des formalités auxquelles me soumettaient mes déplacements de premier ministre. Me revient, par exemple, le souvenir d'une visite en Afrique du Sud, en février 1992. Un soir, je me suis laissé entraîner en dehors de Johannesburg et dans la commune (*township*) voisine de Soweto. Parce que ses six millions et demi d'habitants sont des Noirs, vous ne trouverez (pas encore) le nom de cette agglomération sur aucune carte officielle de l'Afrique du Sud. À bord d'une voiture prêtée par notre ambassade (que notre équipée rendait un peu nerveuse), Jonathan Manthorpe, un journaliste canadien qui connaît bien l'Afrique, m'amena, avec deux de mes amis, au cœur même de Soweto où nous nous arrêtâmes dans un «*shebeen*» (bar clandestin) qui répondait au nom de *Blue Fountain*. Nous y avons consommé un mélange de bière froide, de chaude hospitalité et de *hot jazz* à la Johannesburg.

À Montréal, j'habite avec mes fils une maison de style art déco construite en 1930 par le grand architecte canadien-français Ernest Cormier. Je l'ai achetée en 1979, y compris les meubles de Cormier, dessinés par lui-même. Elle est située au centre-ville, à flanc de montagne. L'université McGill est à quelques minutes seulement, si près que mes enfants peuvent courir jusqu'à leurs salles de cours, quand ils partent en retard de la maison. Justin termine cette année à McGill, Sacha s'y est inscrit cet automne et Michel est encore à Brébeuf pour sa dernière année de secondaire.

Je me suis bâti une petite maison à la campagne, près d'un lac, dans les Laurentides. Elle est plus modeste que la retraite des premiers ministres à Harrington Lake mais elle nous permet de retrouver la nature à la fin de chaque semaine. En été, nous y faisons des séjours plus prolongés. Je conduis toujours ma Mercedes 300 SL, dès

Rencontres outaouaises

À *notre club de judo d'Ottawa, en 1984,*
Michel réussit à jeter son père au tapis.
Et ce n'était pas la première fois !
(Canapress)

En 1985, j'avais
l'honneur de recevoir les
insignes de l'Ordre du
Canada des mains du
gouverneur général
Jeanne Sauvé, lors d'une
cérémonie à Rideau Hall.
(J.-M. Carisse)

En 1986, je fis exception à la
règle que je m'étais imposée, en
retournant à Ottawa pour une
visite à caractère politique.
J'apportais mon appui à
Jacques Hébert qui faisait la
grève de la faim pour défendre
Katimavik, un programme
pour les jeunes menacé
d'abolition.
(J.-M. Carisse)

que la neige et la boue ont disparu des routes. Comme véhicule utilitaire, je possède aussi une voiture plus spacieuse qui nous permet de partir avec nos skis ou nos tentes et nos sacs de couchage, quand les pentes ou les rivières nous appellent.

Pendant que mes enfants sont à l'école, je travaille comme avocat-conseil principal chez Heenan Blaikie, une firme du centre-ville déjà solidement établie et qui continue de se développer. On ne m'y accable pas de travail mais j'y retrouve tous les jours un très beau bureau, tout en haut d'un gratte-ciel dont les fenêtres dominent le fleuve Saint-Laurent, sa rive sud et plus loin les Cantons de l'Est. Je suis assisté par une excellente secrétaire, je dispose de télécopieurs et de tous les autres luxes de la bureautique qui me permettent de travailler très efficacement quand je m'y mets. La façon dont je pratique le droit au sein de ce bureau me convient parfaitement. Je n'accepte pas de clients. Je ne prépare pas les témoins ni ne procède moi-même à la recherche pour les causes dont je m'occupe. Mais je reste toujours à la disposition des principaux avocats du bureau quand ils veulent discuter avec moi des questions qui les préoccupent.

Je garde aussi des contacts et une certaine activité dans le monde international. Par exemple, le président Vaclav Havel, quand il a pris le pouvoir dans ce qui était alors la Tchécoslovaquie, s'est mis en rapport avec moi. Avant même sa visite au Canada, qui nous a permis ensuite de converser longuement, il voulait s'assurer de mes services au sein d'un groupe de conseillers qu'il était en train de former pour étudier l'évolution constitutionnelle de son pays. Ma participation à ce conseil m'a d'abord conduit à Salzbourg, puis à Prague où j'ai rencontré de grands spécialistes du droit constitutionnel, issus de pays fédéraux comme les États-Unis et la République fédérale allemande d'alors, ainsi que d'éminents juristes français et britanniques. De plus, il arrive assez souvent que des ambassadeurs étrangers viennent discuter à mon bureau.

Depuis que j'ai quitté le pouvoir, la situation internationale a subi de profondes transformations. Ces années ont été fertiles en occasions d'agir et trop souvent, je pense, en occasions manquées. Comme je laissais la politique, Gorbatchev arrivait au pouvoir et j'ai admiré la façon dont il a réussi, presque seul, à désamorcer les tensions et à mettre fin à la guerre froide. Cela demandait beaucoup de courage. Et ce service rendu à l'humanité tout entière a coûté à son pays d'énormes difficultés, des difficultés que l'Occident a mis du temps à reconnaître.

Dans mon bureau, à la firme Heenan Blaikie, en 1991.

(J.-M. Carisse)

Sur la lancée de ma mission de paix, j'avais fait une proposition à mes collègues du Sommet économique des Sept, réunis à Londres en 1984. Je leur avais suggéré, pour tenter de réduire les tensions grandissantes entre Moscou et Washington, d'écrire aux autorités soviétiques (soit, à l'époque, l'entourage de Konstantin Chernenko) pour les inviter à se déclarer publiquement d'accord avec les États-Unis (qui feraient de même) sur un certain nombre d'objectifs à poursuivre en commun. Par exemple, les deux super-puissances auraient proclamé d'un commun accord qu'une guerre nucléaire ne pouvant pas être gagnée, aucune ne devrait jamais être déclenchée. Ma proposition n'a pas été reçue, ce qui a peut-être retardé de quelques années la fin de la guerre froide. J'avais donné le même avis à Gorbatchev, à l'occasion d'une visite que je lui fis, au début de juillet 1985, alors qu'il préparait le premier sommet entre super-puissances depuis l'époque du président Carter. Je me suis donc réjoui du fait que dès leur première rencontre, à Genève, l'automne suivant, Reagan et Gorbatchev adoptaient la démarche que j'avais recommandée, afin de renverser la tendance qui aggravait les tensions Est-Ouest. Leur déclaration conjointe proclamait notamment l'impossibilité de gagner une guerre nucléaire, qui devrait interdire l'idée même de s'y engager.

Le plus triste, c'est qu'une fois entreprises les réformes radicales de Gorbatchev, nous les Occidentaux nous sommes montrés résolus, non pas seulement à terminer la guerre froide mais également à faire en sorte que l'URSS en sorte affaiblie, le plus possible. Au moment où Gorbatchev tentait de transformer son pays en un véritable État fédéral, nous avons fait le nécessaire, en accordant de toute urgence la reconnaissance diplomatique à chaque république de Pierre, Jean, Jacques qui décidait de proclamer son indépendance, pour que l'Union soviétique se démembre. En agissant de la sorte, nous avons grandement favorisé l'avènement du chaos qui règne désormais dans cette partie du monde. À mon avis, nous aurons un jour à le regretter amèrement. Loin de moi la pensée qu'aucune de ces républiques (par exemple les États baltes, pour citer le cas le plus clair) n'avait le droit de considérer la pleine souveraineté comme une option possible. Je dis seulement qu'il eût été plus sage de considérer ce choix dans le contexte d'un processus évolutif plutôt que d'une rupture immédiate, avec ses conséquences inévitables sur d'autres parties de l'URSS.

Je me souviens d'une discussion à ce sujet avec Henry Kissinger, lors d'une rencontre internationale. Il affirmait: «Dans le cas de certains États, il faut les reconnaître dès qu'ils proclament leur indépendance.» À quoi je répondais: «Où vous arrêtez-vous? Ne ferions-nous pas mieux d'attendre que chacune de ces républiques nous ait démontré qu'elle entend respecter et protéger les droits de ses minorités? De même, ne serait-il pas préférable de les encourager à conserver les avantages économiques de leur marché commun, au moins durant la période de transition, au lieu de les jeter tout de suite au vent, dans un tourbillon de ruptures?» Au sujet des réformes économiques, je ne me lassais pas de rappeler, dans nos discussions, qu'au sortir de la Seconde Guerre mondiale, les pays occidentaux, y compris le Canada, n'ont relâché que très lentement les contrôles rigoureux qu'ils avaient exercés sur leurs économies respectives. Par exemple, nous avons maintenu le contrôle des changes et le rationnement. J'ai vécu en Grande-Bretagne et en France, dans les années 50, et même alors, les deux pays soumettaient encore leurs économies respectives à certaines des contraintes du temps de guerre. Nous, les États capitalistes, nous sommes donc rendu compte, quand nous étions nous-mêmes en cause, qu'une économie étroitement contrôlée ne peut être libérée que très graduellement. Or, nous n'avons cessé de déléguer aux Soviétiques des conseillers thatcheristes et reaganistes remplis de zèle pour leur dire qu'ils n'avaient pas le choix, qu'ils devaient convertir immédiatement leur économie au système du marché libre: ils devaient se soumettre à la douche froide et lever les contrôles du jour au lendemain. Et bien entendu, ce brusque changement devait créer en URSS un chaos économique aussi bien que politique.

Si j'affirme qu'éventuellement nous pourrions bien regretter cette erreur, c'est que la paix du monde est fondée sur la stabilité. Les pays, quand ils commencent à se sentir menacés, ont souvent recours au nationalisme ethnique pour assurer leur défense, ou bien ils cherchent à nouer des alliances susceptibles de détruire l'équilibre de pouvoirs qui les menace. Déjà, nous avons commencé de nous repentir en observant ce qui se passe en Yougoslavie, en Somalie et en d'autres endroits trop nombreux. Des atrocités sont commises chaque jour, si horribles que, devant les réactions de l'opinion publique, les gouvernements se sentent obligés d'intervenir et de mettre en jeu la vie de nos propres concitoyens pour tenter d'apporter un peu de sécurité dans les pays ravagés. Or, les ravages qu'ils subissent, ces pays les doivent en partie à nos politiques et à nos façons d'agir. Dans le cas de la Somalie, par exemple, les deux super-puissances avaient choisi cette malheureuse partie de l'Afrique (comme elles avaient auparavant choisi l'Éthiopie et l'Amérique centrale) pour y mener par procuration les guerres qu'elles voulaient se faire l'une à l'autre.

Dans le cas de la Yougoslavie et dans un premier temps, la Communauté européenne avait pris la sage décision de ne reconnaître la souveraineté d'aucun État dissident, à moins qu'il n'ait donné l'assurance d'un traitement équitable pour les minorités ethniques vivant sur son territoire. Mais soudain, l'Allemagne se montra impatiente de gagner certains avantages politiques et plusieurs groupes d'intérêts privés voulurent acquérir de nouveaux clients. On commença donc à se bousculer pour reconnaître successivement la Slovénie, puis la Croatie, la Bosnie, et ainsi de suite. Le Canada, les États-Unis et toutes les autres puissances se précipitèrent pour déstabiliser le pays tout entier, en reconnaissant l'une après l'autre les nouvelles républiques, à mesure qu'elles proclamaient leur indépendance. On ne posait aucune condition; on n'avait cure de ménager une période de transition. Naturellement, les Serbes, maîtres du gouvernement central et de l'armée et désespérant de garder intacte l'ancienne Yougoslavie, conclurent qu'ils devaient du moins en garder la plus grande partie possible sous leur autorité. D'où la guerre civile.

Le plus triste, c'est que des États comme la Bosnie et la Tchécoslovaquie, érigés en sociétés multi-ethniques et pluralistes après la Première Guerre mondiale, s'effritent aujourd'hui en plusieurs petits territoires dominés par une seule ethnie. Ce résultat est partiellement attribuable à l'aveuglement des nations occidentales qui ont flirté avec les indépendantistes de ces pays. Et cela nous vaut aujourd'hui le répugnant spectacle de la «purification ethnique».

Quant aux événements de politique intérieure qui se sont produits au Canada, depuis 1984, aucun ne m'a inspiré la moindre nostalgie pour la vie politique que je venais d'abandonner. Je dois avouer que je ne suis pas de très près l'actualité, surtout quand il s'agit de politique canadienne. Je refuse toutes les invitations (à une ou deux exceptions près, en dix ans) à prendre la parole en public. Il arrive de temps à autre que je visite un campus universitaire, pour y donner un séminaire et parler aux étudiants en l'absence de la presse. Cela m'aide à me tenir au courant des opinions des jeunes Canadiens, ou des jeunes Américains quand je parle sur un campus américain. Mais j'ai pour règle de ne pas me mêler de politique. Je crois qu'on ne peut pas être à moitié actif et à moitié retraité. Comme je ne voulais pas retourner à la vie publique, je m'en suis tenu éloigné, la plupart du temps.

Il arrive qu'on me demande ce que je pense du gouvernement Mulroney et des années de pouvoir qui ont suivi ma démission. Comme je ne saurais être impartial, je préfère garder pour moi mes commentaires. Ayant moi-même occupé le poste de premier ministre, j'ai toujours enseigné à mes enfants le respect de la fonction,

J'ai rencontré Henry Kissinger à plus d'un endroit, au cours des années, ce qui ne signifie pas que nous portons le même jugement sur l'actualité internationale.

(ANC-CT)

même si on ne partage pas nécessairement les idées de celui qui l'occupe. Il y va de mon intérêt; je ne voudrais pas donner le mauvais exemple en manquant de respect pour un ancien premier ministre.

Bien sûr, je m'en rends compte, les conservateurs qui nous ont succédé ne cessent d'attaquer vigoureusement le bilan de mon gouvernement. Ils en font même une obsession. Mais plutôt que de répondre chaque fois, je préfère laisser agir l'éloquence des faits. La population elle-même formulera son jugement.

On tente, par exemple, après neuf ans de régime conservateur, de nous faire porter la responsabilité de la situation économique actuelle. Or, au moment où nous avons quitté le pouvoir, notre économie donnait les mêmes signes de santé que ceux de nos principaux concurrents. Sous plusieurs aspects, nous avions même sur eux une avance notable. Si on compare notre dossier de la période 1968-1984 avec les performances réalisées par les principales puissances industrielles du monde, au cours de la même période, le Canada mérite le premier rang comme créateur d'emplois, le second pour la croissance économique et le quatrième pour la stabilité des prix. Il n'est pas sans intérêt de comparer le bilan de nos seize années avec celui des huit années du régime Mulroney pour lesquelles il existe des statistiques. Entre 1968 et 1984, la croissance annuelle moyenne de notre produit intérieur brut s'est chiffrée à 4,1 p. 100; de 1985 à 1992, elle a été de 2,6 p. 100. La croissance annuelle moyenne de l'emploi, pendant nos années de pouvoir, était de 2,4 p. 100; sous Mulroney, elle est tombée à 1,7 p. 100. Les taux de chômage que nous avons connus s'établissaient à 7,3 p. 100 en moyenne; les leurs, à 9,1 p. 100. Sauf pour l'inflation (7,5 p. 100 de moyenne à notre époque, 4,6 à la leur), tous les indicateurs révèlent que la performance économique du gouvernement Mulroney a été inférieure à la nôtre. Cela est vrai aussi pour la dette nationale dont les tories ont fait leur cheval de bataille et leur priorité par excellence. En seize ans, nous avons ajouté 180 milliards de dollars à cette dette, tandis qu'en huit années seulement, les tories l'ont augmentée de 218 milliards.

Il est certain que la dette nationale (non seulement la dette fédérale mais aussi bien les dettes provinciales) a atteint de très hauts niveaux pendant nos années au pouvoir. Mais il faut noter que ces niveaux restent inférieurs à ceux qu'elle avait atteints au début de la plus longue période de prospérité de notre histoire, c'est-à-dire au lendemain immédiat de la Seconde Guerre mondiale. Aussi la taille de cette dette ne devrait pas servir d'étalon pour mesurer le succès d'une politique économique; ce qui mesure cette politique, c'est la santé générale de l'économie. Or, du point de vue croissance économique, croissance de l'emploi, chômage et le reste, notre bilan est sain. Si bien que la croissance économique qui a suivi la récession de 1982 s'est poursuivie jusqu'en 1989, ce qui montre à l'évidence qu'il existait une base capable de soutenir une croissance continue.

Nos réalisations ne m'inspirent aucune honte. Mais ce dont je suis le plus fier, c'est de la dimension humaine de notre action, c'est-à-dire de ce que nous avons accompli au profit de la population. Par exemple, la proportion des Canadiens qui vivaient dans la pauvreté a chuté de 23 p. 100 en 1969 à 12,8 p. 100 en 1984. Le soin que nous avons mis à améliorer le sort de nos aînés n'est pas resté sans résultats. En 1969, le taux de pauvreté parmi les familles dont le chef appartenait au troisième âge atteignait 49 p. 100. En 1980, il était tombé à 14 p. 100. En veillant sur le sort des plus démunis, nous avons donc évolué vers la société juste de nos rêves.

Je suis également fier des changement effectués pour favoriser des personnes issues de groupes sociaux qui n'avaient pas reçu dans le passé la considération qu'ils méritent. Avant les nominations que

*J'aime encore danser, aussi bien à l'occasion d'un bal montréalais que dans une fête
à Calgary, lors du congrès libéral de 1990.* (ANC-CT)

j'ai faites aux divers postes suivants, jamais une femme n'avait pris
place dans le fauteuil présidentiel de la Chambre des communes. Jamais on n'avait confié à des femmes les fonctions de gouverneur
général ou de lieutenant-gouverneur. Aucune femme n'avait jamais fait
partie de la Cour suprême ni occupé le poste de juge en chef d'une
cour supérieure canadienne. Avant mon arrivée au pouvoir, personne
n'avait jamais voté avant l'âge de vingt et un ans. Aucun juif n'avait
jamais fait partie du Conseil des ministres ni occupé un siège à la
Cour suprême. Aucun Canadien français n'avait jamais été ministre
des Finances ni ministre du Commerce. Aucun Canadien inuit ne
siégeait au Sénat. Aucun Amérindien n'avait été ministre dans un
Cabinet fédéral ni lieutenant-gouverneur d'une province. Il n'existait
dans la Constitution aucun article qui reconnût l'existence des droits
aborigènes et qui les enchâssât dans la loi fondamentale du pays. Par
toutes ces nominations sans précédents, nous avons réussi à rendre
plus tangible l'idéal canadien d'une société pluraliste et à démontrer,
ce faisant, que la nation canadienne gagnait en maturité.

Des Canadiens remarquables

En conversation avec le Prix Nobel John Polanyi, dans son bureau de professeur à l'Université de Toronto. (Les Productions La Fête)

Sur le même campus, l'écrivain Robertson Davies, une vieille connaissance, m'a fait visiter la salle à manger du collège Massey. (Les Productions La Fête)

À Vancouver, je retrouve mon vieil ami Arthur Erickson, architecte de renom.

(Les Productions La Fête)

Visite à quelques étudiants de Colombie-Britannique dont le français est en progrès.

(Les Productions La Fête)

Sauf en matière constitutionnelle (j'en parlerai plus loin), je ne me suis permis qu'un seul commentaire public au sujet de Brian Mulroney, peu de temps après ma retraite et dans des circonstances très spéciales. À l'automne de 1984, me trouvant à Ottawa pour travailler sur mes documents déposés aux Archives nationales, je reçus un appel de Mulroney qui m'invitait à lui rendre visite à son bureau. Je me rendis à cette invitation. Le nouveau premier ministre voulait savoir si j'accepterais de lui donner mon avis, de temps à autre, sur des questions de politique étrangère. Ma réponse fut positive et je lui servis sans délai mon premier avis: «Il vous faut entretenir avec les États-Unis des relations amicales. En général, les Canadiens aiment bien leurs voisins américains. Mais à l'égard du gouvernement américain, ne vous montrez pas obséquieux, car les Canadiens forment un peuple fier.»

C'est là le seul conseil que je lui aie jamais donné, car je n'avais pas sitôt quitté son bureau qu'il convoquait la presse pour se vanter du fait que Trudeau acceptait de le conseiller en matière internationale. Évidemment, pour John Turner, chef de l'Opposition libérale, cette annonce n'avait rien d'agréable. Je me rendis compte alors que Mulroney jouait là un jeu politicien. À compter de cet incident, je ne lui donnai plus mon opinion qu'en public et sur un seul sujet: la Constitution. Mais comme Mulroney m'avait joué, sans préavis, ce mauvais tour, je me permis peu après de lui rendre la monnaie de sa pièce. Invité à dire quelques mots, à l'issue d'un dîner auquel il participait, je rendis public le conseil que je lui avais donné en privé, à savoir de ne pas se montrer trop servile à l'égard des États-Unis. Plus tard, il est apparu que Mulroney infléchissait les rapports canado-américains dans le sens d'une complaisance exagérée à l'endroit des autorités américaines.

En tant que libéral, il est naturel que je sois partisan du libre-échange. Mais je crois que dans toute discussion avec les États-Unis, super-puissance économique, il faut négocier de façon beaucoup plus serrée que nous ne l'avons fait. Une plus grande liberté dans les échanges pouvait nous être profitable mais nous avons toléré l'introduction dans le Traité de beaucoup d'éléments nuisibles. Je dirais la même chose de l'ALENA, l'Accord de libre-échange nord-américain, que le gouvernement Mulroney a fait ratifier en catastrophe par les Chambres, avant même que tous les éléments de l'entente aient été mis en place.

Il est de notoriété publique que j'ai fait une seule exception à la règle de non-intervention dans la politique que je m'impose depuis ma retraite: la Constitution. Tout frais élu, Mulroney avait déjà mis de l'avant des options constitutionnelles contraires à la conception du Canada que j'avais moi-même préconisée et défendue pendant toute la période où j'ai exercé le pouvoir. Et j'avais le sentiment que ni les partis d'opposition ni les médias n'en faisaient une critique valable. Je me chargeai donc de rappeler aux Canadiens qu'il existait une autre vision du pays que celle mise de l'avant, en 1987, dans l'accord du lac Meech.

Je fus choqué, comme le furent sans doute sous terre John Diefenbaker et tous ses prédécesseurs, d'apprendre que le parti tory considérait désormais comme un droit constitutionnel le droit d'une province à l'autodétermination. Je trouvais cette admission incompatible avec ma conviction que le Canada n'est pas seulement la somme de ses composantes. Notre pays n'existe pas seulement parce que les provinces lui permettent d'exister; c'est la volonté du peuple canadien qui en fait une nation. Si, au contraire, vous admettez que le Canada n'est rien de plus qu'un contrat reliant dix provinces et deux territoires, vous admettez du même coup que ces composantes peuvent se séparer. Aucun pays n'est éternel, comme je le disais devant le Sénat canadien, lors de mon opposition à l'Accord du lac Meech. Il est possible qu'un jour le Canada se démembre et cette possibilité existe aussi bien pour les États-Unis, tel pays d'Europe ou encore la Chine. Tout cela est possible mais je ne crois pas que les gouvernants d'aujourd'hui doivent légitimer d'avance un tel processus, de quelque façon que ce soit. Leur devoir premier, c'est d'assurer le respect de la Constitution.

Cela ne veut pas dire que je croie nécessaire de maintenir l'unité par la force, comme l'a fait aux États-Unis le président Abraham Lincoln. Mais rappelons-nous qu'à l'époque de Lincoln (et luimême l'a souligné), le Sud avait pris les armes contre l'Union américaine, dans le but de la détruire. C'est seulement après les premiers assauts du Sud que Lincoln a lui-même fait la guerre, afin d'assurer la survivance de l'Union. Heureusement, aucune province canadienne n'a jamais entrepris une guerre pour détruire le pays. La question de savoir si le gouvernement fédéral devrait prendre les armes pour protéger l'unité nationale est donc une question hypothétique.

Devant le Sénat, j'explique les raisons de ma forte opposition à l'Accord du lac Meech. Il se peut que mon intervention ait eu quelque influence sur le désaccord du public avec le contenu de cette entente. (J.-M. Carisse)

En rapatriant la Constitution canadienne, additionnée d'une Charte des droits, en 1982, nous assurions à nos successeurs dans les négociations fédérales-provinciales un terrain d'action où tous les participants pouvaient jouer à chances égales. Depuis ce temps, aucune province ne peut prétendre obtenir plus de pouvoirs en échange de son appui au rapatriement. Mais il a toujours été entendu qu'en temps et lieu, après l'ensemble de mesures qui répondaient aux attentes populaires, un autre ensemble serait négocié pour répondre aux désirs des hommes politiques. Il s'agirait alors de discuter et de modifier si nécessaire le partage des pouvoirs entre les autorités provinciales et fédérales. Et bien sûr, quand Mulroney a décidé, en 1984, de rouvrir le dossier constitutionnel et qu'il a prononcé à ce sujet quelques discours politiques, son initiative présentait à la fois un aspect positif et un aspect négatif. L'aspect positif, c'est qu'on pouvait interpréter cette démarche comme une volonté de définir les mesures qui répondraient aux souhaits des politiciens, maintenant que les attentes populaires avaient reçu la réponse de 1982. L'aspect négatif, c'est qu'au lieu de procéder dans cet esprit, le gouvernement s'avisa de mettre en question la légitimité du rapatriement de 1982, en dépit du fait qu'il avait été réalisé dans le respect absolu des règles définies par la Cour suprême. Ce faisant, le gouvernement Mulroney jouait le jeu des nationalistes québécois; il affirmait qu'en 1982, le Québec avait subi un traitement injuste, qu'on l'avait insulté, humilié. De nouveau, le jeu s'en trouvait pipé en faveur des provinces.

Je fus heureux de constater qu'une fois les jeux faits, on refusait à l'entente du lac Meech les ratifications indispensables, d'abord au Manitoba et ensuite à Terre-Neuve, à cause de l'impopularité croissante de cet accord au sein de la population canadienne. Lors de la seconde tentative du gouvernement, lorsqu'il se fut engagé dans le processus qui devait conduire à Charlottetown, je me suis réjoui du fait que Jean Chrétien, successeur de John Turner comme chef de l'Opposition, insistait avec fermeté sur l'importance de soumettre à un référendum l'entente éventuelle, quelle qu'elle fût. Il n'a jamais bronché sur cette question; aussi a-t-il gagné son point. J'observai alors qu'aucun des gouvernements fédéral et provinciaux, unanimes à soutenir l'accord de Charlottetown, n'était disposé à mettre de l'avant l'autre vision du Canada, c'est-à-dire la conception que le peuple canadien lui-même se fait de son pays. Charlottetown accordait plus de pouvoir aux politiciens provinciaux et n'apportait rien en échange au Canada dans son ensemble. Je croyais donc qu'un référendum pouvait nous protéger des faiblesses de Charlottetown.

En toute honnêteté, je dois avouer que j'entretenais de sérieux doutes sur le rejet éventuel de cette entente par une majorité de la population canadienne. Tout le monde semblait d'accord pour accepter cet arrangement: les grandes compagnies, le gouvernement tory, les partis d'opposition libéral et néo-démocrate, tous et chacun des gouvernements provinciaux. C'est surtout à cause de cette unanimité que j'ai senti le besoin d'intervenir, en 1992. Je craignais que beaucoup de Canadiens, écrasés sous une avalanche de votes favorables, vu la pression politique massive exercée sur l'opinion par tous les partis et par des médias au total très favorables, que ces Canadiens, dis-je, opposés à l'entente se sentent orphelins parce que personne n'aurait défendu leur position. Je me suis donc résolu à plaider la cause de ceux qui allaient voter NON, aussi bien au Québec que dans le reste du pays. Je voulais démontrer qu'il existait au Québec des fédéralistes aussi inébranlables que moi et qui allaient voter contre l'entente, non pas dans le but d'obtenir plus de pouvoirs pour le Québec mais parce qu'ils rêvaient d'un Canada fort.

Les résultats du vote m'ont agréablement surpris. J'ignore quel effet pratique ont pu avoir mes interventions. On ne risque pas de se tromper en affirmant que le peuple, particulièrement dans le cas de

Dans un restaurant chinois qui a nom (bizarre) La Maison du egg roll, j'ai pris la parole, en 1992, pour combattre l'accord de Charlottetown.

(J.-M. Carisse)

Charlottetown, se méfiait de la façon dont on traitait la Constitution. En conséquence, à l'issue du référendum, les Canadiens venaient de vivre un moment unique dans notre histoire. Pour la première fois, ils avait rejeté le point de vue unanime de toutes les élites politiques qui leur disaient de voter OUI. Les Canadiens s'étaient comportés exactement comme je le souhaitais. Ils avaient établi que la souveraineté, au Canada, résidait dans le peuple. Ils avaient signifié à tous les politiciens du pays: «Vous soutenez une opinion; nous en soutenons une autre, toute différente. Et c'est la nôtre qui doit l'emporter.» Il s'agit en fait d'une révolte contre le milieu politique.

Cela me réjouit profondément. Au cours des négociations constitutionnelles que j'ai dirigées, quand j'étais en fonction, j'ai fait de nombreuses tentatives pour introduire un préambule à la Constitution qui aurait défini le Canada comme un pays souverain fondé sur la souveraineté du peuple. Mais les provinces ont toujours repoussé cette proposition. C'est pourquoi je souhaite que le recours au réfé-

Avec Jean Chrétien, en 1992. Ceux des Québécois qui dénigrent l'homme et son style le font, je crois, parce qu'ils n'aiment pas ce qu'il pense du Canada.
(Les Productions La Fête/Jean Demers)

rendum pour trancher les questions constitutionnelles importantes soit un jour enchâssé dans la loi fondamentale du pays.

Ma confiance en l'avenir du Canada se fonde sur ma foi dans la sagesse populaire. L'expérience a toujours justifié ce sentiment, quand j'étais au pouvoir et que la situation devenait difficile parce que les multinationales, les provinces ou encore une super-puissance s'opposaient aux réformes que nous voulions introduire. Immanquablement, je découvrais alors que nous pouvions gagner la partie, si notre cause était juste, en parlant directement au peuple de ce pays, par-dessus la tête de nos adversaires. Pour ma part, le résultat du dernier référendum augure bien de l'avenir, pourvu que les Canadiens demeurent assez confiants et déterminés pour assurer que la volonté populaire en décide, et non pas les intérêts politiques particuliers de qui que ce soit.

Pour un avenir fécond et prospère, je crois que nous devrons poursuivre deux objectifs complémentaires et aussi indispensables l'un que l'autre à l'existence harmonieuse et au développement de notre pays. D'abord, nous devrons maintenir un gouvernement central fort et sensible à la diversité canadienne. Nous en avons besoin

Lors du dévoilement de mon portrait officiel, au Parlement, en mai 1992.

(*J.-M. Carisse*)

pour refléter notre désir de former un peuple, pour régler avec une autorité politique incontestée les conflits d'intérêts entre provinces et régions, et pour parler au nom de tous les Canadiens, à l'extérieur comme à l'intérieur du pays. En second lieu, nous devrons trouver les moyens de coordonner l'action de nos deux niveaux de gouvernement afin d'assurer que la contribution des gouvernements provinciaux aux affaires de la nation soit assez importante pour qu'ils se sentent membres à part entière de la fédération. J'espère que cela les encouragera à planifier leur développement dans la perspective du pays total. Cela dit et réalisé, l'existence de la fédération canadienne présuppose que nous considérions tous le Canada comme notre patrie commune, au-delà du quartier, de la ville et de la province de chacun. Refuser ce choix carrément canadien (et préférer ses attaches locales ou provinciales) affaiblirait fatalement les institutions fédérales et nous

Ultime visite à une Chambre déserte. (Les Productions La Fête/Jean Demers)

condamnerait à devenir une collectivité débile, dans un monde qui ne sera pas indulgent pour les nations divisées contre elles-mêmes.

Après tout, on ne bâtit pas un pays comme les pharaons bâtissaient leurs pyramides pour les laisser en place à défier l'éternité. Un pays se bâtit chaque jour à partir de certaines valeurs de base que nous partageons tous. C'est pourquoi il appartient à chaque Canadien de déterminer avec quelle compétence et quelle sagesse sera construit le Canada de l'avenir.

Pour ma part, me revient encore en mémoire le magnifique quatrain du poète français Arthur Rimbaud, dans son poème intitulé *Ma Bohème*, les mêmes vers que je citais dans mon discours d'adieu au Parti libéral, lors du congrès de leadership de juin 1984:

> *Je m'en allais, les poings dans mes poches crevées;*
> *Mon paletot aussi devenait idéal;*
> *J'allais sous le ciel, Muse! et j'étais ton féal;*
> *Oh! là! là! que d'amours splendides j'ai rêvées!*

Je crois avoir rêvé avec le peuple canadien, à une époque de grands défis, ces amours dont parle Rimbaud: amour de soi, amour de notre pays, ardent désir d'un supplément de paix et de justice dans le monde. En quelque sorte, nous avons reconstruit, rénové, renforcé et complété le pays que nous portons tous à l'intérieur de nous-mêmes. Je me rappelle ces jours-là et les gens rencontrés à l'époque; ce sont des souvenirs pleins de chaleur humaine.

Et désormais, aussi longtemps qu'il restera de nouveaux espaces à explorer, de nouveaux sentiers à découvrir en forêt, de nouvelles étoiles à observer dans les vastes étendues de la voûte céleste, de nouvelles expériences à partager et des livres à lire, avec l'aide de Dieu, je continuerai d'être un homme heureux.

Automne 1992   *(Les Productions La Fête/Jean Demers)*

LES PHOTOGRAPHIES:
NOTE DE L'ÉDITEUR

Un premier ministre est un personnage très souvent photographié. Pendant ses seize années dans cette fonction, on a fixé sur pellicule l'image de Pierre Trudeau des centaines de milliers de fois. Aux Archives nationales du Canada, dans son dossier privé, auquel nous avons eu accès en préparant ce livre, on trouve une telle abondance de photos qu'une seule des collections archivées en comprend cent soixante mille. Les dossiers publics en contiennent d'autres, innombrables, prises par des photographes de presse entreprenants. Sans parler des milliers d'instantanés que des amateurs ont croqués au cours des ans et dont ils ont fait cadeau au bureau du premier ministre. De plus, nous avons eu le privilège de feuilleter l'album de la famille Trudeau.

Bref, un simple coup d'œil révélera, même au lecteur le plus pressé, que les deux cent cinquante photographies reproduites dans ce livre nous sont venues d'un nombre étonnant d'endroits divers et comprennent des photos que le public n'avait jamais vues précédemment.

Le mérite de ce choix très varié revient d'abord aux Productions La Fête, la société productrice de la série télévisée sur la vie de Pierre Trudeau. Holly Dressel, la recherchiste préposée à la photographie par le producteur du film, a réalisé un travail vraiment exceptionnel. De son côté, la coordonnatrice de la production, Monique Giroux, calme et efficace, a organisé les photos rassemblées en une suite intelligible. Rock Demers et Kevin Tierney nous ont généreusement permis d'utiliser dans le livre la collection rassemblée par La Fête, y compris les photos que Jean Demers avait prises pendant le tournage du film.

Les photos se répartissent en plusieurs groupes distincts. Celles du premier groupe ont été gracieusement prêtées par Suzette (Trudeau)

Rouleau, gardienne de l'album de famille, pour les fins du film et du livre. C'est à elle que nous en sommes redevables.

Le deuxième groupe comprend les photographies du domaine public. Nous en remercions les responsables des bureaux montréalais et torontois de *Canapress* et particulièrement Steve McLean qui nous a beaucoup aidés. Au *Toronto Star,* l'intervention personnelle de John Honderich, directeur du journal, nous a facilité le travail, et les membres du service photographique de la maison se sont montrés très efficaces. Il va de soi que nous sommes reconnaissants à tous les photographes de presse dont les pages qui précèdent illustrent bien le travail et l'habileté (y compris Jean-Marc Carisse qui a enrichi sa collection en continuant de suivre la carrière du premier ministre après 1984) ainsi qu'à toutes les institutions qui nous ont autorisés à utiliser leurs photos.

Celles de la collection privée Trudeau, déposée aux Archives nationales, tiennent ici une place importante, comme en témoigne la fréquence de l'identification ANC-CT; nous devons des remerciements à Duncan Cameron, à Robert Cooper et aux autres photographes officiels qui ont contribué à cette collection. Le vaste registre des photographies archivées nous offrait un choix exceptionnel et nous posait un défi de taille. Mais grâce au savoir-faire de Sylvie Gervais, grâce aussi à la collaboration enthousiaste de Michèle Jackson, de Helen De Roia et de Micheline Robert, toujours prêtes à consacrer à ce travail des heures supplémentaires, on a pu dénicher des photos intéressantes d'origines diverses et souvent improbables, tels les albums officiels adressés à Ottawa par les pays hôtes pour commémorer la visite du premier ministre Trudeau. Pour sa part, M. Trudeau a rehaussé l'intérêt de ces photographies en enrichissant les légendes de ses souvenirs sur les lieux et les personnes photographiés.

Tout ce travail d'équipe, réparti sur plusieurs mois, a produit une collection de photos complexe et variée, dont nous espérons qu'elle enrichira la lecture des remarquables Mémoires qu'elle accompagne.

INDEX

Index

TABLE DES MATIÈRES